TRAIN KIDS

 **NANDIBÚ**

Colección dirigida por
Alba Besora
con el asesoramiento de Ramon Besora

Train Kids

DIRK REINHARDT

Traducción de Montserrat Franquesa Gòdia

editorial
MILENIO
LLEIDA, 2016

Dirk Reinhardt (1963) reside y trabaja en Alemania. Ha ejercido de periodista. En el año 2009 publicó su primera novela y desde entonces se dedica exclusivamente a escribir literatura juvenil.

Train Kids, incluido en la prestigiosa lista internacional White Ravens de los mejores libros infantiles y juveniles el mismo año de su publicación (2015), ha recibido varios premios en Alemania, entre los cuales destaca el de la Fundación Friedrich-Gerstäcker de Braunschweig (2016), distinción que se otorga cada dos años a la obra para jóvenes que mejor defienda los valores del respeto y de la tolerancia entre culturas.

Título original en alemán:
Train Kids
Texto de Dirk Reinhardt
© 2015 *Gerstenberg Verlag*, Hildesheim, Germany

© de la traducción: Montserrat Franquesa Gòdia, 2016
© de esta edición: Milenio Publicaciones, S L, 2016
C/ Sant Salvador, 8 - 25005 Lleida (España)
editorial@edmilenio.com
www.edmilenio.com

Primera edición: junio de 2016
Segunda edición: octubre de 2016
ISBN: 978-84-9743-731-8
DL L 331-2016
Impreso en Arts Gràfiques Bobalà, S L
www.bobala.cat

Printed in Spain

A Felipe, Catarina, José y León
(Donde sea que se encuentren ahora)

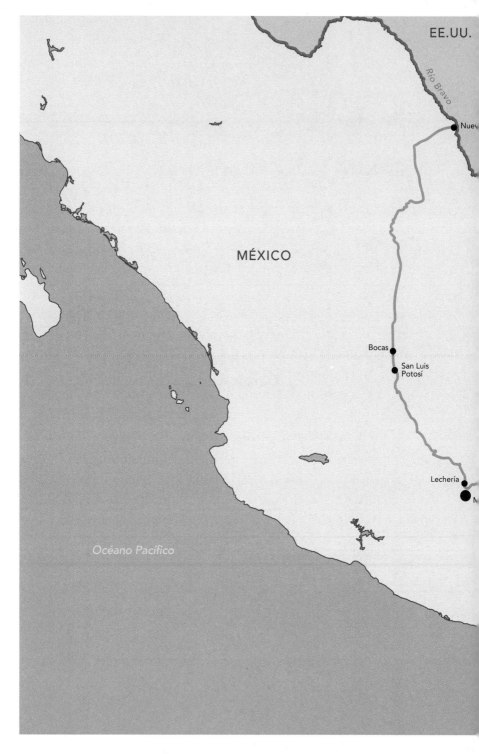

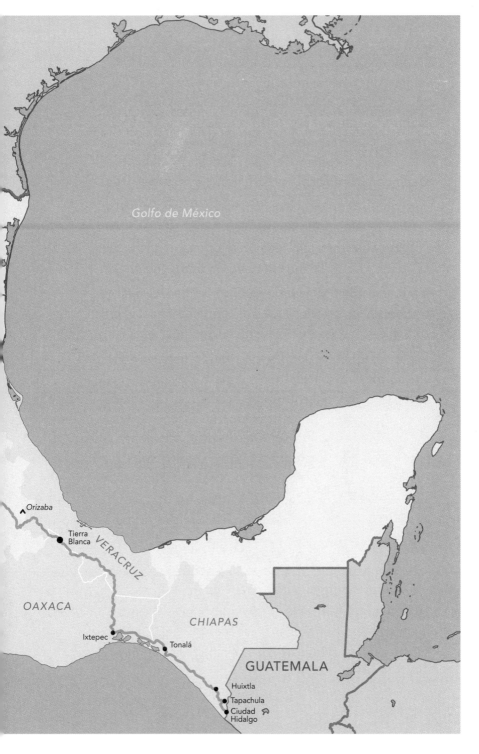

—Cruzar el río será la guerra —dice Fernando—, ¡no lo olvidéis!

Señala la otra orilla. Intento ver algo, pero no hay nada, al menos nada que sea amenazador o peligroso. Incluso el río parece inofensivo, discurre perezoso por la mañana temprano, con un montón de barcazas cargadas sobre el agua.

Guerra... suena a muertos y a desaparecidos, a bombas y a armas. A lo mejor Fernando pretendía gastarnos una broma. Se da la vuelta y me mira a los ojos. No, no lo es. Con ese tema no bromea.

—Hazlo solo si estás seguro —me dice—, si no, mejor da media vuelta. Es la última oportunidad, hombre. La última.

Dudo por un instante. Hasta este momento todo quedaba lejos: la frontera, el país y el largo camino para recorrerlo. Ahora lo tengo delante. ¿Qué me espera al otro lado? En realidad no tengo ni la más remota idea, pero cuando inicié el viaje, me prometí a mí mismo que no habría camino de retorno. Nunca más.

—No me puedo echar atrás —digo sin pensar—, lo tengo que hacer, he estado demasiado tiempo esperando este momento.

Fernando se aparta delante de mí y observa a los otros, que no dicen nada, pero asienten con la cabeza.

Hace pocas horas que los conozco y no muchas más desde que me fui de casa, pero me parece una eternidad. Qué lejos queda ahora nuestra casita en Tajumulco, en las montañas de Guatemala, mi patria. Quizá no la vuelva a ver nunca más. No sé cuántas veces me lo había propuesto: marcharme e ir a buscar a mi madre. A menudo. Hace seis años que nos dejó, a mi hermana Juana y a mí, y nunca más volvió. Yo tenía ocho años y Juana cuatro. Al principio era demasiado joven para irme y más tarde no me atreví. Hasta antes de ayer, cuando ya no podía ser de otro modo, después de todo lo que había pasado: me tenía que ir.

Mientras esperamos y observamos el río, evoco las imágenes de aquella noche. Se reproducen delante de mí: me levanto, despierto a Juana y le explico mi plan. Intenta sacármelo de la cabeza. Cuando se da cuenta de que es inútil, saca sus ahorros de debajo del colchón y me los da. No los quiero, pero me amenaza con despertar al tío y a la tía. De modo que los tomo y le prometo que se los devolveré, algún día, cuando nos volvamos a ver. A continuación la abrazo y salgo sin hacer ruido.

Hace frío y la noche está estrellada. Se ve la cumbre blanca del volcán dominando la ciudad. Camino, para entrar en calor, y cuando empieza a amanecer un camionero me recoge. Bajamos de las montañas al valle y a mediodía estoy tan lejos de casa como nunca antes lo había estado. Por la tarde, el conductor me deja y sigo a pie hasta Tecún Umán. En Tajumulco me habían hablado de la ciudad a orillas del río, donde se encuentran todos los que quieren cruzar la frontera hacia México.

Por la calle le pedí a un muchacho que me indicara. Me explicó que debía dirigirme al albergue de los emigrantes, porque es el único lugar seguro de la ciudad y allí podría dormir en una cama, por última vez, y me darían el desayuno, antes de pasar al otro lado, «a la bestia», me dijo.

En el albergue pasé la noche en un dormitorio enorme. Todo se me hacía tan extraño que no pude pegar ojo. A la hora del desayuno me he sentado en una mesa vacía, pero no han parado de empujarme, a pesar de que no los había visto nunca antes, a ninguno de ellos. Hemos descubierto que todos tenemos el mismo objetivo: llegar a los Estados Unidos, atravesando México, hacia el norte. Cuando hemos terminado de desayunar y cada uno quería irse por su cuenta, Fernando ha propuesto ir juntos, porque las posibilidades son mayores que si cada uno lo prueba por separado. Me lo he pensado un poco y he estado de acuerdo, los otros también. Y así es como estamos aquí ahora, agazapados, a orillas del río Suchiate, que hace frontera, escondidos detrás de unos matorrales decidiendo cuál es la mejor manera de llegar al otro lado.

No sé mucho de los demás, solo lo que han explicado mientras desayunábamos. Fernando es el mayor, tiene unos dieciséis años, es de El Salvador y quiere reunirse con su padre, que está en Texas. Es el único que conoce México porque ya ha intentado hacer este viaje en otras ocasiones. No me he atrevido a preguntar qué le fue mal las otras veces y por qué no lo ha conseguido nunca, pero sabe mucho sobre el país, en cualquier caso más que yo y que los demás, que no sabemos prácticamente nada.

Los otros se llaman Emilio, Ángel y Jaz. Emilio es de Honduras y no ha explicado nada de él, que es indígena se le ve de inmediato. Ángel es de Guatemala como yo, pero no de las montañas, sino de la capital. Tiene once o doce años y quiere ir a encontrar a su hermano a Los Ángeles. Y Jaz, en realidad, se llama Jazmina, es de El Salvador, se ha cortado el pelo y viste como un chico, para que nadie intente ligar con ella durante el viaje, nos ha dicho.

Estamos agachados uno al lado del otro y a través del matorral miramos hacia abajo, hacia el río. Es muy ancho y la corriente parece fuerte. La orilla en la que estamos es un lodazal, nos sube el hedor, seguramente del agua sucia que se vierte. En el otro lado se ha posado la niebla, que va subiendo como un velo por encima de los árboles y hace que todo parezca misterioso. Mientras observo, me viene a la cabeza el chico que me indicó en Tecún Umán.

—Eh, Fernando —le digo, dándole un codazo—, ¿qué demonios significa *la bestia*?

Fernando duda.

—¿Por qué lo preguntas?

—En Tecún Umán le pregunté a un chico, que me habló del albergue y me dijo que allí podría descansar por última vez, antes de pasar al otro lado, «a la bestia». ¿A qué se refería?

Fernando mira fijamente la otra orilla y a continuación escupe en el suelo.

—Se refería a Chiapas. La región del sur de México que tenemos que atravesar primero. La gente la llama «la bestia» y no le falta razón. Aquello es el infierno, sobre todo para gente como nosotros.

Mira hacia delante con ojos siniestros. Durante un buen rato estamos en silencio, solo se oye el murmullo del río. Jaz levanta la cabeza y me mira, a continuación se cala la gorra aún más, tapándose el rostro. Me parece que ella tampoco sabe muy bien qué pensar de Fernando y de su modo de actuar.

—Cualquiera que se dirija al norte ha de pasar por Chiapas —explica Fernando—, y la única posibilidad de hacerlo es en los trenes de mercancías, de modo que a lo largo de toda la línea se junta la chusma más indeseable que os podáis imaginar; se agarrarán a vuestro dinero o a vosotros mismos. Además, las vías están en mal estado y hay accidentes constantemente. Muchos acaban bajo las ruedas, por eso se le llama «el tren de la muerte».

Se incorpora, de espaldas al matorral, y se mesa los cabellos.

—Hace poco alguien me explicó que de cien personas que intentan cruzar el río, solo diez salen de Chiapas, tres llegan al norte, a la frontera, y solo uno consigue pasarla —dice, mientras niega con la cabeza—. No os lo quería contar, pero es así.

Se hace a un lado. Sus ojos tienen algo particular. No sé porqué, pero no lo he acabado de entender. ¿Pretende ponernos a prueba, le gusta explicar historias truculentas o es realmente como dice?

—Somos cinco, y no uno solo, creía que así sería más fácil —murmura Jaz desde el otro extremo.

—Venga ya, no te engañes —responde Fernando—, solo o acompañado, al final cada uno depende de sí mismo. Se trata de mover el culo y ver dónde estás. ¡El resto son fantasías!

Nos indica el río.

—Sea como sea, hay que cruzar a la otra orilla, si no, perderemos el tren. De modo que quien quiera largarse, lo puede hacer, y quien quiera venir, que venga, pero luego no digáis que no estabais avisados.

Se arrastra a través de la maleza y nos deja atrás. Nadie abre la boca. Emilio va tras él. Parece que no le interesan demasiado las historias de Fernando, como si no le incumbieran, o como si siempre temiese lo peor.

Jaz y Ángel no se mueven. Me parece que esperan a ver qué hago yo. Me armo de valor y avanzo.

Al otro lado del matorral nos espera Fernando. Cuando ve que todos le seguimos, asiente con la cabeza y mira hacia el río. Ahora es posible ver mejor las barcazas; hay a docenas. La mayoría están hechas con unas cuantas tablas clavadas y colocadas sobre neumáticos de camión, cargadas de gente y paquetes que pasarán ilegalmente a la otra orilla. Algunas van tan cargadas de sacos y cajas que parecen estar a punto de partirse.

—Subiremos a aquella más ancha de allá —dice Fernando, después de haber oteado fijamente el río durante un buen rato. Nos señala a un barquero que vuelve de la otra orilla guiando la barcaza sobre las aguas con una larga percha. Es curioso cómo lucha contra la corriente, lo observo y no puedo evitar reírme: ¡por debajo de la camiseta le sobresale la barriga y parece una medusa!

—¿Y por qué precisamente aquella? —pregunta Ángel.

—No lo sé —responde Fernando—, pero el tipo me gusta. Calculo que le podremos regatear cien pesos por cabeza. Venga, dádmelos ahora, así nadie verá dónde los guardáis.

Llevo el dinero oculto en un zapato, debajo de la plantilla. Es todo lo que tengo, a parte de los ahorros que me dio Juana, y que llevo escondidos en la punta, donde nadie los pueda encontrar. Saco cien pesos, guardo el resto y me vuelvo a calzar. Los otros también le dan su parte a Fernando. Nos hace un gesto con la cabeza y empezamos a correr.

Cuando llegamos al río, el hombre está amarrando la barcaza. Fernando se acerca a él y le pregunta si nos puede llevar al otro lado, pero sigue con su trabajo y ni se digna a mirarnos.

—Cinco son demasiados —refunfuña.

Fernando niega con la cabeza.

—No, o todos o ninguno —le dice, y le indica a Jaz y a Ángel—: aquellos dos cuentan como uno.

Jaz pone cara de ofendida. Tiene la misma edad que Emilio y que yo, pero físicamente es más pequeña. Lo hace para dejar bien claro que no quiere que se la vuelva a equiparar a Ángel.

—Además, no llevamos equipaje —añade Fernando.

En eso tiene razón: casi no llevamos nada. Yo solo cargo con una pequeña mochila con una botella de agua, una toalla, una camiseta de repuesto y unas mudas. También llevo las cartas de mi madre, su dirección me la hice tatuar en la planta del pie el día antes de partir. Los demás tampoco llevan mucho más encima.

El barquero se incorpora y mira a Fernando de arriba a abajo.

—¡Madre de Dios! —suspira, entornando los ojos—. Por mi parte, de acuerdo, pero que te quede claro: todos pagáis el precio completo, doscientos pesos, con o sin equipaje. Es mi última oferta.

Fernando asiente con la cabeza... ¡y le ofrece veinte pesos! No me puedo creer lo que oigo. ¿Veinte pesos? Debe estar bromeando. El barquero lo mira como si lo quisiera ahogar en el río y lo maldice en voz baja. Fernando finge no oírlo y se lo queda mirando con ojos inocentes y abiertos de par en par. Por un momento se hace el silencio. Lo vuelve a maldecir y entonces empieza a negociar, los observo... ¡qué habilidad, la de Fernando! Le da igual que el barquero le llene la cabeza, no se deja engañar. Se produce un aprieta y afloja y al final se ponen de acuerdo, cien pesos, exactamente lo que quería Fernando. Saca el dinero y se lo pone en la mano.

El barquero dobla los billetes y se los mete en el bolsillo de los pantalones. Desamarra nuevamente la barcaza y nos hace la señal que subamos. No nos lo pensamos dos veces, enseguida trepamos por las tablas, nos sentamos y observamos cómo clava la percha en el fondo y se apoya en ella. La barcaza se separa de la orilla y empieza a navegar. Fernando empuja desde abajo, hasta que el agua le llega a la cintura, entonces toma impulso, sube a bordo y se sienta con nosotros.

—De momento todo va sobre ruedas —nos susurra, para que el barquero no lo oiga—. ¡Espero que no tengamos más sorpresas desagradables!

La corriente nos arrastra y la barca empieza a oscilar por culpa del oleaje. Observo el agua del río y está tan turbia y sucia que me da miedo. ¿Dónde debe estar el fondo? No sé nadar y por si las moscas me aferro a una de las tablas. A Fernando, que está sentado a mi lado, parece no preocuparle la barca; en cambio mantiene la vista fija en la otra orilla, con desconfianza, como si no se fiara de la calma que reina en ella.

El agua hace remolinos, pero el barquero los conoce y los esquiva, solo sufre una vez, cuando la percha se le clava en el fondo. Se balancea, pierde el equilibrio y la barcaza enseguida empieza a girar sobre sí misma. Antes de que me dé cuenta, Fernando ya se ha levantado de un salto para echarle una mano y entre los dos recuperan la percha. La barca prosigue el rumbo y cuando Fernando vuelve donde estamos nosotros, vislumbro una débil sonrisa en su rostro.

Al cabo de unos minutos hemos dejado atrás la mitad del río y avanzamos hacia la orilla mexicana. De repente, como salida de la nada, aparece una patrulla fronteriza. Crece la inquietud a nuestro alrededor, la mayoría de barcazas se paran, todos nos quedamos mirando fijamente a los policías, que se distribuyen a lo largo del río. Por unos instantes, parece como si todo el mundo contuviese la respiración.

—¡Mierda, me lo imaginaba! —grita Fernando y se levanta de un salto—. ¿Y ahora qué hacemos?

El barquero se queda pensando, como petrificado.

—Si atracamos os detendrán. Es mejor dar media vuelta y regresar. Pero el dinero no os lo devuelvo, ya estamos a mitad del trayecto.

—¿Estás loco? —lo increpa Fernando—. ¿Te has vuelto loco o qué? ¿Te parece que tenemos aspecto de ir regalando el dinero, nosotros?

El hombre se encoje de hombros.

—Son las normas —le dice—, y no las he hecho yo.

Fernando se enfrenta a él.

—A mí me importan un bledo tus normas de mierda, vamos hasta la otra orilla, ¿te enteras? Ya se te puede ocurrir algo.

—Bueno, ya que lo comentas... —dice con sonrisa cínica—, tal vez haya una posibilidad. Da la casualidad que conozco a esos policías.

—¿Qué quieres decir con que los conoces?

—Pues eso, que los conozco. Cada día cruzo el río y siempre me acabo encontrando con la misma gente.

—¿Y qué? ¿En qué nos afecta, eso?

—Hombre... si les dais una pequeña propina, tal vez estén tan contentos que ni os vean, por decirlo de algún modo.

—¿Quieres decir que los sobornemos?

El barquero no responde. Se gira y escupe al agua.

—Vale —dice Fernando—, suponiendo que estemos de acuerdo, ¿cuánto necesitamos?

—Bueno, no mucho. Pongamos... otros cien pesos por cabeza.

Fernando lo mira a la cara, impasible.

—¡Ahora lo entiendo! Tú sabías que tus compinches aparecerían. ¡Me juego lo que sea que incluso lo teníais preparado!

El barquero, ofendido, pone mala cara.

—Yo no tenía preparado nada. Solo quiero ganarme la vida, mi mujer y mis hijos también. Si no lo entiendes, no te puedo ayudar.

Por un momento tengo la impresión de que Fernando se abalanzará sobre él, pero no pierde los nervios. Da media vuelta y se dirige hacia nosotros.

—¡Qué malnacido! —murmura Jaz—. Lo mataría.

—Sí, pero no ahora —dice Fernando—. Id con cuidado: cuando estemos en la orilla, cada segundo será importante. Debemos esfumarnos al instante, antes de que se den cuenta de lo que pasa.

No entiendo ni una palabra de lo que dice.

—¿Qué te propones? ¿No pretenderás darle el dinero, no? Si lo hacemos, pronto estaremos sin blanca.

Fernando me pone una mano en el hombro.

—Haz lo que yo diga —me dice en voz baja. A continuación se dirige al barquero y le da unos cuantos billetes.

—¡Oh! ¡Gracias, compadre! —le dice el hombre, y sonríe—. Mis hijos rezarán por ti.

—¡Deja en paz a tus hijos! —exclama Fernando—, no te enrolles más y llévanos a la otra orilla —el barquero hace lo que le ordena.

Cuando nos acercamos a la orilla, saluda a los patrulleros con la mano y ellos le devuelven un gesto condescendiente con la cabeza. La mayoría de barcazas han dado media vuelta, algunas aún se encuentran en medio del río, solo nosotros y dos embarcaciones más continúan el trayecto.

El corazón me late a mil por hora. El barquero se detiene justo delante de los policías. Intento no mirarlos. Es el momento: sin esperar a que el viejo amarre la barca, saltamos de inmediato a tierra. El agua es poco profunda y echamos a correr. Llegamos a los matorrales que hay más arriba de la orilla sin que nadie nos detenga.

Me quedo un instante allí parado y me doy la vuelta. Veo al barquero más abajo con los patrulleros: les ofrece tabaco, hablan y ríen y miran hacia donde nos encontramos.

—Vamos, no os detengáis —susurra Fernando. Echamos a correr entre los arbustos y nos alejamos del río tan rápido como podemos. Al cabo de poco rato, empezamos a ver casas. Seguramente es Ciudad Hidalgo, la localidad mexicana fronteriza, delante de Tecún Umán. Fernando ralentiza el paso. Mira hacia atrás y de repente empieza a reír.

—¿Qué sudece? —le digo, aún sin aliento—. ¿Te pasa algo?

Fernando saca un fajo de billetes y nos los muestra.

—¡Ya se debe de haber dado cuenta de que no tiene el dinero, pero ahora es tarde, no nos puede pillar!

—Te refieres... ¿al barquero? ¿No me digas que...?

Fernando no me contesta.

—Yo lo he visto —grita Ángel, rezagado, con su voz clara—. Le has echado mano al bolsillo de atrás, cuando le has ayudado a devolver la barca a su curso. ¡Has sido muy listo! —comenta, haciendo un movimiento rápido con la mano.

Fernando sonríe.

—¡A ti nadie te la pega, lo he sabido desde el principio!

Jaz se queda atónita.

—Entonces... un momento... eso significa que le has pagado con el dinero que le habías robado antes, ¿no?

—Sí, claro. ¿O te crees que era mío?

Jaz menea la cabeza, incrédula. Parece tan desconcertada como yo.

—¿Cuánto tienes? —le pregunta.

—Con las prisas no se lo he podido robar todo. Mil pesos, tal vez más. Sea como sea, esta pasta nos irá muy bien.

Quiere continuar, pero los otros dudamos. Se vuelve y nos observa de arriba a abajo con aire socarrón.

—Espero que no tengáis mala conciencia...

Como nadie responde, se acerca a Jaz y le ofrece el dinero.

—Aquí los tienes, tómalos. Ve a devolvérselos, si quieres.

Jaz no reacciona. Entonces Fernando se dirige hacia mí e intenta hacer lo mismo. Retrocedo, estoy totalmente desconcertado. ¿Es correcto lo que ha hecho? No lo sé. Solo tengo claro algo: estoy muy contento de que Fernando sea uno de los nuestros. Además, lo que ha dicho es cierto: ese dinero nos será de mucha utilidad. De modo que asiento con la cabeza. Fernando también.

—¿Qué os he dicho sobre Chiapas y todo lo demás?

—Que es el infierno.

—Exacto.

—... que de cien, solo consiguen pasar diez.

—Eso mismo.

—... y que nadie te ayuda.

—Has acertado de pleno. Aquí solo se quieren aprovechar de vosotros; y no creáis que podréis cambiar las cosas porque se os vea buenos y amables. Cuando alguien intenta tomarte el pelo, lo mejor es pagarle con la misma moneda.

Deja caer los billetes de la mano y añade:

—Dinero estafado a pobres desgraciados como vosotros, y siempre con el mismo engaño: cuando la barca está a punto de llegar a la orilla mexicana, aparece la patrulla fronteriza. La gente se asusta y así les saca una mordida más. Sin duda se reparten el dinero: la mitad para él, la otra para los guardias. De modo que, bien mirado, el primer ladrón es él. Por eso se lo podemos quitar, sin tener demasiados remordimientos porque la pasta acabe en nuestros bolsillos —nos vuelve a mirar, menea la cabeza y suspira—. Me parece que aún tenéis mucho que aprender. Pero ahora, en marcha, ya estamos en México, y el tren no espera.

Hace más de una hora que estamos tumbados en el suelo, en la estación de mercancías de Ciudad Hidalgo, escondidos detrás de unos vagones oxidados en vía muerta, observando qué sucede. Al poco de llegar, ha aparecido el barquero acompañado de los policías y han comenzado a registrar la estación. Nos hemos arrastrado por debajo de un vagón, hasta las ruedas. Por suerte no nos han descubierto y al cabo de un rato se han ido, pero por esa razón ahora hay desplegados vigilantes a lo largo de la vía.

—Aquí tenemos a la comitiva de bienvenida —nos dice Fernando, con un gesto.

Desde mi posición puedo ver perfectamente las vías, a través de las ruedas de un viejo vagón. Los ferroviarios enganchan los vagones de un convoy de carga, unos detrás de otros. Hay una fila de centinelas, desde la cabeza del tren hasta el final. Viéndolos con sus porras, de repente he tenido una sensación desagradable.

—¿Qué esperan? —le pregunto a Fernando.

—No lo ves... a nosotros.

Todos lo miramos, pero él se ríe.

—No solo a nosotros, naturalmente, también al resto. No los podéis ver, pero me juego lo que queráis a que en este momento alrededor de la estación hay varios centenares de personas al acecho. Y desde aquí solo sale un tren al día. Quien lo pierde, se queda atrapado en esta ratonera.

Me vuelvo en busca de los límites de la estación. Al principio no veo nada, pero después me parece haber visto un movimiento rápido y furtivo en medio de un montón de deshechos. Me fijo mejor y distingo a unos hombres agachados con los ojos clavados en las vías. De repente salen de sus escondites y se arrastran hasta el tren. Los vigilantes los descubren al momento y uno de ellos grita que nadie se mueva. Los hombres empiezan a correr en todas direcciones, mientras el resto de vigilantes los persigue. Lo que sucede después, no acierto a verlo.

Fernando sacude la cabeza.

—Idiotas —murmura—, demasiado pronto para subir al tren.

—¿Cuándo es el momento exacto? —le pregunta Ángel.

Fernando nos indica las vías.

—En dirección a Tapachula es vía única. Debemos esperar a que llegue el tren contrario, antes no podemos hacer nada. Y cuando llegue, entonces será el momento, porque se produce un verdadero caos.

—¿Y tú sabes cuándo será?

—No, pero no importa. Se sabe por los guardias. Poco antes siempre se ponen nerviosos, parece que no tardará.

Al cabo de un rato ya han acabado de enganchar los vagones y el convoy está listo para partir. Es larguísimo, con docenas de vagones, unos son cisternas de gasolina o de gas, otros contenedores de carga y otros van abiertos, cargados de arena, cemento o piedras.

Fernando nos señala uno de los vagones abiertos y dice:

—Aquel parece hecho a medida, iremos allí.

No entiendo muy bien por qué se ha decidido por aquel. A mí me parece un vagón igual a los demás. Lleva un cargamento de madera, con pilas de tablones, tableros y vigas, y se halla situado en medio del convoy... precisamente donde hay más vigilantes.

—Contra esos no tenemos nada que hacer —le dice Jaz—. Ya te puedes ir sacando ese vagón de la cabeza.

—No me voy a sacar nada de la cabeza, no soy imbécil. ¡Vamos, ahora!

Se levanta y avanza agachado hacia un lado. Los demás lo seguimos a lo largo de la vía, aunque no tenemos ni idea de qué se propone, a cubierto detrás del viejo vagón oxidado. Antes de llegar justo donde se acaba el convoy y la fila de guardias, Fernando se detiene detrás de una pila de cemento.

—Atendedme. Esperaremos a que algo los distraiga; entonces los despistaremos. Pero no subiremos al tren aún, porque si se dieran la vuelta, nos descubrirían. Nos pondremos debajo y nos arrastraremos hacia adelante bajo el vagón, ¿entendido?

—Pero si el tren arranca y aún estamos debajo, ¡nos aplastará! —dice Ángel con voz asustada.

Fernando se acerca a él.

—¿Confías en mí?

—Sí, claro —dice vacilando.

—Pues escucha. Te aseguro que no nos aplastará. Yo iré el primero y tú detrás de mí. Me ocuparé de que no te ocurra nada. ¿Entendido?

Ángel asiente con la cabeza. Fernando se vuelve hacia nosotros.

—Nos arrastraremos hasta el vagón que os he indicado. Allí esperaremos a que llegue el otro tren. Entonces es cuando se producirá el verdadero follón. Cuando todos los vigilantes estén ocupados, subiremos al tren, nos esconderemos entre la madera... y ¡listo!

Lo dice como si se tratase de la cosa más simple del mundo, y no lo es, es malditamente peligrosa. Me horroriza la idea de arrastrarme por debajo del tren, con guardias a cada lado de las vías. Jaz y Emilio tampoco parecen muy entusiasmados. Pero debo pensar que Fernando, en el río, ya sabía que sería lo mejor para todos. Además, no nos queda más remedio que seguirlo... ¡Debemos subir a ese tren, tenemos que hacerlo! Es el único medio de ir hacia el norte.

Nos agachamos y esperamos. Cada vez hay más gente que intenta alcanzar el tren, pero los guardias los interceptan y los obligan a retroceder. Algunos actúan ya porra en mano.

Sin embargo, unos pocos consiguen burlar la vigilancia, rompen la línea y asaltan el tren. Al instante los vigilantes se encaraman a los vagones, los atrapan y los lanzan contra las vías. La gente chilla, se produce un revuelo de mil demonios que hace que los guardias que tenemos cerca, al final del convoy, corran también hacia delante.

—¡Ahora! —grita Fernando, mientras echa a correr.

Corremos tan deprisa como podemos, con los guardias de espaldas. Por fortuna, el tumulto de delante acalla nuestro ruido. Llegamos al último vagón casi sin aliento y nos escondemos debajo. ¡Lo hemos logrado! Nadie se ha percatado de nuestra presencia. Nos arrastramos sobre nuestros codos y rodillas. Fernando va delante, lo sigue Ángel, después Jaz, a continuación yo y el último, Emilio.

Hace calor debajo del tren, casi no pasa el aire. Hay piedras por todos lados y se nos clavan en la piel. A veces el dolor es tan intenso que tengo que hacer esfuerzos para no gritar. Además, la vía es tan estrecha que casi es imposible avanzar... y tenemos a los vigilantes a cada lado, si alargo el brazo les podría tocar las botas.

Fernando se ha detenido. Supongo que hemos llegado al vagón cargado de madera. No sé cómo lo ha identificado, desde aquí abajo todos me parecen iguales. Estoy tan destrozado como si hubiese estado corriendo durante horas. Apoyo la cabeza en el suelo y cierro los ojos. Huele a gasolina y a goma quemada. Me he manchado de aceite y de hollín y tengo los codos y las rodillas ensangrentados.

Nos mantenemos un buen rato boca abajo en el suelo, hasta que, de repente, las vías empiezan a vibrar. ¡Menudo susto! Pensaba que el tren se ponía en marcha, pero entonces se oye un fuerte silbato; es el otro tren que llega a la estación. Frena con un chirrido estridente y, a continuación, un ruido ensordecedor se expande por todos lados. Al principio no entendía lo que sucedía, ahora me ha quedado claro. Ha empezado la batalla entre vigilantes y polizones.

Fernando grita. Es la señal. Nos arrastramos hacia afuera. Intento no fijarme en lo que sucede a nuestro alrededor, miro hacia delante y me encaramo al vagón. Una vez arriba, me escondo en el primer agujero que encuentro entre las vigas de madera. No es mayor que una rendija entre los tablones y la pared exterior del vagón. Por suerte soy tan delgado que me puedo meter y, una vez dentro, me agacho. El óxido ha hecho un agujero en la pared del vagón. Me inclino hacia delante y por todos lados veo gente corriendo sobre las vías. La mayoría son adultos, pero otros son tan jóvenes como yo. Los vigilantes no pueden contener a todo el mundo: cuando consiguen que unos retrocedan, otros los superan sin esfuerzo.

De repente, siento un tirón: el tren se pone en marcha. Los tablones tiemblan y crujen y me empujan hacia mi agujero. Chillo de miedo. Tengo la impresión de que las vigas me van a caer encima y me van a aplastar, pero por suerte la presión no dura mucho. El tren comienza su andadura, como si quisiese huir de aquel tumulto.

Miro de nuevo hacia fuera, pero no consigo entender qué sucede. Por todas partes veo los rostros desencajados de la gente que corre detrás del tren. Siento el ruido sordo que hacen al saltar contra los vagones, buscando donde asirse, y oigo los gritos desesperados cuando resbalan y caen tan peligrosamente cerca de las ruedas implacables que trituran lo que encuentran a su paso.

El tren cada vez va más deprisa, la estación ha quedado atrás, las casas y las calles pasan delante de mí. En un instante ha vuelto la calma, pero los gritos todavía resuenan en mis oídos.

Me dejo caer y coloco los brazos sobre mis rodillas. ¿Dónde me he metido? Hace tan solo unas horas que estoy en México y ya me siento un desgraciado. He visto cosas que desanimarían a cualquiera, y en realidad no tengo ningún motivo para lamentarme, yo mismo me lo he buscado, nadie me obligó a llegar hasta aquí. Estoy en el tren por voluntad propia, en este tren que va hacia el norte.

Apoyo la cabeza contra la madera y cierro los ojos. No hay camino de retorno: el viaje ha comenzado.

Estoy un buen rato en mi escondrijo, sin moverme, siempre con el miedo de que alguien me pueda descubrir. No puedo evitar pensar en los demás. ¿Lo habrán conseguido? De manera que no aguanto más y trepo hacia arriba.

Asomo la cabeza y veo a Fernando. Está tan tranquilo, sentado encima los tablones sacándose una astilla de la camisa. Unos metros más allá aparece Emilio y no pasa mucho tiempo hasta que salen Jaz y Ángel de diferentes rincones y suben hacia arriba.

—¿Todo bien? —pregunta Fernando cuando nos ve—, ¿Estáis bien?

—No —dice Ángel mesándose el pelo—, allí abajo hay un regimiento de arañas. Las quise apartar, pero ni se han inmutado.

Fernando se echa a reír.

—Si no te preocupa nada más, significa que no estás tan mal. Sea como sea, al menos no te ha atropellado el tren, ¿no es cierto? Y bien, ¿ha funcionado mi plan o no?

Me levanto con cuidado, mirando de agarrarme sobre los tablones. El río, la estación y la ciudad han desaparecido en la lejanía. Por todos lados se esparce un mar verde de vegetación que llega hasta la vía, los raíles se abren paso como una senda, sobre la cual el tren resopla y avanza con fuerza. Y todos los vagones, hasta donde me llega la vista, están repletos de gente. Metidos en las escaleras, en las plataformas o sentados en el techo. Son decenas, tal vez centenares o más, los que lo han conseguido.

El tren toma una curva. Silba y hace un ruido estridente, mientras las ruedas chirrían. Nuestro vagón va dando bandazos, tan fuertes que pierdo el equilibrio. Rápidamente me siento de nuevo.

—¡Esto es increíble! ¿Cuánta gente va en el tren?

—Uf, miles —dice Fernando—. Nadie se ha parado nunca a contarlos. ¡Además, tampoco podría!

—¿Y todos van hacia el norte, como nosotros? ¿Hacia los Estados Unidos?

—Claro, ¿a dónde, si no? —comenta Fernando, mientras se apoya sobre los codos—. De vacaciones seguro que no van. Todos buscan su gran oportunidad, allá arriba.

—Nunca me hubiera imaginado que podía haber tanta gente de nuestra edad —dice Jaz en voz baja. Parece muy triste, seguro que las escenas de la estación la han impresionado mucho.

—Uh, y cada vez serán más —añade Fernando—. Primero se van los adultos, porque ya no soportan más la miseria y allá arriba pueden ganar en un año lo mismo que en toda su vida aquí. Pero entonces sucede que las cosas no van todo lo bien que creían. A la mayoría los engañan y un año se convierte en dos, después en tres y entonces ya no regresan nunca más. Así es como los niños perdidos empiezan el viaje, por algo se los denomina así, somos la oleada que los sigue.

Cuando lo oigo hablar, pienso en mi madre. Fue exactamente así como sucedió. «Solo un año, Miguel», me dijo. «Solo un año, Juana. Entonces volveré con vosotros, quizás incluso antes, si todo va bien». Pero era una maldita mentira. Nunca regresó, ni al cabo de un año, ni de dos ni al tercero. En cada carta lo prometía y nunca lo cumplió... Al final fue peor que si nunca hubiéramos sabido nada de ella. Con la mirada sigo los árboles que el tren va dejando atrás. Hasta ahora no me había dado cuenta de que entre la gente que he visto en la estación o en los vagones, no hay casi mujeres ni chicas. ¿Cómo atravesó México, mi madre? Nunca nos lo dijo.

—¿Qué sucede con las mujeres? —le pregunto a Fernando—. ¿Qué recorrido siguen?

—Bueno, en los trenes hay alguna de vez en cuando. Pero es demasiado peligroso. He oído decir que la mayoría contratan traficantes: las llevan escondidas en la carga de los camiones, si tienen el dinero que les piden o algún modo de pagarles.

—¿Por qué no nos dejan ir donde queramos? —lo interrumpe Ángel con su voz diáfana—. No hacemos daño a nadie.

Fernando se ríe con un cierto desprecio.

—¿Crees que se lo plantean? ¡No nos quieren! Creen que venimos a quitarles su trabajo, que entraremos a robar en sus casas o que les contagiaremos vete a saber qué enfermedad —mueve la mano, como si lanzase algo—. ¡Qué más da, nadie cambiará la situación!

A Jaz se le escapa un suspiro.

—¿Eso significa que nos perseguirán siempre, vayamos donde vayamos? ¿No estaremos seguros en ninguna parte?

—¡Seguros! —repite Fernando, y resopla—. Esa palabra ya la puedes borrar de tu cerebro. Aquí no existe la seguridad, ni cuando te agachas para cagar detrás de un matorral, ni cuando... —de repente, mira hacia delante— viajas tranquilamente en tren. ¡Vigilad con esas condenadas ramas!

Tenemos un susto de muerte: delante, unas ramas bajas pasan a ras de tren. Fernando se echa completamente y se protege la cara con las manos, los demás hacemos lo mismo. Es cuestión de segundos: tan pronto como siento la corriente de aire, una rama me toca en la cabeza y las hojas me golpean las manos, todo tan rápido como una centella, el susto se va, tal y como ha llegado.

—¡Árboles de mierda! —reniega Fernando, cuando nos volvemos a incorporar—. Una vez vi cómo una rama se llevaba a dos personas de golpe, las barrió, literalmente, justo delante de mí. No fue nada agradable, podéis creerme.

Jaz se toca la cara. Una rama le ha hecho sangre en la mejilla, la pobre ha recibido más que yo.

—¿Hay algo aquí que *no* nos pueda pasar? —pregunta enfadada.

—Si se me ocurre, te lo diré —responde Fernando—, pero esto no es nada, solo hay que tener los ojos muy abiertos. Son peores los cuicos, la pasma. Seguro que ya se han enterado de lo que ha pasado en la estación y que el tren va cargado de polizones. Estarán al acecho, y en algún lugar entre aquí y Tapachula nos pararán.

—¿Cómo dices? ¿En plena ruta? —pregunta Emilio, incrédulo.

—¡Pues claro! —lo increpa—. ¿Qué te crees, que nos mandarán a un hotel de lujo?

Emilio agacha la cabeza. Por un instante estoy tan asustado como él. Ya me he percatado de que Fernando pierde los nervios con facilidad, pero a Emilio le ha soltado un buen rapapolvo. Recuerdo el desayuno en el albergue. Cuando Emilio vino a sentarse con nosotros, Fernando hizo una mueca extraña y puso mala cara. No había vuelto a pensar en ello, pero ahora me ha venido a la cabeza.

—Eso, él no lo sabía, Fernando —dice Jaz, en tono conciliador—, para nosotros todo es nuevo.

—Sí, ¿y qué pasa si los policías nos detienen? —pregunta Ángel—. ¿Nos meterán en prisión?

Fernando se separa de Emilio, su mirada recupera la amabilidad.

—Con gente así, nunca se sabe. Tal vez nos devuelvan a la frontera o tal vez nos tienen preparado algo peor. En cualquier caso, debemos poner mucha atención en no caer en sus garras.

—¿Y cómo lo haremos? —le pregunto—. ¿Sabes en qué lugar de la ruta nos esperan?

—Por desgracia, no lo anuncian en los periódicos. Debemos estar alerta. Llegado el caso, hay dos posibilidades: o nos mostramos rápidos como liebres o nos escondemos bien —dice Fernando y golpea con la palma de la mano las vigas—. Por esa razón he escogido este vagón. La madera es lo mejor: los cuicos son demasiado finos para ensuciarse las manos y buscarnos por aquí debajo. Lo único importante es que no nos delatemos.

El tren va tan despacio, que si me esforzara incluso podría correr un tramo en paralelo. Las vías viejas y las traviesas podridas no aguantan más. Nuestro vagón hace ruido y se balancea de un lado a otro, como si fuera a salirse de los raíles y empotrarse contra los matorrales.

Estamos sentados en silencio, los unos al lado de los otros, observamos a nuestro alrededor e intentamos reconocer algo en el mar de hojas que estamos atravesando. Pero no hay mucho que descubrir. De vez en cuando dejamos atrás un pueblo, algunas barracas medio en ruinas entre palos de electricidad torcidos. Otras veces cruzamos un río, que discurre ancho y fangoso hacia la costa, y tras él, todo vuelve a ser verde. Lo que sí podemos ver son los vagones delante de nosotros y la gente sentada encima. Cada vez hace más calor y bochorno, la ropa se me pega a la piel. Puedo sentir el viento de cara, es agradable dejar que me acaricie el rostro, no solo porque así me refresca, sino porque es la prueba real que avanzamos, que cada vez estoy más cerca de mi objetivo, que el tiempo de la espera y la duda finalmente ha acabado. Pero ante mí no solo tengo la esperanza. También tengo miedo. Desde que me puse en marcha, me quedó claro que hay dos cosas que van juntas. La esperanza de llegar y tener una vida mejor en algún lugar allá en el norte y el miedo de todo lo que puede pasar por el camino. Las miradas de la gente que veo sobre el tren también muestran lo mismo: esperanza, pero también miedo. De pronto se produce una sacudida que me asusta mucho y el tren frena. Delante veo árboles, pero no se encuentran cerca de los raíles y la vía parece despejada. No puedo distinguir mucho más, la locomotora se ha detenido justamente en una curva y no me deja ver. Solo veo que la gente de los vagones de delante de repente salta y empieza a correr hacia las cunetas. Fernando golpea furioso los tablones y maldice:

—¡Manda cojones! ¡Mierda! Nos están esperando expresamente en la curva, los muy cerdos. ¡Vamos, todos abajo, y ni una palabra!

Al instante desaparece en su escondite. Yo hago lo mismo y de un salto me meto en la rendija que descubrí antes. Una vez dentro, me encojo todo lo que puedo. Tengo la esperanza de que Fernando se haya equivocado y que no nos detengan. Pero pronto me doy cuenta de que solo es un deseo. El tren vuelve a frenar, suena un silbato y se detiene completamente.

Espío qué sucede a través de los tablones. El tren se ha detenido en medio de la curva y puedo ver la mitad de ella. Hay unos policías a lo largo de las vías y un poco más atrás unos coches patrulla aparcados. Llevan uniformes negros y están plantados allí, fuertes, con las piernas separadas y las poderosas armas que llevan en los cinturones son amenazas calladas.

Algunos de los hombres que había sobre los vagones de delante empiezan a correr por encima del tren, puedo oírlos y ver sus sombras proyectadas en la cuneta. Saltan de un vagón al otro, con la esperanza de poder escapar de algún modo. Los agentes les lanzan piedras. Uno pierde el equilibrio, grita y se precipita sobre la grava al lado de las vías.

Otros saltan al suelo por propia iniciativa e intentan huir. Los agentes les dan el alto, pero ellos no hacen caso y siguen corriendo. Atrapan a uno muy cerca de donde estoy y lo arrastran de nuevo hasta el tren. El hombre se resiste, intenta desasirse y se retuerce. Entonces los policías sacan las porras y lo apalean.

Todo esto sucede delante mismo de mi escondite. Puedo oír los golpes sordos, es un ruido horrible. Es como si me golpearan a mí, me llega hasta lo más hondo. Preferiría cerrar los ojos y mirar hacia otro lado, pero no puedo. La víctima es un muchacho, podría tener la edad de Fernando. Cae al suelo y deja de moverse. Los agentes lo levantan y se lo llevan.

De repente se oyen disparos. Un grupo de hombres corre por un campo, no puedo distinguir nada más, ni quién ha disparado, ni si han sido solo disparos de aviso o contra alguien, porque de improviso uno de los policías se dirige hacia nuestro vagón. Consigo bajar la cabeza a tiempo y esconderme en un rincón. Noto como se encarama y empieza a caminar sobre las maderas. Me hundo sin hacer ruido en mi escondrijo, tan atrás como puedo, y me quedo allí inmóvil. Sigo oyendo los pasos por encima, mucho rato, me parece una eternidad, hasta que finalmente todo vuelve a la calma. Sin embargo, sigo donde estoy, sin atreverme a moverme... y a pesar de que me duele todo el cuerpo. Al cabo de un rato se oye un fuerte silbato. El tren se pone en marcha y proseguimos el viaje.

Respiro con fuerza, me incorporo y apoyo la cabeza contra la pared del vagón. No me siento bien, el ruido de los golpes y de los disparos me resuena en los oídos. Sí, en Tajumulco ya había oído historias sobre lo que le sucede a la gente en México, pero nunca me las había creído. Las palabras de Fernando también me habían parecido exageradas. Ahora veo que son exactas, que todos los malditos detalles son ciertos.

«¿Por qué no nos dejan ir a donde queremos?», resuena la voz de Ángel en mi cerebro. Exacto: ¿por qué? ¿Por qué nos persiguen como si fuésemos peligrosos criminales? No queremos nada de ellos, solo queremos cruzar su país, en busca de nuestros padres. Cierro los ojos e intento no pensar más en ello.

Esta vez tardo más en atreverme a salir de mi escondite. Fernando ya lo ha hecho y lentamente van saliendo los demás. No sé qué han visto de lo sucedido, pero los veo bastante pálidos y el ambiente es de abatimiento. Sobre los otros vagones no queda mucha gente, solo los que, como nosotros, se han podido esconder y seguramente algunos que después de saltar han podido subir nuevamente al tren: eso es todo.

Fernando lanza un trozo de madera a los matorrales y maldice:

—Mierda, carajo, han cazado a muchos... y suerte que el poli de nuestro vagón era medio ciego, si no, nuestro viaje se habría acabado.

Nos mantenemos en silencio durante un buen rato. Entonces Jaz pregunta:

—¿Habéis oído los disparos?

Nadie responde. Naturalmente todos los hemos oído y seguramente ha sido el momento en que cada uno de nosotros se ha dado cuenta de que aquí en México lo podemos perder todo... incluso la vida. La cuestión no es ya dónde estaremos dentro de algunas semanas o si habremos llegado a nuestro destino o no. La cuestión es si seguiremos vivos.

—¿Es legal que nos disparen? —pregunta Ángel.

—Claro que no —dice Fernando, con aire siniestro—. Solo pueden disparar si se sienten amenazados. Pero no se trata de si tienen derecho o no, sino de lo que hacen. ¿Qué les puede pasar si se cargan a uno de nosotros? Nada, somos indocumentados, sin papeles, en realidad no existimos —ríe, con una voz ronca—, si uno la palma, no se habla más de él. ¡Mala suerte! Y todo continúa como si no hubiese pasado nada.

Estamos sentados, evitamos mirarnos. Me acuerdo cuando estábamos agachados con Fernando poco antes de cruzar el río. Él ya nos advirtió. Nos avisó a todos de lo que significaba pasar al otro lado, pero no le hicimos mucho caso. Estábamos convencidos de que lo sabíamos todo mejor que él. Ahora, en cambio, habrá que ver cómo salimos de esta.

—¿Hay muchos controles como este? —pregunta Jaz.

—Sí, en Chiapas, sí —dice Fernando—. Más al norte no tantos. Pero con un poco de suerte, este será el único antes de llegar a Tapachula y entonces ya habremos saltado del tren.

—¿Cómo? —no entiendo qué quiere decir—. Creía que este sería nuestro vagón, tú mismo lo dijiste...

—Sí, tienes razón —duda un instante y a continuación baja la voz—. No os lo conté, pero... en Chiapas tenemos una especie de ángel de la guarda. Nos encontraremos en Tapachula —me mira a los ojos—. Se trata de un mara.

Siento un escalofrío. ¿Un mara? En mi país, con esa palabra se asusta a los niños... y no solo a los niños. Los maras son criminales, jóvenes organizados en bandas para hacer todo lo que está prohibido y conseguir dinero fácil. Todo el mundo los teme. Si te encuentras a un mara por la calle, cambias de acera de inmediato. Todos explican historias infames sobre ellos. ¿En qué demonios pensaba Fernando para recurrir precisamente a uno de ellos?

—Sé lo que estás pensando, pero en los trenes rigen unas normas que hay que respetar. Quien quiere sobrevivir, no puede andarse con exigencias. Os puedo asegurar que es lo mejor que podemos tener. Si alguien nos puede guiar indemnes por Chiapas es él.

Los demás tampoco saben qué opinar. Ángel parece aterrorizado, Emilio se ha quedado bloqueado y nunca sabes qué piensa con certeza. Jaz me lanza una rápida mirada y a continuación asiente con la cabeza.

—¿De qué lo conoces? —le pregunto a Fernando.

—Unos amigos míos se han hecho maras. Forman parte de la mara Salvatrucha, quizá la conozcáis, es una de las bandas de El Salvador. Estuve pensando la posibilidad de hacerme yo también. Estaba harto de recibir siempre, yo también quería repartir palos, pero al final lo dejé correr. Da igual, el caso es que en mi último viaje me encontré con uno de ellos, porque en Tapachula tienen su cuartel general en Chiapas. Se hace llamar el Negro, su apodo en mara, y lleva el negocio del tren.

—¿Te refieres a que su trabajo consiste en llevar a la gente a través de Chiapas?

—Sí, ese es su cometido en la banda. Cobra una cuota a cambio de protección y conduce a la gente hasta Tonalá. Mi último viaje acabó mal porque fui un estúpido y quise lograrlo por mí mismo. Por eso esta vez pensé en él y llegué a un acuerdo desde Guatemala. Si queremos, será nuestro guía.

—¿Y cuánto nos costará su protección?

—Normalmente cobra quinientos por cabeza, pero nos hará un descuento porque me conoce. Tal vez sea suficiente con la pasta del barquero gordo, o tal vez debamos añadir algo más, pero no creo que sea mucho.

Habla como si fuese lo más normal, como si estuviese totalmente seguro de su plan. A pesar de ello, no puedo imaginarme cómo nos puede ayudar precisamente un mara, si la policía controla el tren. ¿No será aún peor si entre nosotros se encuentra uno de esos?

—Puede que penséis que lo que acabáis de vivir es horrible —dice Fernando, viendo la duda de nuestros rostros—, pero comparado con lo que nos espera, solo ha sido un juego de niños. Jugando al escondite bajo las maderas, no lo conseguiremos. Creedme, sé de qué hablo: necesitamos a uno de ellos. Solos no lo conseguiremos.

Cuando llegamos a Tapachula ya es tarde, el sol ha desaparecido en el horizonte. Poco antes de entrar en la estación, saltamos del tren para no caer en la trampa de los controles. Fernando nos guía a través de unas calles desiertas hasta que llegamos a un viejo cementerio.

—Es aquí —dice y señala las tumbas—. Aquí nos encontraremos con el Negro.

Jaz protesta.

—¿No podías haber escogido otro lugar? No me gustan los cementerios.

—Pronto te van a gustar —le asegura Fernando con indiferencia—. De noche, no hay un sitio mejor. De hecho, cuando oscurece no hay quien se acerque a ellos voluntariamente... excepto gente como nosotros —se ríe y nos hace un gesto con la cabeza—: ¡Vamos, que los muertos no muerden!

Mientras tanto ha oscurecido completamente. De camino al cementerio vemos que sobre algunas lápidas hay lamparillas encendidas que iluminan un poco el lugar. Entre los sepulcros distingo unas vagas figuras que susurran en la oscuridad. Es un ruido inquietante. Parece que a Jaz también le dan miedo, porque me va empujando por un costado y cada vez la tengo más pegada a mí.

En cambio Fernando pasa por delante de las tumbas con la mayor naturalidad del mundo. Parece que busca una en concreto. Al cabo de un rato se detiene y nos indica que nos acerquemos.

—Es aquí —dice, señalando un árbol.

Al principio no veo nada, solo que hay algo grabado en la corteza, de modo que me acerco. «MS», escrito en mayúsculas al lado de una calavera. Son los símbolos que identifican a los mara Salvatrucha, lo sé de Tajumulco. Es una señal bien definida y nadie se ha atrevido a grabar nada al lado.

Aún estoy mirando la marca, cuando de repente aparece una sombra en la oscuridad. Como surgida de la tierra, veo una figura plantada delante de mí. El susto me hace retroceder. Ahora lo entiendo: debe ser el mara de Fernando. Tiene un aspecto tenebroso, lleva la cabeza rapada y los brazos, el cuello y la cara, tatuados. Fijándome mejor, veo que se trata de un chico bastante joven, no mucho mayor que nosotros.

Se dirige a Fernando y le saluda. A continuación nos echa un vistazo, a mí me lanza una mirada irónica, a Emilio despectiva y a Jaz y a Ángel también los mira con desprecio.

—¿Pero, esto qué es? —le espeta a Fernando, señalando a los dos pequeños—. ¿Un parvulario?

Fernando se encoge de espaldas.

—Va, hombre, no seas tiquismiquis. Vamos juntos y así seguiremos.

El mara le lanza una mirada funesta y le dice:

—Mira, aunque nos conozcamos de antes, eso no significa que tú pongas las condiciones. Aquí solo yo digo lo que hay que hacer.

Fernando levanta las manos, como si quisiera pedir disculpas.

—No quería decir eso —murmura. El tono de su voz suena completamente distinto de cuando se dirige a nosotros, ni tan seguro ni arrogante. Se ha vuelto más ronco... y cauteloso.

Se acerca al mara y le dice en voz baja:

—Son buena gente, los conozco. Acéptalos, no darán problemas, te lo prometo.

El mara vuelve la cabeza a un lado y escupe.

—Saben que eres el único que puede guiarnos. Harán todo lo que les digas —añade Fernando.

El mara duda aún un momento. Después alarga la mano hacia Fernando con un movimiento rápido y dice:

—Dos mil. La mitad ahora y la otra en Tonalá. Si alguien la caga, saldrá volando del tren.

Fernando lo piensa un instante. Esta vez no intenta negociar nada, como hizo en el río, simplemente busca en sus bolsillos sin abrir la boca, saca el dinero y se lo da.

El mara señala hacia un lado, hacia una casita de piedra que hay entre las tumbas:

—Allí podréis dormir, nadie os molestará. Mañana temprano os vendré a buscar.

Se despide de Fernando y a nosotros ni nos mira. Desaparece sin dejar rastro en la oscuridad, tan sigilosamente como ha aparecido.

Me siento aliviado de que el encuentro haya sido tan rápido, puesto que en el aire flotaba un aire lúgubre, amenazador. Tal vez sea culpa del cementerio o de la oscuridad, tal vez de los tatuajes que lleva, no lo sé... sea como sea, todo el rato he tenido la sensación de que una palabra o una mirada errónea serían suficientes para hacerlo enfadar.

Fernando nos indica la construcción que nos ha dicho el mara. En el cementerio hay más de esas. Parecen pequeños panteones. Al acercarnos vemos que hay los mismos símbolos que en el árbol. Seguramente marcan el territorio de las maras. Trepamos por los costados y nos sentamos en el tejado, que aún conserva el calor del sol.

—¿Qué ha querido decir con «si alguien la caga saldrá volando del tren»?—murmura Jaz—. ¡Ese chico está loco!

—¡Vamos! —gesticula Fernando—. No hay que tomarse al pie de la letra todo lo que diga. De todos los trabajos de los que se ocupan las maras, el de los trenes es, en parte, el más peligroso. Solo lo llevan a cabo los que todavía tienen que demostrar lo que valen o sobre los que hay dudas acerca de su valentía.

—¿Quieres decir que no es tan duro como aparenta? —le pregunto.

—En todo caso no tan duro como le gustaría ser. Comparado con los jóvenes realmente malos, es inofensivo. Su nombre lo dice todo. A los violentos de verdad, les gusta ponerse motes tan bonitos como el Gorrino o la Lagartija. Con esos, ¡nada de bromas! Los que llevan nombres tenebrosos son peces chicos que todavía tienen que ganarse el ascenso en la banda.

—Creía que no nos aceptaría —dice Jaz—, cuando nos ha mirado, a Ángel y a mí, de aquella manera tan estúpida. ¿Crees de verdad que estaremos seguros con él?

Fernando asiente con la cabeza.

—Simplemente manteneos a distancia y dejadme hablar a mí. Entonces todo irá bien. Haced lo que os diga y no le llevéis la contraria, da igual que sea una tontería o no: es un mara, y nadie que se haya peleado con ellos ha salido con vida.

Durante un buen rato hablamos de cualquier cosa que nos pasa por la cabeza: de lo que acabamos de vivir y lo que nos espera aún, del día asqueroso y, sin embargo, maravilloso que acabamos de pasar..., al final nos acabamos echando de cansancio. Pongo las manos detrás de la cabeza y miro el firmamento. El cielo está despejado, hay estrellas por todos lados, sopla el viento entre las copas de los árboles y por entre las tumbas. Lentamente aumenta la sensación de frescor y el calor se desvanece.

Cierro los ojos y de repente me invade la nostalgia: de las montañas, de nuestra casa, de mi tía y mi tío, de mis amigos, de Juana..., de todo lo que he dejado atrás y ahora me parece infinitamente lejos. Me duele tanto como si alguien me hubiese dado un puñetazo en el vientre con todas sus fuerzas.

Me vuelvo hacia el costado contrario al de los demás. ¿Qué demonios pinto yo aquí? Estoy tumbado en un lugar desconocido de un país extraño, donde no conozco a nadie, en un cementerio abandonado de la mano de Dios y no sé ni dónde estoy ni a dónde quiero ir. ¿Continuar hacia el norte, en busca de mi madre? ¿Hacia un país aún más extraño, del cual solo sé algunas historias que probablemente no sean ciertas? ¿O volver atrás, a Tajumulco, a mi tierra, a un lugar sin futuro alguno?

Por un momento me enfado conmigo mismo: ¡qué ridículo! ¡Durante años queriendo marchar, ir con mi madre, volverla a ver y preguntarle por qué me abandonó... y ahora que finalmente estoy en camino, que finalmente he tenido la valentía de hacerlo, al cabo de dos días ya pienso en dar media vuelta, como si todos estos años no hubiesen existido!

Detrás de mí, el respirar suave de Jaz y de Ángel suena como si ya se hubiesen dormido. Fernando y Emilio se han echado un poco más allá, no puedo verlos ni oírlos, pero sé que están ahí... y eso es bueno. No quiero ni pensar cómo sería encontrarme aquí solo. Solo en este lugar, donde todo es hostil y desalmado, y donde nos persiguen como si fuésemos criminales.

Sí, solo estoy contento de tener a los otros a mi lado. Es lo último que me pasa por la cabeza. Los he conocido hoy y, sin embargo, son lo único que tengo.

Cuando me despierto, enseguida amanece. Apoyo los codos y miro alrededor. A ras de suelo hay bancos de niebla y humedad, y por todas partes hay gente durmiendo al lado de las tumbas.

Jaz y Ángel aún duermen, pero mientras los observo, Jaz abre los ojos y Ángel se da la vuelta y se despereza. Diría que Emilio hace ya rato que está despierto. Lo veo sentado de espaldas en un extremo del tejado. El único que falta es Fernando, que no se ve por ningún lado. No está con nosotros, pero tampoco abajo entre las tumbas.

Jaz lo echa en falta:

—¿Dónde está Fernando? —pregunta, poniéndose en pie.

—Ni idea de dónde ha ido. Yo también me acabo de despertar.

Jaz mira hacia Emilio y observa cómo Ángel se despereza de sueño. Entonces se vuelve hacia mí con aire pensativo.

—Escucha, ¿te has preguntado por qué lo hace, Fernando, todo esto?

—¿Por qué hace qué?

—¿Por qué nos ayuda? ¿Por qué lo hace?

—Mujer, porque.. —me detengo un instante, yo tampoco lo sé. Para mí, Fernando es un misterio, solo se me ocurre una cosa—, cuando nos ha hablado del mara, ¿lo recuerdas?, ha dicho que la última vez le salió mal, tal vez por esa razón no lo quiera volver a intentar en solitario.

—Sí, puede ser, pero... nosotros no le somos de ninguna ayuda. De hecho, solo somos un estorbo para él, ¿no os parece?

Emilio se da la vuelta y dice:

—Fernando sabe lo que se hace, sabe por qué nos necesita. El camino todavía es muy largo.

Lo miro a los ojos. Parece que nunca duda de nada, pero de repente me asalta una terrible sospecha.

—Tal vez... quiero decir... tal vez se ha marchado sin nosotros, solo con el mara... ¿entendéis? Porque es posible que también él se haya dado cuenta de que solo iría mejor.

Jaz me mira desconcertada y Ángel abre los ojos de par en par. Ambos tienen tan claro como yo que sin Fernando estamos perdidos.

Solo Emilio niega con la cabeza, convencido.

—¡Ni lo pienses! ¡Fernando no se irá sin nosotros, confía en él!

Diez minutos después aparece Fernando en compañía del mara. Me quito un peso de encima, pero a la vez tengo mala conciencia. Busco la mirada de Emilio, que rechaza la mía. ¡Espero que nadie se chive de lo que acabo de decir!

Mientras el mara pasa por delante de nosotros sin prestarnos atención y desaparece por el otro lado de las tumbas, Fernando se encarama hasta nosotros. Ha comprado —o robado— unas cuantas tortillas en la ciudad y nos las reparte.

Hasta ahora no me había dado cuenta del hambre que tenía. Ayer, después del desayuno, ya no comí en todo el día, pero debido a la fuerte excitación no notaba el ruido del estómago. Me zampo la tortilla muerto de hambre y los demás hacen lo mismo.

—¿A dónde ha ido el Negro? —pregunta Jaz, después de devorar la comida.

—El cementerio da a la línea férrea por la parte de atrás —dice Fernando—. Ahí nos espera. ¡Venga, en marcha!

Nos ponemos en marcha. Por todo el cementerio se oye un gran revuelo. La gente que ha dormido entre las tumbas recoge sus pertenencias. En un extremo se produce una pelea, porque alguien cree que le han robado, pero nadie presta atención. Avanzamos todos a la vez en dirección a la tapia posterior del camposanto.

Cuando llegamos, Fernando se detiene de golpe y se queda observando a Jaz, pensativo. Se agacha, se levanta con la mano llena de barro y se lo da.

—Ten, embadúrnate un poco la cara.

Jaz da un paso atrás y le dice:

—¿Te has vuelto loco? ¿Qué significa esto?

—Ningún chico iría tan limpio como vas tú —le responde Fernando—. ¡Vamos, hazlo ya! Es parte de tu disfraz.

Jaz pone mala cara.

—Idiota —murmura entre dientes. Toma el barro y se unta con él la frente y la barbilla.

—A los maras no les gustan las mujeres —le aclara Fernando, cuando acaba de embadurnarse—, y las chicas aún menos, para ellos solo sirven para una cosa... ya te la puedes imaginar —con el pulgar señala hacia el otro lado del muro—. Mejor que no se dé cuenta. Trata simplemente de mantenerte alejada de él tanto como puedas, ¿entendido? —sonríe—. Los ojos te delatan... tú ya me entiendes.

Se dirige hacia la tapia y se encarama. Emilio y Ángel hacen lo mismo. Jaz duda y me mira. Su mirada me llega al alma: es obstinada pero también pide ayuda. De repente me doy cuenta de que ella aún está más sola que todos nosotros. Le quiero decir algo agradable, pero no se me ocurre nada. Se encoge de hombros y a continuación saltamos la tapia.

Al otro lado se extiende una larga zona de matorrales entre los cuales hay una muchedumbre escondida. Detrás hay una acequia de aguas residuales y en medio el terraplén de las vías.

El Negro está de rodillas un poco más allá, detrás de un matorral. A su derecha e izquierda no tiene a nadie. Supongo que no se atreven a ponerse a su lado, todos saben qué significan sus tatuajes. Solo Fernando se acerca a él, los demás preferimos quedarnos donde estamos.

El mara habla con Fernando y no deja de señalar continuamente el terraplén. Parece que discuten cómo hemos de llegar hasta allí. Fernando vuelve de inmediato junto a nosotros.

—A ver, atención —nos dice—. Pronto llegará el momento. Entonces la cosa irá de veras —señala hacia la izquierda—. Allá atrás se encuentra la estación, exactamente ahí detrás. El tren que está a punto de llegar no para, o sea, tenemos que subir cuando nos pase por delante. Supongo que no lo habéis hecho nunca, ¿no?

Nos miramos y nadie dice nada.

Fernando resopla.

—Bien, os lo explico. Ya habéis visto que los trenes en Chiapas van bastante lentos porque las vías están hechas polvo. Por eso mismo es fácil conseguirlo. Siempre y cuando sepáis cómo hacerlo y no hagáis ninguna tontería.

Señala hacia la derecha.

—¿Veis el puente que hay allá atrás?

A unos cientos de metros de donde estamos se pueden distinguir las vigas de acero, rojas y oxidadas, de un puente que atraviesa el río.

—Antes de pasar el puente, el tren va un poco más despacio, por eso este es el punto exacto. Esperaremos a que llegue hasta aquí. Cuando os haga una señal, echamos a correr. Debéis cruzar la cuneta y el terraplén. Eso complica las cosas, es cierto. Cuando os encontréis arriba, corred en paralelo al tren. Debéis ser tan rápidos como os sea posible y no esperéis demasiado en saltar. Si os despistáis, la corriente de aire que provoca el tren a su paso os arrastrará y os empujará bajo las ruedas.

Cuando oigo eso, me vuelve al oído el chirrido y la estridencia del tren que ayer nos acompañó a lo largo de todo el día —el ruido de toneladas y toneladas de metal que basculan sobre las vías. Me veo obligado a tragar saliva, porque, de repente, tengo la garganta seca.

—¿Y cómo conseguiremos subir? —pregunta Jaz.

—En cada vagón hay dos escaleras —dice Fernando—, una detrás de las ruedas delanteras, la otra de las traseras. Tenéis que alcanzar forzosamente la de delante. Si pasa algo y resbaláis, tenéis más tiempo antes de que lleguen las ruedas. Así tal vez os podáis apartar de la vía.

No me encuentro bien, tengo una sensación de ahogo. Jaz y Ángel también se han quedado lívidos. Solo Emilio muestra la misma cara inexpresiva de siempre.

—Debéis saltar en plena marcha para poder agarraros a la escalera —continua—. Entonces vendrá la parte más peligrosa. Tenéis que alcanzar con los pies el peldaño más bajo, que está bastante arriba, de la manera que sea. Si lo conseguís, ya no es tan difícil escalar hasta el techo.

—¿Y si alguno no lo consigue, los demás vuelven a bajar? —pregunta Ángel

—No —dice Fernando—, quien no lo consiga, mala suerte. Los demás no se pueden esperar.

Emilio señala al Negro.

—¿Es él quien lo decide?

—¿Qué más da, ahora, quién lo decide? —dice Fernando, que hace que no con la mano, enfadado—. ¿Os lo dije o no? Os dije que a la hora de la verdad, cada uno depende solo de sí mismo. Quien no lo consiga, se quedará atrás y se tendrá que apañar solo.

Ha quedado claro. Estamos agachados en cuclillas detrás de los matorrales, esperando. Mientras tanto ha salido el sol y va subiendo lentamente. Cada minuto que pasa hace más calor. Cada vez hay más gente que salta el muro, pronto se formará una larga fila de tipos desarrapados agachados a nuestro lado. Reconozco un par de rostros, los debo haber visto en el río o por el camino hasta llegar aquí.

El tiempo se alarga sin fin, todos estamos impacientes esperando el tren. Entonces se oye un silbato, aún lejano. Un murmullo recorre las filas, todo el mundo se levanta y empieza a correr en desorden. El tren vuelve a silbar y a continuación aparece la locomotora, que resopla y avanza pesadamente. Los primeros que han comenzado a correr se pierden de vista en la acequia.

—¡Ahora! —grita Fernando dando un salto hacia delante.

Nosotros también saltamos. Por el rabillo del ojo veo gente saliendo por todas partes del matorral. Sigo a Fernando, que ya está a punto de cruzar la acequia de agua sucia, asquerosa y maloliente. A grandes zancadas salto al otro lado. A continuación trepo por el terraplén, tomo aliento y vuelvo a correr.

Delante tengo a Fernando y al mara. Corren al lado del tren, se agarran a la escalera y trepan hasta arriba, como si lo hubiesen hecho toda la vida. Jaz también está delante de mí. Cuando Fernando nos daba las explicaciones he sentido miedo por ella, pero ahora veo que no hay nada que temer. Salta como un gato sobre el vagón y trepa hacia arriba.

Ahora me toca a mí. Los travesaños de la vía están hechos polvo y son irregulares. Resbalo y pierdo el equilibrio, pero lo recupero, tomo carrerilla y corro con todas mis fuerzas. A mi lado las ruedas del tren chirrían sobre los rieles. Rezo para no cometer ningún error. Entonces veo una escalera.

Me agarro con las manos y la fuerza del tren me empuja hacia delante, sin embargo, consigo dar un salto. Me golpeo las rodillas contra el último peldaño y me invade un dolor agudo. Aprieto los dientes y me arrastro hacia arriba con toda la fuerza de mis brazos, hasta que encuentro donde agarrar los pies. Finalmente me encaramo hasta el techo a través de la escalerilla.

Cuando llego al techo del tren, me tiembla el cuerpo por el esfuerzo y la excitación. Detrás de mí sube también Emilio, pero ¿dónde está Ángel?

Asomamos la cabeza por el borde del techo y lo buscamos. En un primer momento no lo vemos, pero de repente lo descubrimos un vagón más atrás, colgado del último peldaño de la escalerilla. Se agarra fuerte, pero parece que ya no le quedan fuerzas para impulsarse hacia arriba. La fuerza centrífuga de las ruedas le está aspirando las piernas.

Emilio no duda ni un instante y echa a correr. Yo le sigo. De un salto pasamos al techo del vagón de atrás, bajamos por la escalera y agarramos a Ángel cada uno de un brazo. Prácticamente no tenemos espacio y a Ángel ya no le quedan fuerzas, pero por suerte es pequeño y ligero y conseguimos subirlo.

Emilio remata el trabajo, tiene fuerza en los brazos y en las manos y lo sube prácticamente él solo. Una vez arriba, el tren llega al puente y la baranda resuena al pasar. Está tan cerca que nos hubiera barrido de la escalerilla si hubiésemos estado en ella.

Me dejo caer sobre el techo. Lo veo todo negro. Pasa un rato hasta que me recupero. Entonces me doy cuenta de que Jaz y Fernando han llegado hasta nosotros y cuidan de Ángel. Está echado boca arriba y se le ve bastante lívido, pero no ha sufrido nada grave. Solo tiene los pantalones destrozados y rasguños en un brazo. Se incorpora con dificultad y nos mira a Emilio y a mí:

—Gracias —murmura—. Ha faltado poco.

El tren avanza a sacudidas sobre el puente, toma una curva y acelera. El Negro se acerca hacia nosotros, da un salto hasta nuestro vagón y se planta delante. Después mira a Ángel con aire de desprecio.

—Te dije que no quería un parvulario —le echa en cara a Fernando.

—¡Pero si lo ha conseguido! —dice Fernando poniéndose de pie—. ¡Y lo seguirá haciendo!

El mara le lanza una mirada fulminante.

—Métete esto en la cabeza: si nos hace perder tiempo, será culpa tuya; y me importa una mierda lo que pienses.

—No nos hará perder tiempo, yo me cuidaré de que así sea. No tendrás ningún problema con él.

—Así lo espero, por su bien —le replica el Negro imperturbable. A continuación se dirige al final del vagón para echar a dos hombres que se han instalado allí, pero prácticamente no necesita hacer nada. Cuando ven los tatuajes, saltan por su propio pie y desaparecen.

Fernando se agacha a nuestro lado.

—Bueno, ya estamos arriba —dice en voz baja—. ¡Todo sobre la marcha! ¡Lo conseguiremos!

—Me sabe mal, Fernando —dice Ángel con voz débil—. Resbalé.

—Ya lo veo —le responde—. La próxima vez lo sabrás hacer tú solito.

Se vuelve hacia mí y me lanza una mirada de aprobación.

—Bien hecho.

Con la mano le hago que no.

—No me lo digas a mí. Mejor dale las gracias a Emilio.

Antes de que Fernando diga nada, Emilio niega con la cabeza.

—A veces uno no depende solo de sí mismo —dice a su manera comedida y pausada. Mira a Ángel, pero todos sabemos que, en realidad, lo dice por Fernando—. Y aún menos, a la hora de la verdad.

Pasa un buen rato hasta que nos recuperamos del esfuerzo de la subida y nos instalamos sobre el vagón. Para nuestros propósitos, este es uno de los mejores vagones, tiene barras en el techo donde agarrarnos. Ni el de delante ni el de detrás están tan bien equipados. La gente que está sentada en los otros vagones no deja de mirarnos, pero nadie se atreve a acercarse a nosotros, seguramente porque temen al mara, que está plantado allí, amenazador.

Cuando dejamos atrás los últimos contrafuertes de Tapachula, volvemos a adentrarnos en un bosque. De los árboles sube la niebla matinal en forma de humeante vapor. De vez en cuando penetra la luz, especialmente cuando atravesamos plantaciones de café o de cacao, y a menudo vemos pueblecitos situados al lado de la línea férrea.

Las vías son prehistóricas, en algunos puntos están tan cubiertas de vegetación que parecen estar hundidas en la tierra. El tren frena y acelera sin parar, los topes de los vagones chocan y se vuelven a separar, les ruedas traquetean y a menudo las sacudidas son tan fuertes que nos tenemos que agarrar fuerte con las dos manos para no resbalar y caer.

De algún modo, sin embargo, me voy acostumbrando al ruido y al balanceo, y ya casi no los percibo. Estoy sentado con los demás, el viento me acaricia y oigo como Fernando explica algunas historias que ha oído en sus viajes.

—Si creéis que aquí todos los trenes llegan a su destino, es que no sabéis nada —así empieza por ejemplo una de ellas—. La gente dice que solo en Chiapas cada semana descarrila uno.

—¿O sea, que podríamos volcar? —pregunta Ángel, que aún está lívido del susto.

—Volcar no, pero descarrilar sí, porque las vías están tan hundidas que el tren simplemente no encuentra el camino. La máquina sale de los raíles y entonces llega el desastre: los vagones se precipitan y se produce el caos. Ya os lo podéis imaginar.

Oyendo sus palabras, instintivamente nos agarramos a las barras del techo con más fuerza. Fernando ríe, cuando nos ve, y dice:

—Si pasa eso, agarrarse no sirve de nada. Lo único que ayuda es una cosa: rezar, porque vais a pegar un salto de tres pares de narices.

Callamos durante un instante, pero pronto se le ocurre un nuevo relato:

—Una vez oí una historia absolutamente alucinante. Me la explicó un hombre mayor, que la sabía por otro y este por un tercero. Resulta que un tren descarriló en medio de un puente. ¡Imaginaos la escena! La gente que estaba arriba voló por encima del puente y se precipitó río abajo, durante muchos metros, hasta una zona pantanosa y fangosa, donde se hundieron en el fondo y nunca más se supo de ellos.

Y sigue así, sin parar de contar historias. Algunas parecen inventadas o como si solo tuviesen una base cierta sobre la que, cuando se explican, cada cual añadiese nuevos detalles.

En cambio hay otras, más cortas pero igualmente tétricas, que sí parecen reales. Todas hablan de viajes, de vagabundeo, de trenes que silban al pasar, de esperanzas y de sueños y de cómo llega un punto en que se desvanecen. Hay centenares, miles... seguramente tantas como polizones llevan los trenes.

Cuando se cansa de narrarlas, el sol ya está en lo más alto del firmamento. El paisaje ha cambiado, el bosque ha quedado atrás, a ambos lados de la vía crecen zarzales y más allá todo es campo abierto. Miro hacia delante y puedo entrever que nos dirigimos a una ciudad más grande. Rápidamente me doy cuenta de que la gente del vagón de delante se muestra intranquila, se levanta y algunos se dirigen a las escalerillas y empiezan a bajarlas. Le doy un codazo a Fernando para avisarle.

—Sí, ya lo veo —me dice. Se levanta y va hacia el Negro. Hablan un momento y vuelve.

—Preparaos. Tenemos que bajar y alejarnos de la vía. Os lo explicaré luego.

Nos ponemos las mochilas y empezamos a bajar, mientras el tren va al paso. Acaba de entrar en la ciudad y a lo lejos se ve la estación. Saltamos uno tras otro. El Negro es el último en hacerlo. Espera a que el tren acabe de pasar y entonces cruza las vías y empieza a andar. Fernando nos hace una señal y lo seguimos.

—Eso de ahí es Huixtla —nos dice mientras cruzamos las vías—. En mi primer viaje llegué hasta aquí y basta.

Al otro lado de la vía hay un callejón. Avanzamos y al cabo de un momento torcemos a la derecha. Parece que el Negro, que va unos metros delante de nosotros, conoce perfectamente el lugar.

—¿Qué ha pasado? —pregunto.

Fernando me lo explica gesticulando:

—El problema no es la ciudad, sino lo que viene después: La Arrocera. Uno de los lugares más peligrosos de toda Chiapas, que antes no conocía. Allí se encuentra el punto de control de la Migra, donde los funcionarios de la Oficina de Inmigración se dedican a parar a todos los trenes. Es imposible escapar, hay soldados por todas partes, ni tampoco te puedes esconder porque registran los vagones de arriba a abajo. A la mayoría los atrapan ahí... igual que me pasó a mí.

—¿Y qué os hicieron?

—Primero nos rompieron la cara a golpes y después nos devolvieron a la frontera en autobús. La gente lo llama «el bus de las lágrimas». Y no les falta razón. Es un lugar para ponerse a llorar. Casi todo el mundo va sentado con la mirada perdida, como acabados... y a pesar de ello muchos lo vuelven a intentar, como yo.

—¿Y después ya no has vuelto a caer en la trampa?

—Siempre he saltado antes, como ahora. Quería esquivar el punto de control y después volver a subir al tren. Lo que no sabía era que en La Arrocera hay cosas peores que los controles policiales. Entre los matorrales, al lado de la vía, hay ladrones al acecho. Saben perfectamente que muchos saltamos aquí para seguir a pie. Se dedican a asaltar a la gente, les roban y... —calla un instante—, en pocas palabras, los despluman. En cualquiera de ambos casos, es un lugar desagradable, hay muchos muertos, según dicen.

—¿Pero nosotros no avanzaremos por ahí, verdad? —pregunta Jaz, que ha oído toda la conversación—. ¿Iremos por otro lugar, no?

—No hay otro camino —responde Fernando—. No hay más remedio que pasar por ahí.

—¿Y qué haremos para enfrentarnos a esos ladrones?

Fernando señala hacia delante

—Ya lo hemos hecho.

—¿El Negro? —dice Jaz en voz baja—. Él solo tampoco conseguirá librarse de todos.

—Si hay una pelea, seguramente no. Pero no se enfrentarán a él, si no han perdido el juicio.

—¿Quieres decir... porque es un mara?

Fernando asiente con la cabeza.

—Las bandas maras son una hermandad, una comunidad completamente conjurada, por eso se les unen tantos jóvenes, chicos que nunca han tenido una familia de verdad. Si le haces daño a un mara, mejor que ese mismo día hagas testamento, porque no vas a vivir mucho más.

Mira al Negro y baja la voz.

—Las maras no matan de cualquier modo. No sería suficiente escarmiento. Te torturan lentamente, hasta morir. Eso también lo saben los salteadores que nos esperan, de manera que al Negro y a nosotros nos dejarán en paz —intenta sonreír, pero le sale una mueca forzada—. Al menos en teoría.

Seguimos caminando por barrios periféricos de la ciudad. Percibo que Fernando está nervioso, por primera vez desde que lo conozco, parece inseguro. Me gustaría preguntarle qué le pasó la primera vez que intentó esquivar el control, pero tengo la sensación de que no me respondería.

Cruzamos un río y dejamos atrás la ciudad. Un poco más adelante hay un grupo de gente que, supuestamente, también han saltado antes del tren. Corren a campo abierto y después desaparecen entre los matorrales. A lo lejos, a la derecha, se extiende la línea ferroviaria y el tren aún no se divisa, debe estar todavía en el punto de control.

Ahora somos nosotros los que cruzamos el campo, lleno de bandadas de pájaros. Pronto llegamos a unas zarzas, donde comienza un sendero, y nos detenemos.

—Manteneos siempre juntos —dice Fernando con una voz tensa—. Y recordad una cosa: da igual lo que pase a derecha o a izquierda... no os paréis. No podéis hacer nada... y después no lo querréis recordar.

Penetramos en el sendero de las zarzas. Delante va el Negro, que se ha quitado la camisa para que se vean bien los tatuajes que le cubren la parte superior del torso. Detrás va Emilio, yo me mantengo entre Ángel y Jaz. Fernando cierra la comitiva.

Avanzamos durante mucho rato sin que pase nada, a nuestro alrededor todo parece tranquilo. Tiemblo de nervios. Cada vez que se produce un ruido entre los matorrales o un pájaro levanta el vuelo, me estremezco y espero lo peor. El sudor no tarda en aparecer en mi frente. Hace un calor sofocante aquí dentro... y tengo miedo.

Al girar una curva aparecen cuatro tipos al lado del camino, como salidos de la tierra, inmóviles, como si nos esperasen. Van armados con machetes, medio escondidos en la espalda, para que no los veamos.

El Negro también se queda plantado. Él y los hombres se miran fijamente, con los ojos clavados, sin que nadie diga nada ni se mueva. Las manos les tiemblan como si no las pudiesen dominar.

La situación se me hace eterna y casi no me atrevo a respirar, hasta que los tipos se van apartando lentamente del Negro. Las manos que aferraban los machetes se relajan. Oigo cómo Fernando deja escapar la respiración. Uno de los hombres hace un gesto a los demás, dan media vuelta y desaparecen.

El Negro, que en ningún momento ha cambiado la expresión de su rostro, nos continúa guiando. Las palpitaciones de mi corazón, que las caras de aquellos hombres tan brutales y salvajes habían acelerado, disminuyen.

Poco después el camino se hace más ancho y llegamos a un claro. No hace falta decir qué nos hubiese pasado sin el Negro. Veo a la gente que antes corría delante de nosotros tumbada en el suelo. Todos están desnudos, echados boca abajo, con los brazos y las piernas abiertas. Hay un grupo de hombres, de pie, sobre ellos. Uno los amenaza con un machete y grita, mientras otros dos registran la ropa que hay tirada en el suelo y un cuarto golpea a uno que seguramente osó resistirse.

El Negro sigue caminando, sin levantar la cabeza, pero nosotros no tenemos la misma sangre fría. Uno tras otro aflojamos el paso, es inevitable.

—¡Adelante! —grita Fernando desde atrás—. ¡No paréis! ¡La vista al frente!

Una mano me empuja para que siga caminando. Dejamos el claro y seguimos por otro sendero avanzando a grandes zancadas, con la cabeza gacha. Quisiera gritar para sacar la náusea que llevo dentro. Siento una fuerza que se niega a seguir caminando, me gustaría volver atrás, para hacer algo, lo que sea, pero al mismo tiempo sé que no serviría de nada. Me siento desorientado. Desorientado y abatido.

Caminamos un buen rato entre matorrales y aún sigo oyendo ruidos, gritos y golpes que se parecen a los del claro del bosque, pero esta vez no miro. Solo deseo salir de aquí.

Pronto volvemos a encontrar la vía del tren. ¡Por fin! Es como una vieja conocida, al verla tengo la impresión de que, en el poco tiempo que ha pasado desde que cruzamos el río y pasamos la frontera, se ha convertido prácticamente en nuestra casa. Al fin y al cabo, es lo único que nos permite orientarnos. Lo único que puede llevarnos a través de este país inmenso, extraño y peligroso.

Fernando nos indica hacia adelante, donde las vías pasan sobre un río fangoso.

—Ese es el puente Cuil. Cuando lo hayamos atravesado, habremos dejado lo peor detrás.

Cruzamos el puente y nos tumbamos en la hierba que hay en el terraplén de la vía. Estamos completamente destrozados. Miro a los demás, pero nadie me devuelve la mirada. El Negro aún menos. Se aleja de nosotros, se acerca al tronco de un árbol y hace como si nada le importase. Fernando y Emilio parecen abatidos. Jaz y Ángel agachan la cabeza, tienen los ojos llenos de lágrimas.

—La gente de allí atrás... —dice Jaz al cabo de un rato—, ¿no deberíamos hacer algo?

—¿Qué? —responde Fernando—. Va, di, ¿qué quieres que hagamos?

—No lo sé. ¿Avisar a la policía, tal vez?

Fernando resopla con desprecio.

—¿Crees que no saben lo que sucede ahí dentro? Me juego lo que sea a que ellos también sacan tajada. No moverían ni un dedo, tenlo por seguro.

—Pero...

—Olvídalo. Para gente como nosotros no valen ni leyes ni derechos. Somos aves de paso. Todo el mundo nos puede hacer lo que le venga en gana y a la pasma les importamos un carajo. Al contrario, se alegran de que les hagan el trabajo sucio —gira la cabeza en dirección de dónde venimos—. La única posibilidad que tenemos está a punto de pasar por ese puente. ¿Alguno de vosotros está hasta las narices y no quiere continuar?

Nadie se mueve. Estamos todos destrozados, pero, ¿qué podemos hacer? No hay camino de retorno. Detrás es tan peligroso como delante... y aún así, hemos llegado muy lejos.

De modo que seguimos tumbados en la hierba, esperando. De vez en cuando aparecen más grupos desde los matorrales. Algunos han tenido suerte y no están heridos. Otros, en cambio, enseguida se ve que han caído en manos de los salteadores. Sangran y cojean, algunos van descalzos, lo han perdido todo.

Fernando hurga en su mochila, saca una camiseta y se la lanza a un chico que está sentado al otro lado de la vía, desnudo y con heridas recientes por todo el cuerpo. Emilio me mira, sacamos nosotros también camisetas y las repartimos a otros dos sentados un poco más allá. Cuando me giro, capto la mirada del Negro. Arquea las cejas y se aparta de nosotros.

El tren se hace esperar. Parece que la policía está llevando a cabo un control concienzudo. Estoy sentado entre Jaz y Emilio. Al otro lado de la vía, bastante más lejos, veo un campesino labrando la tierra. Va detrás del arado que tira un buey y da la impresión de ser ajeno a todo lo que pasa a su alrededor. El polvo que levanta el animal queda suspendido en el aire, como si no quisiera volver al suelo.

Oigo piar a los pájaros sobre los árboles. Hasta ahora no me había dado cuenta, aunque seguramente han estado ahí todo el tiempo. De repente todo se vuelve tranquilo, calmado, pacífico... casi irreal. Como si hubiese dos mundos diferentes sin nada en común entre sí, y casualmente convergen en este lugar. Pero ¿cuál de ellos es el de verdad, el real?

Antes de que pueda seguir pensando, oigo el tren. Los demás se levantan de un brinco y corren hacia la vía. Agarro la mochila y los sigo.

Cantan. Al principio lo hacían flojito, creía que mis oídos me engañaban, pero ahora se oye perfectamente. Alto y claro en medio de la oscuridad. Seguramente esa sea la razón: cantan porque está oscuro. Oscuro y peligroso, y están solos, y porque tienen miedo y se han de revestir de valor. Porque quieren olvidar todo lo que han visto a lo largo del camino hasta aquí.

Hace algunas horas que volvemos a estar sentados en el mismo vagón del que habíamos saltado esta mañana. La mayoría de la gente que había en los otros vagones ya no están, han caído víctimas de los controles de la policía o de los salteadores de La Arrocera. Esta mañana estaban sentados ahí, ahora está vacío. Simplemente han desaparecido... como si no hubiesen existido jamás. Aún recuerdo algunas caras.

Ha empezado a caer la tarde hace poco y ya empieza a oscurecer. Ya casi es de noche, la primera que pasaremos en el tren.

No sé por qué, pero tengo un sentimiento extraño. Estar sentado aquí y avanzar a toda máquina a través de la oscuridad, sin saber qué me espera y qué dejo atrás. A ciegas y a riesgo de cualquier cosa: esa es la sensación. Sin embargo, también es bonita: las luces de los pueblos y de las ciudades resplandecen a nuestro alrededor e intento imaginarme la gente que vive allí. La idea que está en su casa, que existe algo llamado «estar en casa», me tranquiliza... y me entristece a la vez.

Nos ponemos unos junto a los otros y nos tumbamos, los árboles se encuentran cerca de la vía y el ruido de las ramas pasa cerca de nuestras cabezas. De vez en cuando se oyen gemidos de dolor en los vagones de delante y a continuación los gritos de alerta: ¡Ramas! ¡Atención! Al oír las voces, nos pegamos al techo, con las manos en la cabeza, esperando que solo nos rocen algunas hojas y no recibir ningún azote en la oscuridad.

—Estoy cansado —dice Ángel bostezando, después de un buen rato de calma—. ¿Podremos dormir, aquí?

—Mejor que no —le dice Fernando—. Aquí, en Chiapas, uno no se puede fiar nunca de nada. Debemos aguantar en vela toda la noche.

De modo que luchamos contra el cansancio tan bien como sabemos. Oigo a Jaz y a Ángel contándose historias de su país, a pesar de la cantidad de ruidos que hay en la oscuridad. El traqueteo y la estridencia del tren aún es más fuerte que de día. De vez en cuando atravesamos un puente, entonces el ruido disminuye y siento el hedor de agua putrefacta e incluso el croar de alguna rana.

Ahora vuelve la canción. Procede de un vagón de delante. Se oye más fuerte o más débil según la lleve el viento. Pronto se acaba, pero enseguida comienza otra nueva.

—Suena bien —dice Jaz, después de haber escuchado un rato estirada justo a mi lado.

Fernando se ríe.

—Oiréis canciones a menudo. Me acuerdo de un tren en que se cantaba en cada vagón. Al principio fue un guirigay, pero luego todos se pusieron de acuerdo en una única canción. Era una especie de gigantesca coral circulando a través del país. Me echo de espaldas y miro el cielo. No se distingue gran cosa, solo se ven algunas estrellas aquí y allá. Debe estar cubierto de nubes, pero las estrellas que veo son las mismas que en mi país, al menos esas no cambian, pienso, al menos siempre son las mismas... no importa la miseria de aquí abajo.

Otra canción. Esta me suena. No entiendo la letra, pero la melodía la he oído alguna vez. Por un momento me viene la imagen borrosa, como si mi madre me la cantase... cuando aún estaba con nosotros, pero no estoy seguro, tal vez la oí en la calle.

Ahora la letra se entiende mejor, el viento nos la acerca al oído. Cantan «Sueño loco», una canción que habla de un sueño delirante, de un sueño completamente loco y desenfrenado que nunca se llega a cumplir... pero qué triste y aburrida sería la vida, dice la canción, si no tuviésemos un sueño así.

«¡Sobre todo no os durmáis!», resuena una y otra vez en mi cabeza. Me obligo a pensar en lo que nos ha dicho Fernando. No dormirse o despertarse con los huesos rotos al lado de la vía... en el mejor de los casos. Abro los ojos. ¿Cómo es que clarea? Por un momento estoy confuso, hasta que la sangre me llega al cerebro: ¿Puede que haya dormido toda la noche?

Me incorporo de golpe y miro alrededor. Parece que no ha pasado nada malo. El tren avanza y resopla, devorando un kilómetro tras otro. El Negro está plantado como una estatua al final del vagón, vuelto de espaldas, ¿es que no duerme nunca, este hombre? ¿Nunca está cansado, ni tiene hambre o sed, nunca está abatido? ¿No conoce qué es eso? ¿O tal vez ha aprendido a no mostrar tales debilidades?

Fernando y Emilio están sentados un poco más allá, medio despiertos medio adormecidos. Ángel duerme entre las barras del techo, Jaz está a mi lado y empieza a desperezarse. Creo que tampoco ha podido mantener los ojos abiertos.

—Buenos días —murmura, cuando se percata de que estoy despierto—. ¿Has dormido bien?

—Ay, no lo sé —me siento hecho polvo. Tengo las piernas entumecidas, me las froto para que me vuelva a circular la sangre—. Seguramente he dormido como un pájaro migratorio.

Jaz se echa a reír y a continuación se tapa la boca con la mano, asustada. Mira al Negro, pero él no se ha dado cuenta. Baja la voz y me susurra:

—Solo he soñado desgracias. Creo que es por culpa de las historias de miedo de Fernando.

Es más probable que sea por culpa de la horrorosa realidad que hemos vivido hasta ahora, pienso yo, pero prefiero no decírselo.

—Yo en cambio no he soñado nada —le digo, mientras oigo cómo le ronca el estómago—. ¿Tienes hambre?

—Sí, pero ya no me queda nada. ¿Y a ti?

Miro en la mochila, pero solo encuentro un trozo de tortilla empezado. Despertamos a Ángel y vamos a sentarnos con Fernando y Emilio. Ponemos nuestras existencias en común y las compartimos. No es mucho, pero algo es para paliar el hambre atroz que sentimos.

—Espero que el tren pare pronto —dice Fernando—. Entonces nos tendremos que apresurar a encontrar algo que llevar a la boca, si no, caeremos del tren de pura debilidad. ¡No hará falta ninguna rama!

Por desgracia el maquinista no nos hace el favor. Por cada lugar por donde pasamos, esperamos que pare en la estación, pero sigue a toda velocidad. Seguimos sentados, intentando olvidar el hambre. Mientras tanto hemos dejado atrás el bosque y atravesamos campos y cultivos que se extienden hasta el horizonte. A la izquierda, en algún lugar que no veo, debe estar el mar, casi percibo su olor. A la derecha, al fondo, se ven montañas, y, más cerca, algunos promontorios bajos con plantaciones que suben por las laderas. En realidad, esta zona no es muy distinta de la que conozco en Guatemala. En los pueblos hay muchas barracas, los habitantes son mayoritariamente indígenas, vestidos con sus típicas ropas de colores. Las estaciones del ferrocarril son muy viejas, a menudo con vagones oxidados al lado de las vías. A veces, perros salvajes corren y ladran cuando pasa el tren, hasta que se cansan y vuelven a desparecer en la maleza.

El sol va ascendiendo lentamente. Será un día de calor sofocante, ya se ve. El cielo está prácticamente cubierto de nubes, pero eso no hace que el día sea más fresco, al contrario, el bochorno se estanca entre la tierra y el cielo, como si fuera un horno. Las botellas de agua hace rato que están vacías. Me parece que me deshidrataré. El techo del vagón también está hirviendo, está tan caliente que me quema los dedos.

Fernando se saca la camiseta y se sienta encima de ella. Cuando Emilio y Ángel lo ven, hacen lo mismo, y al final yo también. Al principio da gusto. Se siente el aire fresco sobre la piel y se te seca el sudor, pero pronto me doy cuenta de que Jaz es la única que lleva puesta la ropa de arriba. Mira a su alrededor y comprendo perfectamente que teme que la descubran. Resoplando, estiro la camiseta de debajo de mi culo y me la vuelvo a poner. Hace tanto calor que todo quema.

Jaz se lo piensa un poco. Después se acerca a mí y me pregunta:

—¿Por qué no vamos a ver si encontramos un poco de sombra en algún sitio?

Buena idea. Nos levantamos y vamos balanceándonos hasta el final del vagón. Sacamos la cabeza por encima y vemos que el espacio que hay entre nuestro vagón y el de atrás nos puede servir de protección contra el sol. Nos tenemos que colocar justo sobre el enganche, muy cerca de las vías, pero siempre es mejor eso que quemarse vivo en el techo. Como se trata de un espacio estrecho, debemos sentarnos bien juntos para caber los dos.

—¡Uf, mucho mejor así! —dice Jaz—. Un rato más y me hubiese comenzado a abrasar.

—No creo que nos resfriemos en este viaje —intento secarme el sudor de la frente, pero no puedo porque tengo la mano tan mojada como la cara—. De eso, no creo que muramos.

—¡Quién sabe! —dice Jaz, riendo—. Aquí en México yo no me jugaría nada. Y, por cierto... gracias —me dice mirando mi camiseta.

La miro de reojo. Desde que la conozco me pregunto cómo consigue parecer un chico. La tienes que observar con mucha atención para descubrir algún rasgo que recuerde a una chica.

Cuando vuelve la cabeza dejo de mirarla, pero me ha pillado.

—Llevo el pecho envuelto en un vendaje, bien ceñido.

—¿Y no te duele?

—No mucho. Al principio sí, pero ahora ya no lo noto.

Estamos sentados un buen rato sin decir nada. Aquí tampoco es que se esté muy fresco, de las vías continuamente suben golpes de aire caliente.

—Nos iría bien que el aire no fuese tan caliente —dice Jaz—. ¿Tú no sabrías transformarlo, por arte de magia?

No puedo evitar reírme, al oírla.

—Es divertido que me preguntes eso. Da la casualidad de que soy de la ciudad del viento.

—¿Me tomas el pelo o qué?

—No, lo digo de verdad. La gente la llama «la ciudad del viento» porque se encuentra al pie de un volcán y...

—¿Al pie de un volcán? —me interrumpe—. Suena muy peligroso.

—No creas, no lo es en absoluto. Está dormido y de vez en cuando humea, pero nada más. Se cuenta que en la cima viven los dioses del viento y todos los de Tajumulco, que así se llama mi ciudad, son sus preferidos. Dicen también que los de Tajumulco nunca vamos por mal camino, porque el viento siempre nos lleva en la buena dirección.

—¡Eh, esta historia me gusta! Sobre mi pueblo también hay una.

—¿También sobre el viento?

—No, pero hay una cueva. La gente dice que es sagrada porque dentro habitan los espíritus de la tierra y protegen a todos los que viven cerca. Aunque se vayan o estén mucho tiempo alejados, los espíritus siempre los cuidan, porque tierra hay en todas partes, no importa donde estés.

Intento imaginar el lugar de donde es y le digo:

—Hacen una buena pareja.

Jaz me mira de soslayo.

—¿Quiénes hacen una buena pareja?

—Nuestras historias. ¿Qué, si no?

Duda y luego se vuelve hacia mí.

—Sí —dice, levantándose la gorra para que le pueda ver los ojos—. Dioses del viento y espíritus de la tierra. Realmente hacen buena pareja.

Al cabo de poco el tren frena y nos empuja contra la pared del vagón. El chirrido de los frenos es tan fuerte que nos tenemos que tapar los oídos. Cuando nos podemos poner de pie, me inclino desde un extremo para mirar hacia adelante. La locomotora se ha detenido en un poblado de mala muerte, minúsculo, no entiendo la razón. Solo veo que el maquinista baja y desparece en el interior de un edificio al lado de la vía.

—¡Eh, los de ahí abajo! —oigo la voz de Fernando, que saca la cabeza por encima—. ¡Moved el culo! ¡Nos vamos de excursión!

—¿Qué hace el maquinista?

—Con un poco de suerte, tiene intención de comer algo decente —responde Fernando mientras baja por la escalerilla y salta al suelo delante de nosotros—. Si no, es que solo quiere ir a cagar.

Hace como si remase con los brazos en el aire, impaciente.

—¡Vamos, daos prisa! Necesitamos agua... y algo para comer.

Saltamos del tren, Emilio y Ángel también, y en un instante nos ponemos a buscar. Hasta ahora no me había dado cuenta de que estoy totalmente reseco: tengo la lengua hinchada y seca como un estropajo. Lo primero que encontramos es un canal con aguas residuales, pero hace tanto calor y es tan asqueroso que preferimos ni acercarnos... da igual la sed que tengamos. Un poco más allá descubrimos un bidón con agua de lluvia, todavía medio lleno por la tormenta. Nos lanzamos sobre él y saciamos nuestra sed, después llenamos las botellas. Fernando y Emilio han encontrado una pequeña plantación de plátanos y corren a recolectar algunos. Ángel los sigue. Yo voy detrás, pero Jaz me retiene y me arrastra hasta un campo de hierba. Una vez allí, empieza a arrancarla.

—¿Pero, qué haces? —no entiendo su gesto—. ¡No somos conejos!

Jaz pone los ojos en blanco.

—¡Qué gracioso! No es para comer, nos echaremos encima. ¡Venga, ayúdame!

Mientras los demás vuelven cargados de plátanos, recogemos toda la hierba que podemos y volvemos al tren. Una vez arriba, recubrimos los espacios que forman las barras del techo. Ahora está fresco y blando y al cabo de un rato, sentados encima y pelando plátanos, nos sentimos casi como reyes.

—Oh, gente, ¡esto sí que es vida! —exclama Fernando, lanzando las pieles de plátano por encima del vagón, describiendo una parábola bien alta—. Un par de parasoles no estarían nada mal. Tendremos que hacer una solicitud para que equipen los trenes con ellos.

—Sí —añade Jaz—. Y también con neveras, y unas hamacas.

Cuando ya nos hemos hartado de plátanos y hemos guardado los que sobran en las mochilas, aparece el maquinista. Camina tranquilamente hasta la locomotora, como si no viese a la gente que hay encima de los vagones.

—¿No sabe que estamos aquí? —pregunta Ángel.

—Claro que lo sabe, el hombre no es ciego —replica Fernando—, pero ¿qué quieres que haga? No nos puede echar. Si llama a la poli, sería un lío, de modo que hace la vista gorda. Mientras no toquemos su locomotora ni la carga que lleva, le importamos un carajo.

Una sacudida y el tren se pone en marcha. Al cabo de poco, el pequeño lugar sin nombre queda atrás y volvemos a estar en pleno recorrido. La pausa nos ha ido bien: ya no tenemos sed y se nos ha pasado el hambre.

Sería fantástico continuar siempre así, como ahora, me lo puedo imaginar. Me tumbo sobre la hierba, cierro los ojos y me libro al traqueteo del tren. El sol brilla entre las nubes y me quema el rostro. Pronto será mediodía. En casa, en la montaña, siempre me ha gustado el mediodía. Sí, mucho... incluso más que cualquier otra hora del día.

Hace un día de calor sofocante. El sol lo ha dejado todo de color oscuro, los cultivos, los campos de heno y los rostros. Solo el volcán continúa igual: se alza majestuoso con los colores de siempre por encima de la neblina que sube de los bosques. Hoy es día de mercado, les vendedores han amontonado la fruta en forma de pequeñas pirámides. Los perros vagan por las callejuelas sin amo. Todo está como siempre, excepto que no hay viento. Por primera vez este año no corre ni una brizna de aire.

Estoy sentado delante de casa y juego con un escarabajo que he cazado. Mi madre está dentro. Ha engordado mucho las últimas semanas. Demasiado, casi no la reconozco. Resopla y suda, a veces temo por ella. Entonces me tranquiliza. «Te regalaré una hermanita, Miguel», me dice. Eso me gusta y me alegra.

La comadrona sube el camino corriendo y me lanza una mirada severa. Tiene unas manos grandes y oscuras, nadie las tiene como ella. Sin prestarme más atención, entra en casa. Me levanto e intento seguirla, pero no me atrevo y me quedo en la puerta.

Mi mamá está echada en la cama con la cara completamente roja. La comadrona se lava las manos con aguardiente y luego da un buen trago directamente de la botella. También le da de beber a mi madre. Después echa a los animales, a las gallinas, a los cerdos y a los gatos y cierra la puerta con llave. Yo también me he quedado fuera.

Quiero volver a mi juego, pero el escarabajo ya no está. Se ha escapado y se ha escondido bajo tierra. Las mujeres del pueblo suben por el camino, encienden cirios, uno para cada punto cardinal, y los reparten alrededor de la casa. Delante queman hierbas. Oigo los jadeos y los gritos de mi madre y entremedio la voz de la partera. Al cabo de un rato se oye una voz distinta.

Se abre la puerta y ya puedo entrar: mi hermanita ha llegado. Es diminuta y está completamente arrugada y mojada. La comadrona quema el cordón umbilical con una vela y cierra la herida con cera. Entonces pone a la pequeña entre los brazos de mi madre.

Mamá me hace un gesto para que me acerque, está cansada, agotada, pero le brillan los ojos. «¿Cómo se llamará?» me pregunta, «¿cómo se llamará tu hermanita, Miguel?».

Lo pienso un instante y luego digo: «Juana, quiero que se llame Juana, y yo la llamaré Juanita».

Mi madre se ríe, pero enseguida se pone seria y vuelve a recostarse sobre la almohada. Mi papá no está. Los hombres del pueblo lo han estado buscando, pero no ha aparecido. Me siento al lado de mi madre y ella me sonríe.

La comadrona está de pie, delante de nosotros. Acaba de enterrar la placenta bajo el fuego. Se inclina hacia mí y me pone la mano en la cabeza. «Tendrás que cuidar de tu hermana», me dice, «no ha tenido tanta suerte como tú. Ha nacido en luna nueva y no tiene unos brazos fuertes que la puedan sostener. A ti te parieron en luna llena y tu papá estaba aquí para recibirte, tú superarás todo lo que te surja en el camino de la vida, pero tu hermana no tendrá tanta suerte».

Se levanta y se dirige hacia la puerta. Allí se vuelve otra vez y me dice: «¡Recuerda, la tendrás que cuidar siempre!».

Me cae una gota de lluvia en la nariz. Los recuerdos se desvanecen de golpe y vuelvo a estar en México. Cuando abro los ojos veo que ha oscurecido, el cielo está cubierto de nubes como si alguien hubiese corrido una cortina delante del sol. Y nuestro tren se dirige directamente al aguacero.

Por un momento tuve la sensación de que el tiempo se había detenido, pero todavía hace un calor asfixiante y no corre ni una gota de aire. Así debe de ser el fin del mundo, pienso, y justamente entonces empieza a llover a cántaros. Agachamos la cabeza y nos encogemos, pero enseguida estamos completamente mojados, sentados sobre el tren, empapados como perros abandonados, nos agarramos con fuerza a las barras para no caernos.

Pasamos así un buen rato. La lluvia rebota contra el techo, hace ruido y borbotea por todos lados. La camisa se me pega a la piel, completamente mojada. Hasta que, finalmente, empieza a despejar. Una franja de luz se abre delante de nosotros y va creciendo poco a poco, la lluvia va amainando hasta que para del todo. Al cabo de unos minutos ya no queda ni una nube en el cielo y luce el sol, como si la tormenta no hubiese existido nunca.

—¡Vaya, qué pasada! —protesta Jaz, sacándose la gorra, sacudiendo la cabeza y salpicando en todas direcciones. Luego se inclina hacia mí y me susurra—: Te dije viento. Debías traer viento, de tormenta no hablamos —y se vuelve a colocar la gorra.

—¡Ya lo sé! —le respondo en voz baja—. Pero te quería ver sin gorra.

Miramos a los demás. Fernando y Emilio se han levantado y se sacuden el agua de la ropa. Ángel, que ha intentado arrastrarse entre los hierros del techo, se incorpora, cubierto de hierba mojada de pies a cabeza.

Jaz se ríe cuando lo ve.

—¡Ja, ja, Ángel, pareces un duendecillo verde!

Ángel le hace una mueca y se vuelve hacia Fernando.

—Aquí la lluvia es peor que en nuestro país —le espeta.

Fernando, vacía el agua de los zapatos y, con resignación, dice:

—Bah, eso han sido cuatro gotas. Una vez, en Ixtepec oí una historia de un tren que...

—¡No, Fernando, por favor! ¡Otra vez no! —lo interrumpe Jaz—. ¿Y qué pasó? ¿Que la lluvia hizo descarrilar al tren y lo empujó hasta el mar y que a todos los que iban sobre él se los comieron los tiburones?

Fernando sonríe burlón y le dice:

—¿Y tú cómo lo sabes? ¿Ya te la había contado antes?

Jaz niega con la cabeza. Mientras tanto el tren continúa hacia el norte, brillante y humeante por efecto de la lluvia, y nosotros, sentados sobre él, dejamos que el sol nos seque.

A ambos lados de las vías se extienden kilómetros y kilómetros de trigales. Vemos como los braceros, que han esperado que cesase la tormenta, vuelven al trabajo. Parecen contentos porque, al menos de momento, el calor ha disminuido. Algunos nos saludan al vernos pasar.

Con el sol y el aire nos hemos secado enseguida. He notado que las montañas de la derecha cada vez están más cerca a medida que avanzamos y, de repente, después de coronar un puerto, aparece un lago a nuestra izquierda. Es tan inmenso que la orilla opuesta solo se distingue como una estrecha franja que el sol casi toca, formando un horizonte entre amarillento y rojizo.

La ruta pasa prácticamente al lado del lago. Por un momento nos quedamos sentados contemplando la puesta de sol, absortos en nuestros pensamientos, pero de repente me parece que la gente de delante se inquieta. A lo largo del día se ha ido incrementando el número de polizones, salidos de los matorrales por donde pasaba el convoy. Ahora, unos vagones más adelante, algunos se han incorporado y señalan algo.

Fernando también se ha percatado y murmura algo que no puedo entender. Se levanta y se va delante a ver qué sucede. Vuelve al cabo de unos minutos y se dirige al Negro, que como siempre está sentado aparte, unos metros más allá. Habla con él y después vuelve con nosotros.

—A alguien de delante le ha parecido ver un coche patrulla, al lado de la vía, bajo unos árboles.

—¿Y eso qué significa? —pregunta Jaz.

—Nunca se sabe. Si tenemos mala suerte, era un espía. La pasma quiere saber cuánta gente va en el tren, por si merece la pena o no detenerlo. Si lo era, pronto lo sabremos. Y nos podemos preparar para lo peor.

Nos situamos los unos junto a los otros y fijamos la atención en las vías. A nuestra izquierda el sol se ha ido poniendo y se refleja aún rojizo sobre las aguas del lago, pero esa imagen ya no interesa a nadie. Sobre el tren se respira un aire de nervios, los rumores se han propagado como la pólvora.

Pronto comprobamos que la suposición de Fernando era cierta. Cuando el tren toma una curva, en la lejanía divisamos una hilera de coches patrulla, situados en un lugar donde la línea pasa al lado del lago, de modo que solo tienen que bloquear el lado de tierra firme para hacer caer el convoy en una trampa.

En el vagón de delante la gente corre y chilla. Nosotros también nos levantamos de un brinco. Todos observamos a Fernando, pero él, nervioso, se mesa los cabellos. Antes de decir nada, aparece el Negro, nos echa a un lado, se acerca al límite del vagón y, sin decir nada, examina la fila de policías. Entonces se vuelve hacia Fernando y le hace un ligero gesto con la mano.

—Nos quedamos —dice Fernando.

—¿Cómo? —salta Jaz—. ¿A qué esperamos? ¡Hay que huir de aquí!

Fernando niega con la cabeza.

—He dicho que nos quedamos aquí —se limita a repetir.

En el otro vagón, la mayoría corre hacia las escalerillas y empieza a bajar, pero saltar es peligroso. El tren va tan deprisa como le permite la vía, seguramente el maquinista ha recibido la orden por radio de no parar hasta llegar al control.

A pesar de ello, algunos lo intentan. Solo unos metros delante de nosotros, un hombre salta. Vuela literalmente por los aires y cuando toca el suelo, el tren le arranca las piernas. Todavía lo puedo ver rodando hasta llegar a los matorrales.

La mayoría espera a que el tren disminuya la marcha, pero cuando aparecen los policías el maquinista frena de golpe. La fuerza nos hace perder el equilibrio y nos apelotonamos los unos encima de los otros. Me caigo, me agarro donde puedo y aún puedo sujetar a Jaz por el brazo, antes de que resbale. De reojo veo que Emilio agarra a Ángel y que Fernando también cae al suelo. Solo el Negro se mantiene de pie.

El tren se queda parado y en silencio. Nos mantenemos donde estamos sin atrevernos a mover ni un dedo. Abajo, en tierra, hay un caos de mil demonios. No importa donde mires, por todas partes se ve gente corriendo en zigzag, como conejos, pero sin posibilidad de escapar. La policía los atrapa y se los lleva, utilizando la porra si conviene. Los gritos de las víctimas resuenan sobre el lago y los cultivos.

Se me remueve el estómago pensando que nos puede suceder lo mismo, porque antes o después tendremos que bajar del tren. Aún tengo agarrada del brazo a Jaz, pero ella ni se da cuenta. Veo que el Negro se vuelve hacia Fernando y le hace una señal.

—Ahora es el momento. ¡Vamos! —dice Fernando.

A continuación él y el mara se dirigen hacia la escalerilla y empiezan a bajar. Jaz me mira, los ojos se le salen de las órbitas y no da crédito a lo que ve. La ayudo a incorporarse y bajamos del vagón.

Fernando espera a que todos hayamos bajado. Entonces nos señala el Negro con la cabeza y nos dice en voz baja:

—Haced siempre lo que él haga. ¡Y no os separéis! Los cuicos tienen que ver que vamos juntos.

El mara comienza a caminar y nosotros detrás. Emilio y yo hacemos que Jaz y Ángel se coloquen en medio, Fernando se queda el último. Poco a poco nos alejamos del tren.

Estoy tan excitado que noto la sangre en las orejas. Mil pensamientos corren por mi cabeza. No sé hacia dónde mirar. ¿Al suelo? ¿Qué debo hacer? ¿Levantar los brazos? El Negro no hace nada de todo eso, camina como si se tratase de un paseo dominical.

Espero que en cualquier momento los policías nos golpeen en la cabeza con la porra en vista de nuestro descaro, pero no pasa nada. La mayoría de agentes nos lanzan miradas, pero después se dan media vuelta. Solo uno de ellos se coloca delante de nosotros, nos barra el camino y se pone a jugar con la porra. El Negro pasa por su lado como si no existiese. Oigo como el agente nos maldice por detrás, pero no nos detiene.

Todo es tan fantasmal que me parece estar soñando. Mientras a nuestro alrededor todo el mundo recibe palizas y es arrastrado hasta los coches patrulla, nosotros podemos bajar tranquilamente del tren sin que nadie nos lo impida. Es como si no existiésemos, como si fuésemos fantasmas que nadie ve.

El Negro nos guía a través de aquel alboroto y después continúa a lo largo de la vía, hasta que nos encontramos lo suficientemente lejos, a pesar de que la policía todavía nos puede ver. Nos damos la vuelta y nos pasan por delante los primeros coches policiales con los pobres detenidos hacinados en el interior, mirando a través de las ventanas con tristeza.

—No me lo puedo creer: nos han dejado pasar como si nada —dice Jaz en voz baja y mirando de pasada al Negro—. ¡Nos podrían haber detenido a todos!

—Sí, pero ¿de qué les hubiese servido? —comenta Fernando—. ¡Ya habían detenido a bastante gente!

—De acuerdo, pero podrían haber continuado.

—Sí, pero se hubiesen creado enemigos. La policía es como todo el mundo, ni mejor ni peor. Por encima de todo no quieren líos innecesarios. ¿Por qué buscarse problemas con nosotros, que estamos bajo la protección de las maras? Tenían los coches a rebosar, nadie podrá sospechar que no han cumplido con su obligación.

—¿Crees que las bandas maras les harían algo?

—Mira, las maras saben donde viven, de modo que también saben donde están sus familias, sus mujeres, sus hijos. La pasma hace lo que sea para mantener su trabajo, pero nunca pondría en peligro a sus familias.

El silbido y el ruido del tren que arranca lo interrumpen.

—¡Vamos! ¡Intentemos volver a nuestro vagón!

Al principio creía no entenderlo. ¿Quiere que volvamos a subir al tren allí mismo, delante de las narices de la policía...?

—Aún nos pueden ver, no sería mejor...

—¿No me has oído? —me interrumpe Fernando— nos *podrían* ver, pero resulta que no lo hacen.

Al cabo de una hora más o menos llegamos a Tonalá y el tren para en la estación. El sol se ha puesto y el día declina lentamente, en la penumbra distingo unos cuantos vagones sobre las vías, que seguramente se engancharán al tren.

Para no ser vistos, bajamos del techo y nos apretujamos en el espacio entre vagones. Ha llegado la hora: el viaje con el Negro ha tocado a su fin. El territorio de la mara Salvatrucha solo llega hasta Tonalá, a partir de aquí ya no nos puede ayudar más.

Fernando se lo lleva aparte.

—Gracias, amigo. Sin ti, no lo hubiéramos conseguido.

Le da la segunda parte de la cantidad estipulada. Me parece que el dinero que le quitó al barquero no es suficiente, porque hay que añadir más. Me cuesta gastar lo que he ido ahorrando con tanto esfuerzo a lo largo de estos años. Hasta el momento ya he gastado la mayor parte, y eso que el viaje acaba de empezar. Pero los ahorros de Juana no los pienso tocar, eso sí que no... me lo he jurado a mí mismo.

El Negro se guarda el dinero sin pestañear.

—Tenéis que ir hasta Ixtepec, donde acaba este tren. Allí debéis tomar el que atraviesa Veracruz —comenta, mirando a Fernando—. Tú conoces el camino, a partir de ahora es cosa tuya.

Hace un último gesto a Fernando y se va por la vía. Al cabo de un momento ha desaparecido en el crepúsculo. Para los demás no ha tenido ni un saludo ni una mirada ni mucho menos una palabra, se ha ido sin más. La oscuridad se lo traga del mismo modo que hace dos días, en el cementerio de Tapachula, había aparecido.

Jaz, que se ha quedado atrás como ha hecho estos días, suspira aliviada y se acerca a nosotros.

—Me alegro de que se haya ido. Me resultaba muy inquietante, la verdad.

Ángel también parece haberse quitado un peso de encima. Supongo que no olvida la amenaza que le hizo de arrojarlo volando del tren.

Solo Emilio mueve afirmativamente la cabeza.

—Ha sido un acierto que estuviera con nosotros, sin él no estaríamos aquí.

Miro hacia el lugar por donde el mara ha desaparecido. De algún modo, puedo entenderlos a los tres: por un lado yo también me siento aliviado y hundido a la vez. Sí, exactamente como Jaz y Ángel a menudo he tenido la sensación de rechazo, cuando lo tenía al lado. Pero Emilio también tiene razón: sin el Negro no hubiésemos salido indemnes ni del ataque de los ladrones ni de la batida policial.

Jaz me da con el codo.

—¿Y tú qué piensas?

—No lo sé. Simplemente me pregunto cómo continuaremos sin él.

Fernando tose y escupe en la vía.

—Por eso a partir de ahora deberemos ir con más cuidado, y lo mejor será intentar no caer en situaciones difíciles. Bueno, en cualquier caso, ya hemos dejado Chiapas atrás.

Una vibración recorre todo el tren y sabemos qué significa: el maquinista ha levantado los frenos. Subimos rápidamente a nuestros lugares entre las barras del techo. Cuando llegamos, el tren reanuda la marcha.

En el poco rato que hemos estado en tierra ha oscurecido. Bajo la luz de las farolas de la estación aún he podido ver cómo unos cuantos aprovechaban la parada para subir. Ahora están sentados sobre los vagones en grupos separados. Intento reconocer los rostros, pero la luz de las farolas es insuficiente.

«¿Dónde deben estar los demás?», pienso, mientras dejamos la estación atrás. En Tapachula, aparte de nosotros, subieron al tren muchos más: ¿qué ha sido de ellos? Los que cayeron en la batida policial seguro que ya están de vuelta a la frontera en el bus de las lágrimas, como dijo Fernando. Seguramente se deben de sentir hundidos, pero a pesar de todo están con vida.

No puedo evitar pensar en La Arrocera: el bosque de matorrales, los salteadores con sus machetes, la gente desnuda y echada en tierra... muchos pudieron escapar, pero ¿salieron todos con vida? Cuando pienso en ello, un escalofrío me recorre la espalda... «¿Es posible que algunos no hayan sobrevivido?» —le pregunto a Fernando, pero hace ver que no me oye.

Durante un rato hay calma, pero de repente Ángel levanta la cabeza y dice:

—Los he visto.

—¿A quién? —le pregunta Jaz.

—A los del claro del bosque. Los he vuelto a ver. A todos, los conté expresamente.

Jaz sonríe, pero aunque no es precisamente de alegría.

—Sí, Ángel, tienes razón, yo también me he fijado.

Fernando se apoya sobre los codos y se vuelve hacia nosotros.

—Esta mierda pasa a veces, podemos estar contentos de haber llegado tan lejos, no es muy usual. Sobre el resto ya pensaremos cuando estemos muy lejos de aquí.

Avanzamos a través de la noche oscura. La luna se alza en el horizonte y lo cubre todo con una luz mortecina. Parece como si las siluetas de los campos, de las colinas y de los pueblos que pasamos se fuesen difuminando. Ahora dependemos solo de nosotros... sin nuestro lúgubre ángel de la guarda.

—Una tortilla de judías con tocino —dice Jaz—, bien hecha, frita con aceite y al punto. Y de postres, pudin de plátano y coco.

—Sí, y también pastel —añade Ángel—, con cuatro capas de nata y fruta, y en medio una de chocolate, y encima azúcar glaseado.

—Chicos, tenéis el gusto completamente atrofiado —dice Fernando—. Yo necesito llevarme a la boca algo como Dios manda, medio cochinillo como mínimo, bien asado y crujiente. ¿Y tú qué dices, Miguel?

—¿Yo? Yo me lo pido todo a la vez. ¡Y ración doble!

—¡Eh, eso sí que suena bien! —Jaz le da un golpe a Emilio—. Y tú, ¿qué imaginas?

Se lo piensa un poco y dice:

—Patatas al horno.

Jaz se sorprende y se echa a reír.

—¿Patatas al horno? ¡Ay, Emilio, tú sí que eres gracioso! Si no existieses te tendríamos que inventar.

Hemos viajado toda la noche sin parar. Cuando esta mañana ha salido el sol, Chiapas ya se encontraba a mucha distancia.

Ahora nos encontramos en Oaxaca, pero no me parece muy distinta. Solo las montañas se han acercado un poco y la luz entre las colinas y el mar es tan increíblemente clara y diáfana que parece que atravesamos un paisaje de postal.

Después de amanecer aún hemos recorrido unas horas de camino; hemos pasado por unas inmensas plantaciones de fruta que resplandecían de tan maduras, jugosas y dulces. En realidad ha sido una vista maravillosa, pero con una sensación de hambre en el estómago que era una verdadera tortura. A mediodía hemos llegado a Ixtepec, donde el tren ha finalizado el recorrido, hemos saltado del vagón y nos hemos escondido detrás de un viejo almacén. Ahora nos encontramos al acecho, imaginando toda la buena comida que debe haber en su interior.

Hace dos días que comimos con normalidad por última vez: las tortillas del cementerio de Tapachula. Después solo restos y comida medio podrida que fuimos encontrando por el camino. Ahora mismo tenemos tanta hambre que no podemos pensar en nada más que en comida.

—Soñar es hermoso, pero no sacia el apetito —dice Fernando, después de enumerar nuestros manjares preferidos—. Necesitamos con urgencia algo con que llenar la barriga. Venga, ¡vayamos de caza!

—¿Y cómo lo hacemos? —pregunta Jaz.

—Pues mira, es como en un combate de boxeo. Para poder atacar, hay que descuidar primero la defensa. No hay más remedio. Debemos entrar en la ciudad. Allí tenemos que procurar llenar el buche, tanto como sea posible, e intentar recoger provisiones, porque el camino es largo.

—¿Y eso no es peligroso? —le pregunta Ángel.

—Sí —le asegura Jaz—. Incluso un ciego verá a qué hemos venido.

—Pero morir de hambre es aún más peligroso —dice Fernando—. Está claro que no podemos ir todos juntos, llamaríamos demasiado la atención, y debemos tener cuidado: intentad mantener un aspecto decente, y no abráis la boca si no es necesario, si no, nos descubrirán por el acento, el español que habla la gente de aquí es distinto del nuestro, y en la calle...

—¡Yo no tengo acento! —se queja Ángel.

—¡Ya quisieras tú que fuese así! Lo peor de todo es que no te das cuenta —mira a Ángel y se ríe—. Tienes el deje más fuerte de todos nosotros, chico. Lo mejor que podrías hacer es hacer ver que eres sordomudo.

Todos nos reímos, excepto Ángel, que cruza los brazos y pone cara de malas pulgas.

Fernando lo deja en paz.

—Tenéis que actuar como si todo fuese normal, como si conocieseis hasta las piedras, como si acabaseis de salir de casa. Si os cruzáis con un policía, ¡humo!, pero con disimulo. No huyáis despavoridos, ni nada por el estilo.

Aún tiene más consejos que darnos, pero solo lo escucho a medias. Si me inclino hacia un lado, puedo ver las calles que conducen a la ciudad, más allá del almacén, al otro lado de la vía. Veo casas con ropa tendida en los balcones, niños jugando en las aceras, perros vagabundos y una plaza con árboles y bancos donde hay gente sentada. Se parece mucho a mi casa, en realidad es idéntico... excepto que ahora, de golpe, soy un extranjero.

¿Y por qué razón? Nunca lo había pensado, pero realmente es muy extraño. ¿De dónde saca la gente el derecho a llamarme extranjero? ¿Por no ser de aquí, debería volver al lugar de donde vengo? ¿Por qué razón puede decir alguien que un país es suyo?

Cuando me vuelvo hacia los demás, Emilio me mira a los ojos. Me hace un gesto y tengo la impresión de que sabe exactamente lo que estaba pensando.

—Pues vamos —dice Jaz sin dudar—. ¿A dónde es mejor ir?

—Al centro, al mercado —responde Fernando—. Ya estuve una vez. Nos irá bien porque en él se reúne mucha gente de los pueblos vecinos, entre la multitud pasaremos desapercibidos, y la comida es barata, por cuatro pesos podremos encontrar algo decente.

Permanecemos en silencio un buen rato y de repente Emilio dice:

—A mí ya no me queda dinero, el que le di al Negro eran mis últimos ahorros.

Fernando ni lo mira, simplemente mueve la comisura de la boca con desprecio y le espeta:

—Uf, entonces tendrás que robar o pedir limosna. Eso los indígenas lo sabéis hacer mejor que nadie.

Emilio se estremece, como si alguien le hubiese dado un puñetazo. Por un instante parece que le quiere responder, pero baja la cabeza y calla.

Ha vuelto a aparecer el rostro de Fernando que no entiendo. Un rostro frío y malvado que muestra cuando menos te lo esperas. Y casi siempre el que se lleva la peor parte es Emilio.

Jaz lanza una mirada fulminante a Fernando, se vuelve hacia Emilio y le dice:

—Yo te prestaré dinero.

—Me parece perfecto. ¡Haz lo que te dé la gana, por mí, como si quieres tirar la pasta por la ventana! —refunfuña Fernando mientras se levanta—. Y ahora limpiaos los andrajos que lleváis, se ve de lejos que acabáis de saltar del tren.

Hacemos lo que nos dice y nos sacudimos la suciedad entre nosotros. Nos lavamos la cara y las manos como podemos, con hierba y saliva. Emilio se ha apartado de nosotros durante todo ese rato y evita mirarnos. En cierto modo, me sabe mal, pero no sé qué decirle.

Mientras tanto Fernando nos describe el camino hacia la ciudad y cómo llegar al mercado. A continuación nos separamos y cada uno se va por su cuenta, excepto Jaz y Ángel, que se van juntos.

Cruzar las vías del tren y entrar en un callejón es casi como regresar al mundo real. Hace tanto que hemos estado apartados, escondidos y lejos de la gente, que la vida en la calle ahora me impresiona de verdad.

Intento comportarme como me ha indicado Fernando. Paso por la calles como si se tratase de mi pueblo, con aspecto aburrido y evito mirar con curiosidad, aunque en realidad no soy capaz de entender completamente lo que sucede a mi alrededor. Al cruzar las calles, no me detengo, sino que continúo la marcha, como si hubiese recorrido el trayecto mil veces. No observo a la gente, aunque tengo la impresión de que ellos sí lo hacen y que me clavan sus ojos por la espalda al pasar.

Rápidamente llego al mercado. Es grande, con muchos puestos, paradas y mostradores multicolores, por donde circula un río de gente. Hubiese querido lanzarme sobre el primer puesto de comida que he visto, pero, no sé cómo, he sido capaz de controlarme y he continuado caminando. Los olores que me llegan son una tortura. Al final me detengo y compro un bocadillo relleno de carne, tomate y ensalada, con queso gratinado por encima.

Mi primera idea es zampármelo entero de un bocado, pero me controlo y me fuerzo a comer como si lo hiciese por aburrimiento y sin hambre. Un poco más allá, en otro puesto, pido una mazorca caliente con mantequilla y chili y así empiezo a mitigar el hambre. Poco a poco, mis piernas dejan de flaquear y recuperan la fuerza de antes.

Me dejo arrastrar por la muchedumbre y veo pasar gente que también ha llegado en tren como nosotros. Aunque no los conozca, enseguida percibo que lo son, ¿tal vez por sus movimientos o por sus miradas? Tienen algo que recuerda a los animales hambrientos que salen del bosque y se atreven a entrar en un núcleo habitado. Al verlos, me estremezco: ¿es posible que yo también tenga el mismo aspecto?

Durante mucho rato casi ni me atrevo a levantar la mirada, hasta que me percato de que aquí, en el mercado, nadie se preocupa de mí, todo el mundo se fija en los puestos y en los productos que se exhiben. De modo que me armo de valor, sigo caminando y empiezo a comprar provisiones, todas las que puedo y lo más barato posible.

Es como si en el mercado no hubiese policía. Un poco más allá veo a Emilio delante de un puestecito de una indígena. Habla con él y la da una bolsa por encima del mostrador. Emilio le toma la mano y se la pone en la frente, pero no puedo ver más porque un grupo de gente se interpone y me priva de la visión.

No tardo demasiado en conseguir toda la comida que puedo llevar. Sin embargo, permanezco en el mercado contemplando a las madres con sus hijos... como si se tratase de una breve excursión a la vida normal. No vuelvo a la estación hasta entrada la tarde.

Me reencuentro con los demás detrás del almacén. Jaz y Ángel ya están allí y Emilio se presenta al poco rato. Solo Fernando se hace esperar. Cuando aparece, el sol se acerca ya al ocaso.

—Bueno... veo que estáis todos de vuelta del territorio hostil —dice riendo. Se le ve animado, me parece que no ha ido a la ciudad solo a visitar el mercado—. ¡Venga, vamos! Necesitamos un lugar decente donde echar una cabezada.

—¿Hoy no seguimos el viaje? —pregunta Jaz.

—No —dice Fernando—. El próximo tren a Veracruz no sale hasta mañana y, la verdad, no nos va mal que sea así. Con dos noches seguidas sin dormir, con aquellas sacudidas y aquel ruido incesante, es más que suficiente. Alejémonos de las vías, si no, al final nos acabaran creciendo ruedas en lugar de piernas. ¡Vamos, a ver qué encontramos!

Fernando nos lleva lejos de la vía, por el lado despoblado de la ciudad. Atravesamos un campo y llegamos a un barrio con casas bastante nuevas y limpias. Tengo la impresión de que en todas ellas hay gente sentada detrás de las ventanas, observándonos.

—¿A dónde vamos? —le pregunto a Fernando, mientras caminamos por la calle, mirando curiosos en todas direcciones.

—Ni yo mismo lo sé. Primero debemos alejarnos de la ciudad, esta noche no nos puede encontrar nadie, y menos la policía, pero tampoco ha de ser un lugar demasiado solitario. Por estos andurriales hay muchas bestias venenosas, serpientes, escorpiones y otras por el estilo. De noche salen de sus escondrijos y nada las detiene.

—¡Vaya fastidio! ¿Alguna vez te ha pasado algo?

—No, pero oí la historia de uno que sí. Me explicaron que ya había cruzado todo México, que había superado todos los obstáculos: trenes, policía, ladrones, aguaceros... lo que te puedas imaginar, y precisamente la última noche antes de cruzar la frontera le mordió una serpiente de cascabel. Pudo llegar a una casa cercana y lo llevaron al médico pero, como no tenía papeles, este llamó a los cuicos. Le mandaron de retorno a su casa, al pobre muchacho, rehízo todo el camino por culpa de una bestia descontrolada, que no sabía dónde mordía.

Jaz, que camina a nuestro lado, suspira profundamente y dice:

—¡Caray, qué mala suerte! ¡Me sabe mal por el pobre muchacho!

—¿Mala suerte? —Fernando se echa a reír a carcajadas—. Conozco una palabra mejor, puedes creerme, por ejemplo...

Pero calla y no la pronuncia. Hemos llegado al extremo de la ciudad. Justo en el primer descampado de detrás de las casas hay un vertedero, un terreno donde la gente tira lo que no necesita: unos fogones viejos, una nevera oxidada, un colchón con los resortes salidos, una puerta de coche abollada, un televisor con la pantalla rota y mil cosas más, que han arrojado de cualquier manera.

—¡Eh, mirad, un supermercado! —dice Fernando, subido en la reja—. ¡A ver si también tienen sábanas!

Salta al interior del vertedero, empieza a hurgar y al cabo de poco saca una colcha vieja y gastada. La levanta para mirarla a contraluz, contra el sol que se está poniendo, y se vuelve hacia nosotros.

—¿Qué estáis esperando? —grita—. Vamos, ¡más barato imposible!

Trepamos por la verja y echamos un vistazo a la chatarra. La mayoría son objetos estropeados, pero algunos aún se pueden aprovechar. Debajo de una nevera descubro un cartón que no me irá mal como colchoneta, y Jaz pesca un abrigo andrajoso. Ángel y Emilio también se agencian cosas.

Cuando cada uno ha encontrado algo, seguimos caminando. Pronto llegamos a una casa en ruinas, desde donde todavía se ve la ciudad. Mejor dicho, se trata de una casa en construcción. Solo están las paredes, no tiene tejado y en el lugar de puertas y ventanas hay agujeros, como si al propietario se le hubiese acabado el dinero a media construcción.

Entramos. En las paredes han crecido las malas hierbas y de las ventanas cuelgan telarañas. Es evidente que aquí no vive nadie. ¡Es el lugar ideal para dormir! Sin embargo no somos los primeros que hemos tenido la misma idea: al mirar por la puerta descubrimos a un viejo agachado en un rincón de la entrada. Está a punto de echar un trago de una botella, pero cuando nos ve, la baja.

—¡Eh, largo de aquí! —grita moviendo al mismo tiempo la mano en el aire—. Aquí estoy yo. ¡Esta es mi casa!

—¡Tranquilo, hombre, tranquilo! ¡Relájate! —le dice Fernando cuando entra—. Hasta un ciego puede ver que esta casa no es de nadie. Aquí hay sitio para todos.

El viejo refunfuña entre dientes y vuelve a empinar el codo. Pasamos por delante hasta la habitación contigua, una escalera sin barandilla sube al piso superior. Subimos con cuidado y en cuanto llegamos arriba, espantamos a unos cuantos pájaros que aletean de aquí para allá, piando con rabia, y que acaban por desaparecer por la ventana. Una vez fuera, y a pesar de las plumas que aún quedan suspendidas en el aire, el espacio queda vacío.

Fernando mira alrededor y menea la cabeza, satisfecho.

—Parece que nos la hayan hecho a medida —dice y extiende su cubrecama en el suelo—. Aparte de esos pájaros, aquí no vendrá ningún otro animalucho, al menos ninguno que sea venenoso. Si no os fijáis en las cagadas, ¡esto es el paraíso!

Descargamos nuestras pertenencias en el suelo. Yo extiendo mi cartón al lado del viejo abrigo de Jaz. De algún modo, estoy contento de que hoy no continuemos el viaje. Después de todo lo que hemos vivido sobre los trenes, la perspectiva de dormir en el suelo de una casa abandonada es casi como estar de vacaciones.

Ángel ha conseguido un saco de dormir viejo en el vertedero y ya se ha sentado encima.

—Podríamos encender un fuego —propone—. Jaz y yo hemos comprado pan y lo podríamos tostar.

Fernando se lo piensa.

—No nos sentaría nada mal algo caliente en el estómago, pero deberíamos tapar la ventana para que la luz no nos delate —mira a Jaz y sonríe—. ¿Qué te parece, los hombres vamos a por leña y tú nos haces las camas?

Jaz pone los ojos en blanco y le responde:

—A ti ya te iría bien, pero yo tengo otra propuesta mejor —se le acerca y le toca ligeramente el pecho—: tú haces las camas y nosotros vamos a por leña.

Fernando se ríe.

—De acuerdo: vosotros traed leña y arreglo esto un poco. Eso de hacer camas no se me da muy bien. Pero cuidado con las serpientes, ¿eh? ¡Uuuh! —le gesticula a Jaz delante de la cara—. Se camuflan y parecen ramas.

—¡Y yo me transformaré en dragón! ¡Qué te parece! —le suelta ella—. ¡Como si no fuese capaz de distinguir una serpiente de una rama! —deja a Fernando con un palmo de narices y nos hace una señal a los demás—. ¡Venga, vamos!

No muy lejos encontramos una montaña de deshechos con leña suficientemente seca para hacer una hoguera. Volvemos cargados, y cuando subimos la escalera vemos que Fernando ha conseguido otro edredón y lo ha colgado de la ventana. Dejamos la leña en el suelo y la empezamos a apilar.

—¿Y cómo vamos a encenderla? —pregunta Ángel.

—Con el fuego ardiente de Jaz, el dragón —dice Fernando—. Solo tenemos que conseguir que se enfade un poco y le prenderá fuego. No, bromas aparte, ahora bajo a hablar con el vagabundo. Los trotamundos suelen llevar siempre un encendedor en el bolsillo.

Desaparece escaleras abajo para pedirle fuego al viejo, pero él no se lo quiere prestar y oigo como discuten:

—Dejarte el encendedor son sesenta pesos —grazna el viejo y después suelta una risotada.

—¡No te lo crees ni borracho! —se oye que le contesta Fernando—. Saca ya el encendedor o te haré tragar los sesenta pesos!

—¡Vale, vale, tranquilo! ¡No te sulfures! ¿No sabes encajar ni un simple chiste inofensivo? Carajo, ¿qué le ha pasado al mundo?

Al momento oímos que sube la escalera: lleva el encendedor en la mano y una sonrisa de oreja a oreja. Se agacha al lado de la leña para encenderla. Después de algunos intentos, arde la primera llama, al principio minúscula, y en pocos segundos el fuego empieza a prender por todos lados. Nos sentamos a su alrededor y sacamos las provisiones.

—Ah... —suspira Fernando—, me encanta la noche —clava un trozo de pan en una rama y lo pone a tostar al fuego—. ¿Veis? Se hace así para que quede tostado y crujiente, si no, no vale nada.

Al instante todos sujetamos las ramas con el pan por encima de las llamas, excepto Emilio, que pone una de sus queridas patatas bajo las brasas. El olor del pan tostado se esparce por toda la sala, incluso llega hasta abajo, porque no pasa mucho rato hasta que aparece el viejo. Se detiene un momento en el último peldaño y nos observa. Entonces se nos acerca titubeando.

—Eh, chicos —nos dice—. ¿Os importa que me siente con vosotros?

Sin esperar una respuesta, echa a Emilio y a Jaz a un lado y se deja caer en medio. Toma uno de nuestros panecillos y se lo lleva a la boca.

Fernando, enfadado, está a punto de oponerse, pero Jaz lo retiene.

—Venga, déjale —le dice—. Hay de sobras, y además nos ha dejado el encendedor.

El viejo se saca la gorra pringosa de la cabeza y la menea por el aire. Luego se inclina delante de Jaz y dice:

—¡Gracias, *merci, thanks, danke schön!*

Se la coloca de nuevo y de repente tiene un ataque de tos espantoso que le obliga a escupir unos cuantos trozos de pan medio mordidos.

Fernando hace una mueca y protesta:

—¡Puf, tío, apestas a alcohol!

El viejo ríe, saca la botella y se la ofrece. Fernando se aparta.

—¿Quieres un poquito?

—Mejor que mames tú solo, nosotros mañana tenemos qué hacer, no como tú.

El viejo da un buen trago, vuelve a esconder la botella y murmura:

—¡Así me gusta! Gente joven que tiene qué hacer. No hay nada mejor en este mundo.

Jaz me mira por encima del fuego. Durante un instante se produce un silencio, pero de golpe el vagabundo se echa a reír y me contagia su risa. El viejo me cae bien. Apesta de una manera horrible, tiene la barba apelmazada, llena de mocos pegados, que debe ser un paraíso inigualable para los piojos, y a pesar de todo ello, desde que estamos en México, es la primera persona con quien hablamos fuera del mundo de los trenes.

En realidad está muy bien poder sentarse cerca del fuego, sin tener miedo constantemente. Estos últimos días he sufrido sin cesar, por miedo a no salir sanos y salvos de Chiapas. Ahora, al menos por una noche, podemos olvidar los peligros y la angustia, respirar tranquilos, sin pensar por qué estamos aquí y por qué razón hacemos todo esto.

Sentados aquí, mientras comemos trozos de pan humeante procurando no quemarnos, me doy cuenta de que aún sé muy poco de los demás. Hace cuatro días que estamos juntos, casi sin separarnos. Durante ese tiempo he vivido más peripecias con ellos que con cualquier otra persona, pero aparte de los nombres y de los países de origen, no sé prácticamente nada de ellos.

Parece que a Jaz le pasa lo mismo. Ha empezado a preguntar a Fernando sobre sus anteriores viajes y cuando acaba de explicar la mejor de sus habituales historias de tren, nos hemos metido ya en una profunda conversación sobre qué nos ha llevado hasta aquí y, naturalmente, sobre qué nos espera: el país al que queremos llegar y las personas que buscamos.

—Ah, no sé —comenta Jaz después de estar en silencio un buen rato—, a veces me imagino que llego allí arriba y mi madre no me reconoce. Es el peor pensamiento de todos: que, al final, todo este viaje no sirva para nada.

—No —dice Fernando—, una cosa así nunca es en vano. Ella te reconocerá, seguro, aunque te cortes mil veces el pelo o te hagas lo que sea. ¿Sabes dónde encontrarla?

—En Chicago... o cerca de allí.

Al decir eso, el viejo, que hasta ahora se había limitado a mirar fijamente el fuego, se vuelve hacia ella y le pregunta:

—¿Chicago?

—Sí, mi madre vive allí.

El viejo gesticula con la mano y añade:

—Yo, de ti, lo dejaría correr, chico. Allí arriba todo es una mierda.

Fernando lo mira enfadado.

—Eh, tú —le dice acercándole al viejo un trozo de pan humeante, que casi le chamusca la nariz—, puedes sentarte aquí con nosotros porque somos amables y buena gente, pero cierra el pico y no hables de cosas que no conoces, ¿vale? Nos pones de los nervios.

El viejo retrocede, asustado. Vuelve a sacar la botella y mientras la abre, murmura en silencio. Fernando no le hace caso y se dirige a Jaz:

—¿Cuánto hace que tu madre se fue?

—Diez años.

Lo ha dicho sin inmutarse, casi como si nada. Sin embargo, o mejor, por eso mismo, sus palabras me impresionan.

—¿Diez años? —se me escapa—. Caray, eso es mucho tiempo. ¿Con quién has estado durante este tiempo?

—Primero con mis abuelos. De hecho estaba muy bien con ellos... pero... cómo decirlo... solo eran mis abuelos. Mi madre siempre me prometió que volvería a buscarme, pero nunca lo hizo. Entonces mi abuelo enfermó y ya no pudo trabajar. Me mandaron a la ciudad, a hacer tareas del hogar de una gente rica.

Fernando arquea una ceja con desprecio.

—Deja que lo adivine: debías cuidar de sus pequeños monstruos.

Jaz asiente.

—Sí, aquellos pequeños demonios no paraban de darme órdenes: «Jazmina, haz esto... Jazmina, haz lo otro, tráeme algo de beber, quiero un helado... ¿No puedes ir más de prisa?». Si no lo hacía de inmediato se quejaban: «¡Mamá, Jazmina pierde el tiempo!». ¡Oh, Dios mío, a veces me irritaban tanto que les hubiese dado una buena bofetada!

—Me lo puedo imaginar. ¿Y con el padre qué?

—¿Cómo? ¿A qué te refieres?

—Pues eso... si también se quiso aprovechar de ti.

Jaz no dice nada y mira al suelo. Se cala la gorra hasta los ojos.

—Lo podría haber matado —dice, apretando los labios.

Fernando coge una ramita y la mete en el fuego, hasta que se enciende.

—Que no haya pasado no significa que no pueda pasar. Si conseguimos nuestro objetivo, un día volveremos y le plantaremos cara, ¿te parece?

—Va, ¿para qué? —dice ella, haciendo un gesto con la mano—. Ya me largué de allí. Estoy contenta de no volverlo a ver nunca más, y por lo que respecta a aquellos pequeños monstruos impertinentes... ya se pueden perder.

—Sé lo que quieres decir —interviene Emilio—. También lo he vivido.

Casi me asusta oír su voz. Normalmente no dice nunca nada, excepto cuando se le pregunta, y además lo tienes que hacer tres veces. Pero la historia de Jaz le debe de haber recordado algo.

—Los hijos del hacendado —añade, cuando se da cuenta de que todos lo miramos— siempre se reían de nosotros.

Nadie entiende de qué está hablando.

—¿Qué hacendado? —le pregunto.

Emilio no responde, se limita a remangarse los pantalones. A la luz del fuego podemos ver que tiene las piernas llenas de cicatrices.

Cuando lo ve el viejo, aparta la botella hacia un lado, excitado.

—¡Yo también las tengo! —grita mientras se inclina hacia delante para levantarse también él las perneras.

—¡Vamos, abuelo, bájate esos harapos! ¡No quiero verte las piernas! ¡O te piensas que quiero tener pesadillas? —le dice Fernando para hacerlo desistir de su intento. Entonces se vuelve hacia Emilio y le pregunta, señalando las heridas:

—¿De qué tienes eso?

—De trabajar en las plantaciones de café. Si no vas con cuidado, sin querer alguien te puede dar un machetazo. Te hacen trabajar a destajo y puedes estar contento si al final solo es un corte.

Fernando se queda un buen rato pensativo.

—¿Cuánto tiempo estuviste?

—Empecé cuando tenía siete años, al lado de mi padre —comenta mientras se baja las perneras de los pantalones. Mirándolo he entendido algunas cosas: por qué es tan fuerte, pero también por qué parece mayor de lo que es en realidad.

—Mi padre tuvo un accidente en la plantación y murió —continúa Emilio. Parece que el interés de Fernando lo ha animado. No recuerdo haberle oído hablar de sí mismo nunca antes y parece que ahora le cuesta. Habla lentamente y a veces tarda tanto tiempo en encontrar la palabra siguiente que te pone de los nervios—. Mi madre trabajaba en una fábrica, pero no ganaba lo suficiente y se tuvo que ir al norte hace unos años, para ganar más, dijo, y podernos mandar dinero de vez en cuando. Mis hermanos se fueron yendo a lugares distintos y yo me quedé en la plantación. A menudo había peleas con los hijos del hacendado, hace unas semanas me quise defender y entonces me echaron de la plantación. Pero ahora soy libre.

—¿Te fuiste de inmediato? —le pregunta Ángel.

—No, primero pensé en ir a las montañas, con los rebeldes.

—¿Te refieres a los que luchan contra los grandes hacendados? —dice Fernando—. ¿Contra los terratenientes? ¿Y por qué no lo hiciste?

Emilio se encoge de hombros.

—No lo sé, tenía mucha rabia contenida. Pensé que lo mejor era ir al norte, en busca de mi madre.

El viejo, que al principio se había dormido, pero que ahora vuelve a estar despierto, sacude la cabeza, como si le hubiese estado escuchando.

—Mala elección, muchacho —le dice, y con la botella señala en una dirección que para a él debe ser el norte—. Allá arriba tienen dinero, sí, pero no tienen corazón.

—Vamos, abuelo, no vuelvas con la misma canción de antes —le espeta Fernando—. No pareces alguien que pueda dar consejos a los demás.

El viejo deja la botella en el suelo de golpe, se pone de pie y señala a Fernando con el dedo.

—He visto bastante más mundo que tú, bocazas, y te digo una cosa: es igual donde vayas, no puedes huir de tu vida. Puedes correr cuanto te apetezca, por mí, como si quieres llegar al Polo Norte.

—Va, no te enrolles más, que tu charla aburre. Vuelve a tu agujero asqueroso y sigue mamando hasta que revientes.

El viejo le lanza una mirada asesina. Se levanta, recoge la botella y se va cojeando. Cuando llega a la escalera, se vuelve para decir algo, pero al final nos hace un gesto de desprecio con la mano y desaparece escaleras abajo.

—¡Oh, Dios bendito! —murmura Fernando, meneando la cabeza—. Este tipo está completamente acabado.

—¿Crees que merece la pena hacer turnos de vigilancia? —pregunta Ángel, preocupado.

—No hace falta. Está loco, pero es inofensivo. No vamos a perder horas de sueño por él... quién sabe cuándo podremos volver a dormir de un tirón.

Mientras el fuego se va apagando lentamente, aún puedo oír al viejo abajo un buen rato. Habla solo y grita. Por alguna razón, lo que le hemos explicado lo ha perturbado, pero nunca sabré por qué. Mañana seguiremos nuestro camino y seguramente no lo volveremos a ver.

Aún conversamos durante un rato más. Finalmente nos vence el cansancio y nos tumbamos delante del fuego. Me resulta extraño no sentir el viento en la cara ni tener debajo un techo que va haciendo sacudidas. Me doy la vuelta y me aparto del fuego. A mi lado está Jaz sobre su abrigo, casi sin moverse. No me puedo sacar su historia de la cabeza, después de contarla no ha vuelto a abrir la boca.

Juana está estirada a mi lado. Su respiración es entrecortada y de vez en cuando la interrumpe durante unos segundos. Se ha echado el cubrecama por encima de la cabeza, como si no quisiese saber nada más del mundo. Según como, tengo miedo de que se ahogue debajo. Entonces levanto el cobertor y escucho con atención cómo respira.

Tose mucho. Lo empezó a hacer cuando abandonamos nuestro pueblo para ir a los suburbios de Tajumulco, donde viven los que no se pueden permitir nada mejor. No hay electricidad ni agua, hay humedad y por las ranuras de puertas y ventanas se cuela el aire. Yo nunca estoy enfermo, pero Juana sí. La gente enseguida me da limosna cuando la ven toser, antes que si me pongo yo solo a pedir en la calle.

En la otra cama duerme mi madre. Su respiración es fuerte y profunda. Se levanta antes del alba para ir a la ciudad y allí recoge ropa sucia de las casas para lavarla en el río. Cuando vuelve ya es de noche.

A menudo está triste. A veces le pide ayuda a mi tío, que nos trae un trozo de carne. Los domingos voy con Juana a su casa; él y mi tía no viven demasiado lejos. Una vez nos quedamos una semana y comimos muy bien, al final a Juana se le pasó la tos, pero no era lo mismo que estar en casa.

Vuelvo a apartarle el cubrecama de la cabeza. Gime y se da la vuelta hacia un costado. Sé que mamá se avergüenza de nuestra miseria, a mí no me puede engañar. A veces, por la noche, llora. Cree que no la oigo, pero siempre lo hago. Entonces no puedo evitar pensar en una mujer de nuestra calle que, según cuentan, dio a sus hijos porque no tenía con qué alimentarlos. La gente dice que empezó igual que mi madre: primero el marido, después la casa, a continuación los llantos.

Me da miedo de que mamá haga lo mismo, que nos dé a alguien. A veces estoy toda la noche en vela por esa razón. Una vez se lo conté y me tranquilizó: ella nunca haría una cosa por el estilo. Pasase lo que pasase, nada ni nadie nos separaría nunca.

"Sois todo lo que tengo", dijo. "Todo lo que tengo, todo...".

Abro los ojos. Al principio no sé dónde estoy, después veo a los demás con el resplandor de las ascuas. Emilio y Ángel duermen, Fernando tiene los brazos cruzados debajo de la cabeza mirando al cielo. No tengo ni la más remota idea de qué está pensando. Echada a mi lado, Jaz respira fuerte y parece que aún está despierta.

—¡Eh, Jaz!

Se vuelve hacia mí.

—¿Qué pasa?

—Eso que nos has explicado antes... me sabe mal...

—No tiene por qué saberte...

—... pero sí me sabe. Cuando tu madre se fue, ¿solo tenías cuatro años?

No me responde.

—¿Aún te acuerdas de ella?

Al principio duda, después de acerca a mí y me dice en voz baja:

—Aún recuerdo el olor que tenía... bueno, creo que aún lo recuerdo, aunque ya no lo sé con certeza. Solo por las fotos. ¿Y tú?

Pienso un momento. A ver, ¿qué recuerdo exactamente?

—Su voz —digo lo primero que se me ocurre—. Me acuerdo perfectamente. Y de más cosas. De cómo cocinaba mi plato favorito por mi cumpleaños y de cuando me llevaba a la cama... Cosas por el estilo.

Jaz se arropa con el abrigo y dice:

—Tiene que ser bonito poder recordar cosas así.

—Por un lado sí, por el otro no, porque solo son recuerdos, ¿sabes?

—¿Y ahora dónde vive?

—En Los Ángeles.

—¿Y eso está lejos de Chicago?

—No lo sé, creo que sí.

Jaz me aparta la vista y murmura.

—Lástima.

Durante un rato permanecemos tumbados en silencio. Ahora que se ha quitado la gorra, a la luz del fuego, ya no parece tanto un chico. La miro de lado y de repente me explico el porqué. Hasta ahora nunca había hablado de todo esto con nadie, ni con Juana.

—Llegó un momento, cada vez que mamá se disculpaba en sus cartas y nos contaba las razones por las que no nos venía a buscar, que ya no supe si creerla. Pensé que a lo mejor no era verdad, que todo eran excusas, que ya no nos quiere, ni a Juana ni a mí. Este es el motivo de por qué la quiero encontrar, ¿entiendes? Lo quiero saber. Quiero que me lo diga a la cara, no por carta. A la cara, así sabré a qué atenerme.

Jaz se vuelve hacia mí y me observa con sus ojos oscuros. Una mirada infinitamente larga, después se echa de espaldas y se pone a mirar arriba. Durante mucho rato no dice nada.

—Sí —susurra—. Claro. Yo también deseo lo mismo.

¿Qué le puedo escribir? ¿La verdad? ¿Toda la asquerosa verdad? ¿Que haría mucho que me hubiesen robado y que estaría medio desnudo bajo un matorral, si no hubiese tenido a mi lado un ángel de la guarda que más bien parecía un diablo? ¿Que me persiguen y que me tengo que esconder de todo el mundo? ¿Que bebo de los bidones de agua de lluvia y que casi me echo a llorar cuando oigo una canción de mi tierra? Imposible. Le daría un ataque de pánico, seguro.

Pero, entonces, ¿qué hago? ¿Contarle mentiras? ¿O simplemente me invento una historia? ¿Que cruzar México es como un juego de niños? ¿Que en el tren te da un poco el sol? ¿Que se puede disfrutar del paisaje y que casi no te das cuenta y ya estás en la frontera? No tendría sentido. Atrevida como puede llegar a ser mi hermana Juana, aún se le ocurría ir detrás de mí. Y eso sería lo peor que podría pasar.

Por la carretera que hay al lado de las vías veo trotar dos mulas cargadas hasta arriba y atadas con cuerdas. No veo que nadie las vigile, parece que sepan hacer el camino ellas solas. Da la impresión de que también corran sobre raíles, como nuestro tren, que ahora avanza lentamente, le cuesta y sube a duras penas. Aquí no es como en Chiapas, donde el estado de las vías frenaba al tren, sino que es la máquina, que con tantos vagones no puede subir más deprisa. Resopla y silba, pero casi no avanza.

Hoy nos hemos puesto en marcha temprano, en cuanto despuntó el día. El viejo roncaba y dormía la borrachera. Una vez en la calle, de camino a la estación hemos visto amanecer por encima de los campos. Jaz iba a mi lado y no he podido dejar de pensar en nuestra conversación de ayer noche. Cuando me ha mirado, he tenido la sensación de que ella también lo hacía. En la estación no había demasiado movimiento. Ni vigilantes ni policías, al menos que hayamos podido ver. Hemos subido al tren que se dirigía a Veracruz, Fernando sabía cuál era. Cuando hemos llegado, ya había gente escondida entre los vagones, pero ni mucho menos la multitud de la frontera o de Tapachula. Cuando el tren ha arrancado y ha vuelto atrás en dirección a Chiapas, por poco no me da un ataque de pánico pensando que Fernando se había equivocado, pero entonces la vía se ha bifurcado, el tren ha tomado una gran curva hacia el norte y exactamente en esa dirección va ahora mismo, desde hace unas horas, subiendo la montaña.

La caravana de mulas ha desaparecido en la lejanía. Subimos lentamente, siento perfectamente cómo vamos dejando atrás el bochorno de la costa. La vía pasa cerca de unos cuantos pueblos dormidos, estaciones abandonadas y cementerios solitarios, trepa por la montaña haciendo amplios giros. A veces, en las curvas, cuando el tren va especialmente lento, de los matorrales salen algunos desarrapados y se encaraman a las escalerillas.

Jaz, Fernando, Emilio y Ángel están sentados detrás de mí. Quiero estar solo para escribirle una carta a Juana. La noche que me fui, estaba tan trise que le prometí que daría señales de vida tan pronto como me fuese posible, y aunque escribir no sea lo mío, porque nunca acabé de aprender del todo, debo mantener mi promesa, no sea que ella acabe teniendo pensamientos extraños.

Saco un trozo de papel arrugado de la mochila y un lápiz roto. No tengo ni la más remota idea de cómo ni dónde podré echar la carta, pero ya tendré tiempo de pensar en ello. *Querida Juanita*, me sale un garabato y paro. Me parece que le costará horas descifrarla. Aún no sé qué le puedo escribir. No quiero asustarla, pero tampoco quiero mentirle y eso no es precisamente sencillo.

Me pongo el lápiz en la boca y miro alrededor. Ahora todo chirría porque el tren toma una curva cerrada. Un hombre salta desde un matorral, empieza a correr en paralelo a la vía y sube a la escalera de unos vagones más adelante. Podría escribir sobre lo que hacen los otros, pienso, mientras observo cómo se encarama hasta arriba. ¡Ya lo tengo! Si Juana lee que he encontrado amigos, quizás ello evitará que cometa alguna barbaridad.

Me gusta la idea. Me inclino sobre el papel y empiezo a escribir. Es más complicado de lo que pensaba, de algunas letras casi ni me acuerdo y ya no sé cómo se escriben las palabras. Continuamente tacho y vuelvo a empezar, pero el redactado no mejora.

Después de un buen rato finalmente he conseguido redactar las dos primeras frases. Me suda la frente. Dejo el papel y miro hacia adelante. El hombre que he observado antes, avanza despacio sobre los vagones en dirección a mí. Seguramente busca un lugar donde sentarse. Llega al vagón justo delante del mío, toma impulso pero en el momento en que está a punto de saltar, el tren entra en una curva y da una sacudida. El hombre pierde el equilibrio, intenta mantenerse de pie pero no lo consigue. Tropieza, cae de bruces y se precipita por el espacio entre vagones. En el último segundo alarga las manos y se agarra al borde del techo de mi vagón, cae sobre sus pies y se precipita por el agujero entre los dos vagones.

Por un momento me quedo de piedra. Lo oigo gemir y maldecir, al tiempo que pide socorro. Sin pensarlo dos veces, me arrastro hasta él, lo sujeto del brazo y lo empujo hacia arriba. Mueve las piernas sin cesar hasta que encuentra un lugar donde apuntalarlas. Entonces empieza a dar vueltas a ras de techo hasta que se queda estirado sobre los hombros, jadeando.

—¡Dios mío! —murmura, cuando recupera la respiración, y se santigua—. ¡Dios mío, qué poco ha faltado! —lentamente se va reanimando y me mira—. Gracias, chico. ¡Ha sido una señal de los dioses, una verdadera señal!

—¿Una señal? ¿De qué?—no entiendo qué quiere decir.

—¡Caray, la señal de no volver a desafiar al destino, a cambio de poder estar aquí! —mira abajo, a las vías, y mueve la cabeza, entonces se dirige nuevamente a mí—: Si tú no tienes nada en contra, está claro.

—No. El vagón no es mío.

—Hombre, de alguna manera, sí —se pone de pie, se sube las perneras de los pantalones y se palpa la rodilla, tiene una herida y está sangrando—, en cualquier caso tú estabas primero.

—Sí, ¿y qué? Esto no tiene ninguna importancia. Creo que aquí no se debería echar a nadie, ni del país ni tampoco del vagón, es igual quien estuviese primero.

El hombre se ríe.

—Veo que has aprendido la lección. ¡Bien hecho! —señala detrás mío—. Pero será mejor que vayamos hacia el medio, ¿no crees? Es más seguro.

No me parece mal y hacemos lo que sugiere. Mientras el hombre todavía se recupera del susto, recuerdo la carta de Juana. Debo de haber dejado caer el papel y el lápiz cuando he saltado, porque han desaparecido.

—¿Qué te ocurre? —me pregunta cuando se da cuenta de mis miradas inquisidoras—. ¿Has perdido algo?

—Sí. Quería escribir una carta, pero ya me puedo olvidar. El lápiz ha desaparecido y tampoco veo el papel.

—¡Ah, espera! —busca en el bolsillo de la camisa, saca un cuaderno de notas y un bolígrafo y me los da—. Ten, tómalos, es lo menos que puedo hacer por ti. ¿Quién sabe? Sin ti quizás no estaría vivo.

Dudo, pero me lo pone en la mano.

—¿Y a quién querías escribir? ¿A tus padres?

—No, solo a mi hermana.

El hombre asiente con la cabeza. Se vuelve y se queda mirando, pensativo, la zona que atravesamos. Se toca la cara y se frota unas cuantas veces los ojos.

—¿Sabes qué? Es curioso —dice al cabo de un rato—. Yo también tengo un hijo y una hija, algo más jóvenes que tú.

Guardo el cuaderno y el bolígrafo en la mochila para no perderlos.

—¿Y dónde están?

—¡Ay! —hace un vago movimiento con la mano en dirección al sudeste—. Allá, de donde yo vengo.

—O sea... ¿que los ha dejado solos?

—¡Vamos, qué barbaridad, solos! —frunce y levanta la frente—. No están solos y además, yo volveré. ¿Se puede saber de qué hablas?

Escupe y permanece un buen rato sentado y en silencio. Después hurga en un paquete de cigarrillos que tiene en el bolsillo, saca un pitillo y lo enciende. Da una fuerte calada y con la mirada sigue el humo, que queda rezagado y se va desvaneciendo lentamente en el aire.

—De algún modo te sientes como un hombre incompleto, si no puedes dar a tu familia una casa como es debido —dice, y entonces se le ilumina la cara—. ¿Sabes qué? He echado cuentas. Si allá arriba, al otro lado de la frontera, encuentro un trabajo decente y todo va como una seda, entonces, en un año o dos, habré ganado suficiente, volveré y será para siempre.

La frase me suena. La tuve que oír tantas veces que cuando la ha dicho me han resonado los oídos, casi me hace vomitar.

—Quizás sus hijos no quieren ninguna casa. Quizás solo quieren...

—¿Cómo vas a saber tú lo que quieren mis hijos? —me interrumpe—. ¿Cómo vas a saber nada? No tienes ni idea de qué significa ser adulto y tener hijos. ¡Mejor cierra el pico!

Continúa fumando en silencio un buen rato. ¡Un año o dos! ¿Realmente se lo cree? Todo el mundo tiene derecho a creer en algo, y sus hijos también, de momento.

—¿Y tú? —me pregunta finalmente, parece que un poco más calmado—. ¿A dónde te diriges?

Le explico de dónde soy y a dónde voy. No se lo cuento todo, naturalmente, solo lo esencial. No es bueno hablar demasiado de uno mismo en los trenes, lo aprendí de Fernando. Además, no lo conozco de nada, quién sabe qué puede querer de mí.

Me escucha en silencio.

—¿Y qué le quieres escribir a tu hermana? —se limita a preguntarme, cuando acabo mi relato.

—Decirle cómo me encuentro, ¿qué, si no? Y, sobre todo, que no venga detrás de mí bajo ningún concepto, prefiero ir a buscarla cuando tenga suficiente dinero para hacerlo.

—¿Dinero? ¡Ay, chico, ni lo sueñes! Estuve dos veces allá arriba y ya es bastante difícil para un hombre adulto sobrevivir y ganar dinero sin que te pillen. Yo al menos sé de qué va la cosa, en cambio para ti todo es nuevo y eres un crío. ¿Cómo piensas conseguirlo?

—No lo sé, pero me lo he propuesto, de modo que también lo lograré. Algún día volveremos a estar los tres juntos, mamá, Juana y yo, como antes. Me lo prometí a mí mismo.

El hombre se echa a reír.

—¡Caray, chico, eres un caso! A lo mejor te crees que tu madre no se lo había propuesto también. Seguro que también te prometió que os vendría a buscar, a ti y a tu hermana, ¿no es cierto?

—Sí, y lo hubiese hecho. Consiguió el dinero hasta tres veces. Una vez se lo robaron, otra se lo dio a un abogado para que arreglase los papeles, pero en realidad no era un abogado sino un estafador, y la última se los quitó un narco que desapareció y no lo volvió a ver nunca más. ¡Ha sido mala suerte, simplemente!

Lo digo todo sin pensar demasiado. El tipo me observa y comprendo que ahora piensa de mí lo mismo que yo pienso de él, que me lo creo todo. No, caray, no sé si me lo creo todo, pero hay una gran diferencia si el que duda es uno mismo o es otro. Si es otro, da mucho coraje.

—No conozco a tu madre, seguramente fue como tú dices, pero, créeme: la suerte no tiene nada que ver. Son cosas que pasan si uno no sabe de qué va.

Da una última calada al cigarrillo y lo tira. Poco a poco, su charla me empieza a molestar y a ponerme nervioso. Adopta un aire como si fuese el tipo más listo de la clase, pero, entonces, ¿por qué es la tercera vez que viaja? Da la impresión de que algo fue mal en los dos primeros intentos, exactamente como su llegada a este tren.

—Allá arriba siempre pasa lo mismo, si eres un pardillo —continúa hablando—. Haces cualquier trabajo asqueroso durante meses, en alguna fábrica, en el campo o donde puedas ganar algo. No te quitas el miedo de encima de que te puedan detener y echarte del país, dejas que te hagan de todo porque no te puedes quejar, y cuando tienes un poco de dinero ahorrado con el sudor de tu frente, diez minutos son suficientes para perderlo todo en manos de un estafador, porque precisamente de esos hay a montones. De modo que no creas, no es tan sencillo.

—No, no creo que lo sea, pero no me dejaré engañar, lo conseguiré. ¿Quién ha ayudado a quién a salir del aprieto?

—Me ganas, sí, ¡uno a cero! —reconoce entre risas—. Oye, no me interpretes mal, si antes he sido desagradable y te he chillado, ¿de acuerdo? No tiene nada que ver contigo. Sucede que esta mierda de aquí, al final te acaba afectando, sobre todo porque... —duda y entonces lo deja correr.

—¿Por qué? —no soporto ese tipo de comentarios a medias. Si tiene algo que decir, que desembuche.

—Bueno, estaba pensando en uno de mi pueblo que lo ha conseguido, allí en el norte, ¿sabes? Le salió todo bien. Volvió y vive en una casa en lo alto de una colina y conduce uno de esos coches todoterreno. Antes éramos uña y carne, pero ahora hace como que no me conoce. Eso es lo que quiero decir, justamente cuando tienes mucha suerte y consigues todo lo que querías, en algún lugar pierdes el alma... ¿y qué te queda, entonces?

¡Perder el alma! ¡Qué expresión más ridícula! Menos mal que Fernando no está presente, porque le cantaría las cuarenta.

—Entonces, ¿por qué vuelve?

—Mira, porque es como una adicción —se toca el bolsillo de la camisa—, como los cigarrillos de aquí. No puedes dejarlo nunca, siempre recaes.

—De acuerdo, pero yo no pienso perder el alma, al menos de eso estoy seguro. Quiero llegar allí lo más pronto posible y salir de México, porque este no es mi país, la gente de aquí no me quiere, eso sí que me ha quedado claro.

—¿Quererte? —se ríe y sacude la cabeza—. ¡Despierta y deja de soñar! No te quieren en ningún lado, ni aquí, ni en los Estados Unidos. Debes aprender a que eso no te afecte y sacar el máximo provecho de cómo eres. Eso es lo único que cuenta.

Mientras tanto nos hemos adentrado en las montañas. Ahora, sin embargo, no ascendemos, sino que el tren se abre camino de un valle a otro. Me vuelvo hacia donde está Jaz, Fernando y los demás. Están sentados juntos, hablando. Cuando Jaz ve mi mirada, me hace un gesto y me levanto. La carta de Juana ya la puedo olvidar, al menos por hoy.

—Creo que me voy con mi gente, me están esperando.

—Sí, claro. Está bien ir acompañado. Yo también tenía unos compañeros de viaje, pero nos tuvimos que separar y después ya no nos hemos vuelto a encontrar más.

—Bueno, pues, ¡mucha suerte! —me aparto de su lado.

—¡Eh, muchacho! —me grita—. Lo que hoy has hecho por mí, te lo devolveré algún día, ¿me oyes?

Me detengo y me doy la vuelta.

—¡No creo que nos volvamos a ver! —le digo, mientras tomo impulso para saltar al otro vagón.

—¡Oh, sí! —oigo que dice el hombre—. Créeme, nos volveremos a ver. ¡Yo siempre pago mis deudas!

El mundo está al revés, como si la parte de abajo fuese la de arriba. Las nubes que tenemos encima forman una alfombra sombría y son tan compactas y espesas que parece que se pueda pasear sobre ellas, como si se hubieran tragado el sol y no lo quisieran devolver.

Hemos viajado todo el día a través de cerros, hemos pasado por estaciones de dimensiones exageradas, árboles sacudidos por las tormentas y cumbres de montañas rodeadas de niebla. Por la tarde la ruta ha vuelto a descender. El peso de los vagones empujaba hacia adelante y el tren ha recuperado la marcha. Durante un tiempo hemos pasado por unos humedales, a lo largo de la orilla de un río marrón y turbio, atravesado por labradores con sus carretas de bueyes.

Entonces han llegado las nubes, y con ellos la tormenta. Ha empezado a tronar y a relampaguear sobre nuestras cabezas y después se ha puesto a llover a cántaros. Hemos bajado de lo alto del tren y nos hemos agarrado a las escaleras, para que no nos alcanzasen los rayos que caían muy cerca con un ruido estrepitoso. Parecía que nos dirigiéramos directamente al centro de la tormenta, con truenos ensordecedores encima, las ruedas martilleando debajo y nosotros colgados en medio, intentando no caer de los escalones mojados y de no resbalar.

Pasada la tormenta nos volvemos a sentar en el techo del vagón y nos secamos con el aire. El cielo no ha quedado limpio del todo, todavía se ven nubes oscuras que permanecerán hasta la noche.

—¡Ah, no hay nada mejor que una refrescante tormenta en la montaña! —dice Fernando mientras se saca la camiseta y la escurre—. Sobre todo si sobrevives.

Jaz se inclina hacia mí:

—Me juego algo que ahora cuenta una de sus historias —me cuchichea a la oreja. Noto como el agua gotea de sus cabellos a mis hombros.

—Sí, y una con muchos muertos, lo veo en su cara.

—Una vez, por ejemplo —continúa Fernando, que no nos ha oído—, cayó una tormenta sobre un tren arriba en el Orizaba. Allí no hay tormentas de andar por casa como esta, allí son de verdad, con unos truenos tan estrepitosos como apisonadoras y rayos tan enormes que parecen árboles. Uno así cayó encima del tren, la gente se había refugiado en las escaleras como hemos hecho nosotros, pero el rayo lo atravesó y los hizo saltar a todos, salieron disparados por los aires como cohetes y quedaron esparcidos por el acantilado. ¡Horroroso, ya os lo podéis imaginar!

Jaz está a mi lado y hace unos ruidos extraños, como si se esforzase por aguantar la risa.

—¿Fernando?

—¿Qué quieres?

—Ah, nada. Solo me preguntaba que si esto pasó de verdad, entonces no sobrevivió nadie, ¿no es cierto? Por lo tanto, nadie lo puede haber contado.

Fernando duda.

—¡Qué bobada! Límpiate bien las orejas, chica. ¿Quizás he dicho que quedaron todos esparcidos por el acantilado? ¡No, no lo he dicho! Precisamente uno cayó por el medio y fue a parar al río. Pudo sobrevivir y explicarlo. ¡Así pasó!

Por un momento nos quedamos en silencio hasta que todos nos ponemos a hablar de nuevo, al menos Jaz y yo, y también Emilio y Ángel. Fernando va moviendo la cabeza y diciendo que no.

—¡Ignorantes! —murmura y se vuelve a poner la camiseta—. ¡Pandilla de desagradecidos! Sin mis historias ya os habríais muerto todos de aburrimiento.

—Ni que lo digas. Tus historias nos hacen morir de risa, que no es mucho mejor —responde Jaz. Se detiene y levanta la cabeza—. Pero, cambiando de tema, el tren va mucho más deprisa, ¿no os parece?

Tiene razón. Todavía vamos cuesta abajo, pero hemos recuperado la velocidad. El aire es tan fuerte que me voltea la camisa.

—¿Qué hacemos? —grita Ángel. No lo puedo reconocer, se ha hecho tan oscuro que solo se puede intuir lo que nos rodea—. ¿Nos quedamos o saltamos?

—Ahora mismo no podemos saltar, ni que quisiéramos —responde Fernando—, va demasiado deprisa, nos romperíamos la crisma. Y a oscuras tampoco podríamos buscar un lugar decente para dormir, lo deberíamos haber hecho antes.

Calla de golpe y suelta un taco. Unas ramas golpean los vagones, algunas suenan como si fueran latigazos. El valle tiene una vegetación muy espesa, la vía pasa cerca de una ladera, los árboles llegan hasta el tren y es muy peligroso.

—¡Agachaos! —grita Fernando. Otro latigazo. Me tumbo en el techo del tren y me sujeto donde puedo. A mi lado está Jaz, noto que busca donde cogerse. Sin pensarlo demasiado, le pongo el brazo sobre los hombros y la estrecho contra mí. Nos aferramos tanto como podemos.

Algunas ramas me rozan las piernas y la espalda, por suerte no son bastante fuertes para arrastrarme. Pero ahora el tren va a toda máquina, cuesta abajo, y da miedo solo de pensar que con esta velocidad nos pueda golpear alguna rama.

Estamos un rato tumbados. Entonces el tren frena de golpe, las ruedas chirrían y una sacudida recorre los vagones. Me tambaleo hacia adelante y un nuevo frenazo vuelve a sacudirnos.

—¿Qué ha sido eso? —grita Jaz.

—No lo sé —responde Fernando en alguna parte. Su voz suena ronca y casi no se le entiende—, quizás haya algo en la vía, si no, peor...

El ruido de las ramas ha cesado, parece que hemos llegado a una explanada. Me atrevo a levantar la cabeza, lejos hay algo, como una luz tenue. De repente distingo una sombra: es Fernando, agachado, que va hasta el extremo del vagón.

—¡Mierda! —reniega al cabo de unos segundos—. ¡Nos han jodido bien!

Me adelanto y me agacho a su lado. La luz de delante se hace más clara.

—¿Una batida?

—Sí —masculla—, y por la noche todos los gatos son pardos.

El tren vuelve a frenar, pero por el viento se percibe que todavía vamos deprisa. En lugar de una luz ahora se ven dos, y van en aumento. Son focos colocados a ambos costados de la vía, a un kilómetro, más o menos.

Fernando se vuelve.

—¡Rápido, a las escaleras! —ordena—. ¡Pero no saltéis, las ruedas os desmenuzarían, esperad hasta que lo haga yo!

Bajamos por los escalones, Jaz y yo por un lado, Fernando por el otro, Emilio y Ángel por la cola del vagón. Solo puedo apoyar un pie en la escalera, no hay más espacio junto a Jaz. Las manos me tiemblan tanto que se me hace difícil sujetarme. En el vagón de delante, y a contraluz por culpa de los faros, veo al hombre con quien hablaba esta mañana que también baja la escalera. Cuando llega al último peldaño duda un instante y entonces salta. Lo último que veo es que cae rodando, se oye un ruido terrible, como si hubiera chocado contra algo y entonces el tren pasa a toda velocidad. El hombre desaparece en la oscuridad.

—¡Esto es una locura! ¡No saltéis! —grita Fernando, que también lo ha visto.

Ahora tenemos los focos solo a unos centenares de metros y aparecen los primeros policías. Como si esto hubiera sido una señal, el maquinista frena de golpe. Las ruedas se bloquean y chirrían de una manera que podrían perforar los tímpanos. Jaz choca contra mí y por poco me fallan las fuerzas para seguir sujetándonos a la escalera.

—¡Ahora! ¡Saltad! —grita Fernando desde la otra punta—. ¡Y a correr!

Jaz me suelta y salta, a continuación yo también suelto la escalera. Intento amortiguar el impacto, pero no sirve de nada, me fallan las piernas y caigo en la gravilla. Mientras saltaba solo pensaba en alejarme de las ruedas, pero he resbalado sobre los guijarros, terraplén abajo, hasta quedar tumbado boca abajo. Me da vueltas la cabeza y me duele todo el cuerpo.

Resuenan unos pasos desde algún lado y noto que me enfoca una linterna.

—¡Va, arriba! —oigo que me ladran.

Me incorporo sobre mis codos y me pongo la mano ante los ojos, pero no reconozco quién habla. Alguien me agarra por detrás, me levanta y me empuja de nuevo sobre el terraplén de las vías. Cuando estoy arriba, veo el tren completamente parado. Fernando y Emilio están contra un coche, apoyados con las palmas de la mano y las piernas abiertas. Un policía los cachea como si fueran criminales peligrosos. A mí me empujan por la espalda, me tambaleo y me acaban colocando a su lado. De reojo veo que también están Jaz y Ángel. Alguien me obliga a abrir las piernas y entonces unas manos también me registran de arriba abajo.

Desde detrás todavía vuelvo a oír la misma voz de antes:

—Id a pescar a otros —tiene una voz desagradable, amenazante, como un volcán antes de la erupción—, los cinco de aquí son nuestros.

Los pasos se alejan y cada vez se oyen menos. Todo queda en calma por un momento, entonces la voz nos ordena que nos demos la vuelta y quedamos con la espalda contra los coches. Ante nosotros hay dos policías que nos enfocan.

—Terminal —dice uno, el de la voz desagradable—, final del trayecto, vuestro hotel os espera —se ríe de su comentario y entonces hace un breve movimiento con la linterna—. ¡Venga, vamos! ¡Y que no se os ocurra intentar escapar, sabemos disparar mejor que nadie!

Para confirmarlo, pone la mano sobre el arma. Él y el otro nos conducen por un camino que se aparta de la vía. Hasta ahora no me había dado cuenta de lo que me he hecho al saltar del tren, estoy completamente agotado y me cuesta andar. Todas mis cosas están rotas y me baja sangre de las rodillas. Me vuelvo y veo que los otros no están mucho mejor. Tan solo Jaz, por suerte, se ha librado más o menos, con su habilidad es la que mejor ha conseguido parar el golpe.

—¿Qué nos harán? —le cuchicheo a Fernando, que anda a mi lado.

—Si hay agentes de la Migra cerca, nos entregarán y entonces la habremos cagado. Si no, harán su agosto: nos romperán la cara y nos desplumarán. También será una mierda, pero mejor.

Al cabo de un rato llegamos a una casa en ruinas, no se ve que haya nadie en muchos kilómetros a la redonda. Los policías nos empujan al interior.

—Ni rastro de la Migra —dice Fernando, bajito, cuando atravesamos la puerta. Ha sonado como aliviado, cosa que yo no puedo hacer, lo de «nos romperán la cara» me ha dejado muy asustado.

De pronto nos ponen contra la pared, a la luz de las linternas. Huele a hierba húmeda y a madera podrida, hay goteras en algún lugar. En un rincón se distingue claramente un montón de trastos y de restos de muebles viejos. Más o menos así debe de ser el ambiente de una ejecución, me pasa por la cabeza. Nadie dice nada, el silencio es angustioso. Los policías también están de pie, callados, casi no se pueden distinguir detrás las linternas, parecen dos siluetas oscuras sin rostro.

—¿Sabéis qué decía, esta mañana? —finalmente uno rompe el silencio, el mismo que antes se hacía el bravucón—. Pues que mi mujer me había hecho un almuerzo magnífico, con huevos, jamón, judías, café caliente y todo el acompañamiento como es debido. Realmente estaba de buen humor cuando he llegado al trabajo y les he dicho a mis compañeros: espero que hoy no nos vuelvan a estropear el día aquellos capullos de los trenes. —Le da unos golpecitos al otro policía—. He dicho esto, ¿no es cierto?

El otro no reacciona.

—Sí, creo que he dicho exactamente esto. ¿Y, al final, qué ha pasado? —escupe y siento como el gargajo se pega en el suelo—. Que hemos ido hasta la vía, hemos esperado horas y horas y hemos pasado la noche en vela. ¿Y por qué? Por culpa de unos idiotas que no entienden que no tiene ningún sentido lo que hacen, que no saben la desgracia que traen y el trabajo innecesario que dan a los demás. Me gustaría saber qué carajo tenéis en el cerebro. ¿Qué hacemos ahora, con vosotros, quizás me lo podríais decir?

Me empiezan a temblar las rodillas. Intento mantenerme tranquilo, pero no puedo hacer nada y continúo temblando. Me siento sin fuerzas y estamos en sus manos, la voz de este hombre me da miedo. Tiene un tono amenazante, como si en cualquier momento pudiera hacernos lo que quisiera. Miro a Fernando. Está de pie y tiene la mirada clavada en el suelo. Yo hago lo mismo, por precaución.

El policía suspira.

—Hacedme caso, es bastante estúpido no responder a mis preguntas. Quizás queréis hacer negocios turbios en nuestra jurisdicción, quizás sois solo jóvenes que van a hacer fortuna al norte. ¿Cómo lo podemos saber, si no habláis?

Al principio todos continuamos sin decir nada. Entonces Fernando levanta la cabeza y se aclara la garganta.

—No... no los queremos molestar —consigue decir con voz ronca.

—¡Mira por dónde —el policía da un paso al frente y le enfoca la cara—, eso sí que es telepatía, chico! Estaba pensando exactamente lo mismo. Me he dicho: «En realidad no parece gente que quiera molestar». ¿Qué piensas tú? —Se vuelve hacia el otro policía—. No parece que sea gente que venga a molestar, ¿verdad?

El otro tampoco contesta.

—A ver, si me lo preguntáis, parecéis más bien chicos que simplemente han tenido mala suerte en la vida. Muy mala suerte. Y por eso no deseáis nada con más ansia que tener suerte al menos una vez. Encontrar, una vez en la vida, gente que os quiera de verdad. Que no os detenga, por ejemplo, y os lleve al servicio de inmigración sino que incluso os deje marchar...

Fernando traga saliva. Piensa un momento antes de responder.

—Esto sería... muy generoso por su parte —dice, despacio. Percibo el esfuerzo que ha hecho para pronunciar la frase.

—¿Has oído eso? —pregunta a su compañero—. ¿No es digno de alabanza? ¿Cuántas veces te he dicho que esta gente no es estúpida? Aquí tienes la prueba. «Generoso» es la palabra exacta, no se podría encontrar ninguna mejor. —Se vuelve de nuevo hacia Fernando—. Tienes razón, chico. Sería incluso excepcionalmente generoso por nuestra parte. ¿Tienes idea de lo que pasaría si se descubriera que os hemos soltado?

—Seguramente ustedes tendrían bastantes problemas —murmura Fernando.

—Oh sí, ya lo puedes decir más alto... porque lo puedes decir algo más fuerte, ¿verdad?

—Ustedes tendrían problemas —repite Fernando, esta vez más alto.

—Incluso más que eso, chico. Perderíamos el trabajo. Y ahora dime: ¿por qué tendríamos que arriesgar nuestro trabajo por vosotros?

—Quizás... —Fernando busca las palabras correctas durante un instante—, ¿quizás los podríamos ayudar, de alguna manera?

El policía se le pone delante, muy cerca.

—Sabes ¿qué? —le dice poniéndole la linterna directamente en la cara—. Bien mirado eso sería lo mínimo. Nosotros arriesgamos mucho, muchísimo, si os dejamos marchar, por lo tanto, sería justo que os mostrarais agradecidos —duda un momento—, solo me pregunto de qué manera lo podríais hacer.

Fernando lo mira de una manera siniestra y entonces se vuelve hacia nosotros.

—Entregadle el dinero —nos dice—, todo el que tengáis. —Mientras dice esto saca su reserva de la bolsa y se la da al policía, con una mirada que demuestra que preferiría lanzarse a su cuello.

Me agacho a regañadientes y me saco el zapato. ¿Cuánto me queda todavía? Si Fernando cree que esta es la única opción para librarnos, entonces seguro que es así. Saco el dinero y se lo doy. Pero los ahorros de Juana escondidos en la punta no los toco.

Jaz y Ángel también entregan lo poco que les queda con la cabeza gacha.

—Y a ti, ¿qué te pasa? —gruñe el policía a Emilio, que no se mueve. De repente cambia completamente el tono de voz—. ¿Estás sordo?

—No —responde Emilio—, es que no tengo nada.

—¡Oh, mala suerte! Entonces te tendrás que quedar aquí —hace un movimiento rápido con la linterna en nuestra dirección—, los demás os podéis marchar. Venga, fuera de mi vista y que no os vuelva a ver nunca más. La próxima vez no tendréis tanta suerte.

Emilio se queda allí, con los hombros encogidos, levanta la cabeza y nos observa uno a uno, con una mirada de despedida.

—¿Qué le hará? —pregunta Jaz titubeante, con los ojos escondidos bajo la gorra.

—¡He dicho que os marchéis! —le increpa el policía—. ¿O es que tú también te quieres quedar aquí con él?

Jaz se gira hacia Fernando, casi suplicando, como si le dijera: ¡Haz algo! Yo también lo miro. La idea de irnos dejando a Emilio allí es insoportable. De algún modo somos un equipo, desde que cruzamos la frontera vamos juntos, aunque ninguno de nosotros nunca lo haya dicho, es así: antes de dejar a uno en la estacada, preferimos renunciar todos.

Fernando inclina la cabeza, entrecierra los ojos y mira a Emilio. Puedo ver cómo lucha contra él mismo. Entonces se agacha, se quita uno de los zapatos desgastados y saca unos cuantos billetes.

—Esto es suyo —le dice al policía, de la manera más natural posible, mientras le da el dinero y señala a Emilio con la cabeza—, me lo dio para que se lo guardara y me había olvidado de que todavía lo tenía, lo siento.

Por un momento el ambiente se puede cortar con cuchillo. El policía toma el dinero y se lo pone en el bolsillo despacio. Entonces se vuelve, como si la cuestión quedara zanjada allí, pero de repente, da media vuelta y lanza a la cara de Fernando la pesada linterna que llevaba en la mano. Fernando se tambalea hacia atrás y se apoya contra la pared. De una manera infinitamente lenta resbala y cae al suelo gimiendo. El policía saca la porra y va hacia él, Fernando se pone las manos en la cara. Le puedo ver los ojos, los tiene muy abiertos, tienen miedo, pero, todavía más, una rabia incontenible. El policía levanta la porra y me estremezco, solo haría falta un golpe para decidirme, porque si no hago nada, Fernando está perdido. Me precipitaré sobre el agente, quizás le pueda clavar la rodilla entre las piernas y en el follón...

Pero antes de llegar tan lejos, de repente interviene el otro policía que hasta el momento no había dicho nada y siempre se había mantenido en segundo plano.

—Déjalo ya, Vicente, tenemos lo que queríamos.

El otro se queda inmóvil.

—¡No digas mi nombre, maldito idiota! —le musita entre dientes, por encima del hombro.

—Aun así: nos complicamos la vida si nos quedamos aquí. Los de la Migra pueden llegar en cualquier momento. ¡Larguémonos, hombre! Aquí no se nos ha perdido nada más.

Parece que sus palabras surten efecto, porque afloja la porra entre los dedos y la guarda.

—La próxima vez no saldrás tan bien parado —le dice a Fernando. Lo deja a un lado y se vuelve hacia nosotros—: Si decís algo, estáis acabados, tenedlo por seguro, es igual donde os halléis, os encontraremos.

Se dirige hacia la puerta, el otro policía lo sigue y desaparecen al instante.

Me quedo un momento escuchando sus pasos cada vez más lejos y entonces me agacho para ayudar a Fernando. Jaz y Ángel se han arrodillado a su lado.

—¿Estás bien, Fernando? —pregunta Ángel con la voz ahogada, como si no pudiera contener las lágrimas.

—Qué gracioso, aquí no hay nada que esté bien —masculla Fernando—, pero aún no me iré al otro barrio.

Ahora todo está oscuro a nuestro alrededor, por la ventana entra un poco la luz de la luna. La linterna le ha golpeado la frente, es todo lo que puedo ver, tiene una herida profunda y la cara llena de sangre, un aspecto espantoso. Oigo pasos que vienen de detrás. Es Emilio. Hasta ahora se había quedado a cierta distancia. Se acerca y se detiene con aire avergonzado delante de nosotros.

—Gracias, Fernando —dice en voz baja. Fernando se ríe con desprecio.

—Cierra el pico, no nos irá mejor porque me des las gracias. Lo supe desde el primer día, que contigo tendríamos problemas.

Emilio da un paso atrás.

—¿Cómo... cómo puedes pensar esto? —pregunta atónito.

—¿Que cómo lo pienso? Buena pregunta, sí señor —se toca la frente y pone mala cara por el dolor—. ¿No querrás que te lo explique, verdad?

—Lo quiero saber.

—Ah, lo quieres saber. Lo quieres saber de verdad, ¿sí? Pues bien, te lo diré: porque eres un maldito indio de mierda. Y los malditos indios de mierda siempre traéis problemas. Coño, mi padre me lo martilleó mil veces. Fui idiota, de aceptarte —se vuelve a tocar la frente y se queja. Emilio se ha quedado petrificado, como si le hubiera caído un rayo. Abre la boca, pero no le sale nada.

—Escucha, Emilio —dice Jaz—, creo que no quiere decir esto, es solo porque...

—¡Cierra tu estúpida boca! —la interrumpe Fernando mientras se levanta con dificultad apoyándose en la pared—. Y no habléis de mí mientras esté sentado aquí. Quería decir cada maldita palabra exactamente como la he dicho. ¿Os ha quedado claro, ahora?

Durante unos segundos se hace el silencio. Entonces Emilio da media vuelta y se va.

—¡Emilio! ¿A dónde vas? —lo llama Jaz y después se vuelve hacia nosotros—. Fernando, para de una vez. ¡Di que no lo querías decir, tiene que quedarse!

Fernando se vuelve hacia un lado y fija su mirada en el vacío, pero no dice nada. Me inclino adelante y le pongo la mano al hombro.

—Yo también quiero que se quede. Es de los nuestros, uno más, como todos. Si se va uno, entonces nos tenemos que separar todos.

—¡Oh, Dios mío! —se lamenta y gesticula—. Vosotros y vuestros estúpidos sentimientos de mierda. Vale, por mí que se quede. En cualquier caso ahora ya es demasiado tarde, a peor no podemos ir.

—Lo has oído, ¿Emilio? —lo llama Jaz—. Vuelve, no seas tonto. Tenemos que hablar de cómo seguiremos.

Emilio había desaparecido en la oscuridad, ahora ha vuelto a aparecer por la puerta y se ha quedado plantado allí, dudando.

—Le tenéis que poner una venda —se limita a decir.

Jaz se acerca a Fernando y observa la herida.

—No es tan sencillo, creo que se tendría que coser.

—Y yo creo que no estás bien de la cabeza. ¿Piensas que puedo ir a un hospital para que primero me remienden y después me devuelvan a mi país? Olvídalo. Ya se me curará solo. Procurad que lo podamos superar.

Emilio se acerca y dice:

—Hay unas hojas que si las pones encima, la sangre se para y la herida se cierra. Quizás podríamos encontrar unas cuantas por aquí.

—Sí —dice Ángel—, y se las vendaremos con una camiseta atada a la cabeza, venga, ¡vamos a buscarlas!

Al cabo de un rato hacemos la cura a Fernando tan bien como sabemos. Emilio ha encontrado unas cuantas hojas de las que decía a la luz de la luna y se las ha sujetado en la frente con los harapos de una camiseta que le ha atado alrededor de la cabeza. Con el turbante y la cara ensangrentada Fernando da miedo, pero la sangre ya no corre y esto es lo más importante. Estamos sentados a su alrededor pensando qué haremos a partir de ahora.

—¡*Shit*, estamos sin blanca! —comenta Jaz—. ¿Cómo llegaremos a la frontera sin dinero?

—¿Cómo? Es muy sencillo —responde Fernando—. Podemos pedir limosna, robar, vivir del campo... tenemos todo el repertorio, el programa completo. El dinero está sobrevalorado, lo he dicho siempre.

—Ah, ya lo entiendo. Quieres decir que los policías nos han hecho un favor, liberándonos...

—Está claro, siempre lo digo: la policía, ¡amiga y solidaria!

Mientras los demás continúan con su humor negro, me mantengo sentado sin decir nada, no puedo dejar de pensar en los ahorros de Juana, mi reserva secreta. ¿Qué debo hacer? Cuando me marché, me prometí que nunca los tocaría. Nunca, pasara lo que pasara. Y no puedo romper la promesa así como así. Además, ¿qué pensarán los demás si ahora saco el dinero, cuando vean que lo he tenido escondido tanto tiempo? Y, sobre todo, ¿que no haya ayudado a Emilio a salir del mal paso? Por otro lado, es una emergencia. Si ahora no saco el dinero, realmente soy un cabrón. Sería mucho peor que no mantener la promesa. «Perdona, Juana», pienso. «Algún día te los devolveré, lo prometo». Me saco el zapato y pongo el dinero en medio.

De repente se quedan mudos.

—Son los ahorros de mi hermana pequeña. No quería... bueno, ya lo sabéis.

Durante un rato no me atrevo ni a mirarlos, pero nadie me hace ningún reproche. Emilio me mira a los ojos y asiente con la cabeza. Jaz me pone la mano en el hombro, le había hablado de Juana. Fernando se queda mirando el dinero un rato y se echa a reír:

—¡Oh, tíos —dice, moviendo la cabeza vendada—, realmente somos una pandilla muy particular! Bueno, al menos con este dinero todavía podremos vivir unos cuantos días más. Pero debemos andar con cuidado, nos hemos librado por los pelos.

Nos repartimos el dinero y nos vamos, antes de que los policías se lo piensen dos veces y vuelvan.

—¿Dónde está Emilio? —pregunta Jaz preocupada, mirándonos a mí, a Fernando y a Ángel.

—He visto que se iba —responde Ángel—. No hace ni unos minutos. Ha salido sin decir nada.

—Eso por descontado —salta Fernando—, el chico no abre nunca la boca.

—Espero que no se haya marchado para siempre —murmura Jaz—. Supongo que volverá.

—¡Claro que lo hará! ¿A dónde queréis que vaya? —añade Fernando—. No os preocupéis, debe de haber ido a cambiar el agua al canario y volverá enseguida.

Me levanto y miro en todas direcciones, pero a Emilio, no se le ve por ninguna parte, parece que se lo haya tragado la tierra. Me vuelvo a sentar pensando en lo que ha pasado esta noche, en esta noche de mierda. Lo único bueno es que al final al menos hemos conseguido salvar el pellejo.

Después de que la pasma nos robara y de haber curado a Fernando, hemos huido de la casa en ruinas y hemos dado unas cuantas vueltas perdidos por la zona. Nos hemos tumbado en medio del bosque para intentar dormir, pero no hemos podido pegar ojo por culpa de los chirridos y los silbatos continuos de los trenes. De buena mañana nos hemos puesto en marcha y después de buscar un poco hemos vuelto a encontrar la línea del ferrocarril. Ahora nos encontramos cerca de la vía, esperando.

Jaz mira a Fernando de reojo, en la mirada hay un aire reproche.

—Caray, ¿qué pasa? —se queja finalmente Fernando, después de hacer ver durante un rato que no se daba cuenta—. ¿Qué quieres?

—Lo de ayer no hacía falta —dice Jaz.

—¿Ah no? ¡Fantástico! Que aquel tipo me abriera el cráneo, tampoco hacía falta. Me vi en el matadero y ahora resulta que da igual.

Fernando todavía lleva el vendaje que ayer noche le hizo Emilio. Tiene la cara llena de restos de sangre seca, pero parece más atrevido que antes.

—Quizás podrías... —empieza Jaz, vacilando—, quizás podrías pedirle perdón o algo así.

—¿Pedir perdón? —Fernando hace el gesto de incorporarse, excitado, pero parece que todavía le duele la cabeza—. ¿De qué le tengo que pedir perdón, carajo? He dado la cara por él, ¿o es que ya lo habéis olvidado?

—Sí, ha sido realmente generoso por tu parte. Pero después...

—Después nada. Y ahora métete la lengua en el bolsillo, chica. Él ya sabe que no quería decir lo que dije.

—No, Fernando, no creo que lo sepa. Y yo misma tampoco, sinceramente.

Fernando pone cara de enfadado. Ahora ya hace un tiempo que vamos juntos y aunque nunca había encontrado a nadie que me impresionara tanto como él, sigo sin entenderlo, ni ahora ni antes. Conoce y sabe hacer muchas cosas con superioridad, atrevimiento y sangre fría. Sin él ya nos habríamos perdido mil veces, y aún así no lo entiendo. Como anoche, cuando nos protegió, cuando dio la cara por Emilio y lo salvó. Pero luego, aquellas infames frases que dijo, tan graves... No le pegan nada. Mientras pienso esto, de repente Ángel da un brinco:

—¡Eh, está allí! —nos llama, señalando en dirección a las vías—. ¡Emilio está allí!

Ahora yo también lo veo, está cruzando la vía y viene hacia nosotros. Trae algo en las manos, primero no lo distingo, pero en seguida me doy cuenta de que son dos conejos. Los agarra por las orejas y los balancea, muertos. Cuando llega lanza los dos animales en medio y se sienta sin decir nada, como siempre.

—¡Caramba, Emilio! —dice Jaz—. ¿De dónde los has sacado?

Emilio no responde, sino que coge uno, lo levanta por las orejas y con la mano de lado da a entender que le ha asestado un golpe en la nuca.

Pasa un rato hasta que entiendo qué ha querido decir:

—¿Quieres decir que lo has cazado tú? ¿Ahora mismo? ¿Solo con las manos?

Emilio asiente con la cabeza.

—En mi país lo hacemos así —dice sin mirarme a mí, sino a Fernando.

Jaz le pone la mano encima del brazo.

—Estoy muy contenta de que vuelvas a estar aquí. Creía que... —dirige la mirada hacia Fernando, con un gesto de súplica.

Al principio Fernando no reacciona, solo mueve los ojos, incómodo. Entonces se inclina hacia adelante, suspirando, coge uno y lo examina con detalle. Se entretiene una eternidad, mientras los demás contenemos la respiración. Finalmente, deja el animal en el suelo.

—Un buen conejo, sí señor —le dice a Emilio—, a punto para la cazuela. Hace tiempo que no teníamos una exquisitez así.

Emilio duda viendo a Fernando tan examinador. Hace un instante tenía la mirada oscura, pero ahora se le ha iluminado la cara.

—Puedo traer más —propone.

—No sería mala idea —dice Fernando asintiendo con la cabeza—, no estaría mal de vez en cuando meter algo decente en el estómago, ya que lo propones.

Jaz mira satisfecha, primero a Fernando, luego a Emilio y viceversa. Cruzamos las miradas y sonríe.

—Manos a la obra pues —dice y se levanta—, ¿a qué esperamos? Tenemos que hacer fuego.

Los conejos de Emilio son una bendición del cielo. Hemos perdido las provisiones durante la batida policial, cuando hemos tenido que saltar del tren y nos han cacheado. A nuestro alrededor todo es selva, árboles y matorrales espesos y de vez en cuando un riachuelo. No hay cultivos, ni casas, ni tiendas... imposible conseguir comida. Estoy muerto de hambre y la perspectiva de poder llevarme algo caliente al estómago me hace la boca agua. Me levanto de un salto y empiezo a recoger leña seca con Ángel y Jaz que, por suerte, abunda. Cuando volvemos, Emilio y Fernando han despellejado los conejos, apilamos la leña y Fernando, que se había quedado el mechero del viejo, enciende el fuego.

A continuación ensartamos los conejos con un palo y los ponemos a asar sobre la llama. Da un poco de repelús verlos ahí, colgados, rígidos, lisos y despellejados, cuando hace unas horas todavía corrían y saltaban por el bosque, pero el olor que desprenden es irresistible. No podemos esperar a que se acaben de hacer, sino que los sacamos antes de tiempo del fuego, los troceamos, para separar bien la carne de los huesos.

Cuando acabamos de comer, oímos el silbato del tren. Apagamos el fuego rápidamente y recogemos nuestras cosas. La máquina aparece al cabo de poco, corremos hacia la vía y conseguimos encaramarnos a uno de los últimos vagones. Está muy escacharrado, tiene el techo enmohecido y agujereado. Lleva un cargamento de cerdos que gruñen y desprenden mal olor.

—¡Uf, qué peste! —se queja Ángel tapándose la nariz—. Será mejor que vayamos a otro lado.

Fernando se ríe.

—Una cosa es segura —dice, mientras se saca un resto de carne de conejo de los dientes—, si el techo no aguanta, nos hundiremos en la mierda. En el sentido literal de la palabra.

—Ay, no entiendo qué os pasa —opina Jaz—, no lo encuentro tan desagradable, al fin y al cabo tenemos compañía, aunque solo sean cerdos.

Al final decidimos quedarnos en el vagón. Es curioso, pero a mí el mal olor me resulta incluso agradable. En el pueblo donde viví con mi madre y con Juana, cuando era pequeño, había muchos cerdos. Su mal olor estaba por todas partes, lo llevaba encima, me dormía con él y me despertaba con él. De algún modo me recuerda a la época en que todo era como tenía que ser... o al menos a mí me lo parecía. Durante unas horas estamos simplemente echados, adormilados en el techo, recuperando un poco de sueño y escuchando los gruñidos de las bestias que tenemos debajo. El tren no se balancea ni se tambalea tanto como en Chiapas, aquí los raíles son mejores y puede avanzar bien sobre la vía. Como un ciempiés, se va abriendo camino entre el paisaje.

Ahora simplemente viajamos. Durante unos minutos incluso he dejado de preguntarme dónde estamos, qué ha pasado y todo lo que nos espera todavía. Lo único que me saca de quicio es el hambre. Dos conejos para cinco no es mucho y el poco alivio que nos han dado ya hace rato que se nos ha pasado. A ambos lados de la vía se extiende un suave paisaje ondulado con plantaciones de caña de azúcar, melones y plátanos que contemplamos con deseo.

—Por cierto, ¿os he hablado alguna vez de mi deporte favorito? —pregunta Fernando justamente cuando pasamos por un enorme campo de melones.

—No, pero creo que tienes muchos deportes favoritos —le responde Jaz—. Decir palabrotas, contar historias, ofender a la gente, ayudar a la gente, engañar a la gente... eres verdaderamente polifacético.

—Ay Jazzy, Jazzy, no me hacían falta tantos elogios. Pero no me refería a nada de eso, hablaba de mi verdadero, de mi deporte preferido de verdad.

Pensamos un rato en qué debe ser, pero nadie adivina a qué se refiere.

—Bien pues, os lo enseñaré —dice y se levanta—. Ahora vengo. No os vayáis muy lejos, ¿eh? Avanza hasta el principio del vagón y con un salto pasa al siguiente. Entonces continúa corriendo, sin pensárselo dos veces, y salta otra vez.

Jaz se vuelve hacia mí:

—¿Qué se propone, ese loco?

Encojo los hombros y continúo mirando a Fernando. No tengo ni idea de lo que quiere hacer.

—Quizás corre para alcanzar la locomotora —supone Ángel—. Luego deja al maquinista fuera de combate, toma el tren y nos lleva hasta Texas.

Jaz se ríe.

—Sí, y entremedias atraca el Banco de México. ¡Sería capaz!

El tren toma ahora una recta que hace un poco de subida. Fernando salta de un vagón a otro y cada vez se ve más pequeño. Cuando llega al primer vagón, después de la locomotora, está tan lejos de nosotros que parece solo un punto. Baja la escalera... ¡y salta!

—Mierda, ¿pero qué hace? —grita Jaz.

Estoy tan impresionado como ella. Primero, siento pánico: Fernando podría esfumarse y dejarnos en la estacada. ¿Quizás ese era su «deporte favorito»? Contengo la respiración, mientras contemplo cómo se aleja del tren hasta un campo de naranjos que hay al lado. Empieza a recoger naranjas y va llenando la mochila.

El estrépito de un vagón detrás de otro va pasando a su lado, pero él ni se inmuta y continúa como si nada. Hasta que llega el vagón en que vamos nosotros, entonces levanta la cabeza, se coloca la mochila, corre y se encarama justo en la cola de tren. Avanza saltando por los pocos vagones que le separan de nosotros, descarga el peso y se deja caer a plomo y jadeando sobre el techo.

—Treinta y ocho coma tres segundos —jadea—, nuevo récord mexicano en carrera de cítricos.

Ángel saca una naranja de la mochila.

—¡Fernando, ha sido fantástico! —exclama lleno de alegría.

Todos estamos muy impresionados. Jaz mira a Fernando de un modo que nunca había visto antes. Una sonrisa de admiración se le escapa de la comisura de la boca, le brillan los ojos y se diría que se le han vuelto más oscuros que nunca. Siento como una punzada, al verla así. Sin pensarlo dos veces, me levanto de un salto.

Jaz se aparta de Fernando y levanta los ojos hacia mí.

—¿Eh, qué haces?

—¿A ti qué te parece? Esta modalidad deportiva me ha gustado.

Jaz duda.

—Creo que ya tenemos bastante, por ahora —dice, señalando la mochila. Le ha cambiado la mirada, ahora no es de admiración, sino más bien de preocupación, y todavía me estimula más.

—Hasta pronto —le digo solo a ella—, nos volveremos a ver... o no.

Echo a correr. Cuando salto al siguiente vagón pienso lo mucho que me costó la primera vez... en otro tiempo, hace una eternidad, en algún lugar cerca de Tapachula, empapado de sudor y tambaleando sobre el tren como un borracho. Ahora corro por los techos, como si lo hubiera hecho toda la vida y un salto al vacío no me parece más difícil que un saltito desde la acera de una calle.

Voy dejando un vagón detrás de otro y mientras corro de repente me viene una sensación que no había tenido nunca. Lo he dejado todo atrás, mi pasado, mi país, mi gente... toda mi vida. Y todo lo que tenía lo he perdido. No hay nada más que pueda dejar atrás o que todavía pueda perder... nada de lo que me tenga que preocupar. Siento el impulso irrefrenable de hacer algo arriesgado, completamente loco, me pongo a saltar sobre el techo y cuando me lanzo al siguiente vagón, hago una voltereta. Me siento completamente libre y ligero.

Al cabo de unos instantes llego a la cabeza del tren, bajo la escalera y espero impaciente a que vuelva a pasar por un campo cultivado. Entonces doy un salto muy alto y salgo corriendo. Mientras el tren continúa su camino, recojo la fruta y voy llenando la mochila.

No me queda mucho tiempo, este tren miserable es más rápido que yo y ya llega el vagón con la pandilla, están de pie con los brazos en alto, animándome. Me cargo la mochila y corro hacia la vía. Cuando llego, me pasa por delante el último vagón y los gritos de ánimo se alejan. Levanto la mano y les hago una señal, entonces inclino la cabeza atrás contra la nuca y me echo a reír, muy fuerte, ¡ahora sí que me siento realmente libre!

No pasa ni un segundo y me pongo a correr detrás del tren, tengo que recuperar un buen trecho, pero por suerte hace subida y no lleva mucha velocidad. Aun así me cuesta alcanzarlo, solo con un último esfuerzo me puedo agarrar a la escalerilla y trepar hacia arriba.

Cuando llego, Fernando me recibe con un rostro sonriente.

—¡Eh, tío, qué pasada! —dice dándome un golpe en el hombro—. ¡Dará para una buena historia!

Me gusta, la idea de tener, en un futuro, un papel en uno de sus relatos. Voy hacia Jaz, que se ha quedado sin respiración, casi como si hubiera corrido ella, pero intenta que no se note. Cuando me siento a su lado, cruza los brazos y se pone a mirar hacia otro lado. Aguanta un buen rato, hasta que vuelve la cabeza y me lanza una mirada furibunda, «tú espera», parece que quiera decir, «esta me la pagarás cara».

—Ahora me toca a mí —dice mientras se levanta.

—Venga, Jazzy, déjalo correr —replica Fernando—, esto no es para chicas, será mejor que nos cocines algo rico.

Jaz le saca la lengua.

—Llegará un día que te tendrás que comer tus palabras —le dice. Me vuelve a clavar los ojos brillantes y echa a correr.

La sensación de libertad y agilidad que hace un momento he sentido, se me ha ido de golpe. ¿Quizás hubiera sido mejor dejar las cosas como estaban? Me siento al borde del techo y no aparto la vista de Jaz. ¿Qué pasará si me intenta superar y se pasa de la raya?

El corazón me late a cien por hora. De algún modo siento miedo por ella y aun así no me canso de mirar cómo corre, desenvuelta y ágil, por encima de los vagones.

—¡Eh, cierra el pico! —Fernando se pone a mi lado y me da un codazo cómplice—. No hace falta que todo el mundo se entere de lo que piensas.

No le hago caso. Jaz continua corriendo hacia adelante, como hemos hecho nosotros antes, salta del tren y se dirige a un campo. Es tan rápida que casi no la puedo seguir.

Fernando silba en señal de admiración.

—¡Bastante rápida, la chica —dice—, tendría que actuar en un circo, porque incluso ganaría dinero!

Mientras Jaz se esfuerza en recoger fruta, nos acercamos a ella cada vez más. Ángel y Fernando se levantan y la animan gritando al unísono, Emilio permanece sentado, pero no puede evitar sonreír.

«¡Date prisa!», pienso mientras el tren avanza, «¡Cuidado, no te despistes!». Nuestro vagón le pasa por delante, transcurren unos cuantos segundos largos y angustiosos y finalmente arranca, salta en plena carrera a la escalera del último vagón y se encarama arriba. Cuando regresa a nuestro lado, le corre el sudor por la cara. Viene hacia mí y se deja caer con todo su peso. Sin mirarme, abre la mochila: la tengo tan cerca que puedo oler cada gota de sudor de su piel.

—¡Qué bien, que vuelvas a estar aquí!

—Sí, yo también lo pienso —murmura—, aunque... no te lo mereces.

Todos vienen a sentarse junto a nosotros.

—Mirad, he puesto la mesa —dice Fernando—, con todo lo necesario para que sea una auténtica fiesta familiar. ¡Y lo que sobre, para los animales! —señala debajo, a los cerdos.

Nos hartamos de fruta hasta que no podemos más. Fernando está de buen talante y explica mil historias sobre lo que dice haber vivido en los anteriores viajes, cuando ha intentado conseguir comida. Cada relato es más loco que el anterior, pero no importa. Estamos dispuestos a creérnoslo todo.

Estoy sentado y no puedo dejar de mirar a Jaz. Mientras el tren avanza tengo la sensación de que alguien ha parado el tiempo. Como si ya no tuviera ni la más mínima importancia de dónde venimos y hacia dónde vamos. Como si, por unos segundos impagables, en nuestro minúsculo reino encima de un vagón de cerdos, todo volviera a ser como debería ser. Como antes, cuando el mundo todavía tenía sentido.

El muro es frío... frío, rugoso y seguro. Da gusto apoyarse y saber que está desde hace siglos, sin haber cambiado, y que continuará así muchos más. ¿Cuánta gente se habrá protegido en él a lo largo de los años? Seguramente miles de personas. Tengo la sensación de que la piedra ha absorbido todas sus esperanzas y sueños y que las suelta despacio, cuando alguien apoya la cabeza sobre ella un rato.

—¿Por qué has dicho que no te fías de esa gente, Fernando? —pregunta Ángel, que está sentado delante de mí.

—Porque les conozco —responde, sin cesar de andar arriba y abajo ante nuestros ojos, intranquilo—. ¿No te has dado cuenta? ¿Cómo nos han mirado fijamente y cómo uno ha sacado su móvil de mierda? ¡No lo podía hacer ir más deprisa, casi lo rompe!

—¿Crees que ha llamado a la policía? —pregunta Jaz.

—¡Claro que sí, puedes estar segura! Soy un radar, para eso.

Todavía no hemos digerido los acontecimientos de ayer noche, no se los deseo a nadie. Preferimos saltar del tren cuando, al atardecer, paró en una estación, «Tierra Blanca» leí en un edificio. Nos perdimos por las calles buscando un lugar donde poder dormir. Desde el principio tuve el mal presentimiento de que alguien nos estaba observando y nos seguía, y entonces pasó lo que ahora acabamos de comentar: unos individuos se percataron de nuestra presencia y uno de ellos sacó el móvil e hizo una llamada justo cuando acabábamos de pasar.

Huimos, corriendo por las calles, hasta que se hizo de noche y llegamos ante una iglesia protegida por unos muros antiquísimos y como estábamos muertos de cansancio decidimos quedarnos aquí.

—¿Y qué haremos si al final aparece la policía? —pregunta Ángel.

—Está bastante claro, creo —Fernando se queda quieto—. Si vienen por ahí —señala hacia la izquierda—, nos esfumamos por allá —señala hacia la derecha—, y si vienen por allá —vuelve a señalar a la derecha—, nos esfumamos por aquí —y vuelve a señalar a la izquierda—. ¿Os ha quedado claro?

—¡Caramba, el plan es de lo más brillante! —dice Jaz—. Pero... ¿qué hacemos si vienen por aquí? —señala en medio.

—Ay, Jaz —replica Fernando—, si vienen por aquí...

Se vuelve y en medio del movimiento se queda quieto porque vemos aparecer un coche patrulla en la calle, en línea recta, justo delante de nosotros. Nos enfoca y de repente el rincón oscuro donde nos hemos escondido se ilumina de pleno. El coche para, oigo cómo se abren las puertas y se vuelven a cerrar. A continuación, unos pasos. No puedo ver nada porque las luces me han deslumbrado.

Fernando maldice su suerte.

—¡Vamos, a la iglesia! —nos susurra.

Al instante echa a correr y todos le seguimos. Por suerte, la entrada se encuentra a pocos metros. Cuando llegamos, Fernando ya ha podido abrir la puerta, que pesa mucho, irrumpimos en el interior y nos quedamos justo detrás de él.

Huele a cirio, fuerte y pegajoso, y está oscuro. Parece que hemos entrado en una especie de antesala, a unos metros de un pasillo detrás del cual hay más luz y se oye una voz.

—¡Adelante, no os paréis! —dice Fernando en voz queda, impaciente.

Tropezamos con la puerta y al ver la luz nos quedamos quietos, asustados. Ante nosotros aparece la inmensa nave central con todos los bancos ocupados. En el otro lado, de pie sobre el púlpito, el párroco ha interrumpido su sermón y nos mira estupefacto. Se oye el ruido que hacen sobre el suelo un montón de pies dándose la vuelta a la vez que todas las miradas se dirigen hacia nosotros.

Por un momento se produce un silencio sepulcral. De repente somos el centro de atención de mucha gente y no me encuentro bien, preferiría poderme esconder entre los bancos o en cualquier lugar. Detrás de nosotros se abre la puerta de la iglesia, Fernando echa una rápida mirada atrás y nos hace una señal. Avanzamos por el pasillo central de puntillas, aunque en realidad da completamente igual si hacemos ruido o no.

Cuando llegamos a la altura del púlpito, nos detenemos. En el otro extremo aparecen los policías. Por un momento dudan, al ver tantas caras que se vuelven hacia ellos, pero entonces avanzan. Son tres. El que va delante tiene una cara ancha y roja. Los otros dos son más jóvenes, sin duda.

Los pasos de sus botas resuenan amenazantes por toda la cúpula de la iglesia. Fernando mira angustiado a su alrededor, se prepara para huir, pero no encuentra por dónde. Estamos atrapados. No sé por qué, pero por un instante pienso que no hace muchas horas atravesábamos cerros y saqueábamos campos. Entonces todo me parecía tan sencillo que me había creído realmente que tendríamos alguna posibilidad.

Ahora se mezcla el ruido de otros pasos con el de las botas, más suaves, pero se distinguen perfectamente. Pasa un rato hasta que me doy cuenta de que es el párroco, que ha bajado del púlpito. Pasa por delante de donde estamos en dirección al pasillo central sin mirarnos y cierra el paso a los policías.

—¿Les puedo ayudar en algo? —pregunta, en un tono bastante agrio.

El de la cara roja se saca la gorra a regañadientes.

—Perdone, padre —dice mientras los otros dos se quedan detrás—, no durará mucho.

—¿Qué, no durará mucho? —el tono ha sonado impaciente, parece enfadado porque le hemos interrumpido la homilía.

—La detención de esos de ahí —responde el de la cara roja, señalándonos.

—Ah, los quieren detener. Eso quiere decir que han cometido un delito, ¿no?

—Bueno... lo suponemos. Exactamente no lo sabemos, pero en cualquier caso, son ilegales.

—Ah, ilegales —el párroco remarca la palabra ostensiblemente, como si tuviera que reflexionar para saber qué significa—, seguramente tienen pruebas, ¿no es cierto?

—¿Pruebas? —el de la cara roja ríe socarronamente—. ¿Qué otras pruebas quiere? ¡Mírelos!

El párroco se vuelve y nos examina uno por uno. Se toma todo el tiempo del mundo y cuanto más dura, más incómodo me siento. Evito su mirada y miro a los demás, en un instante me acabo de dar cuenta de lo bajo que hemos caído. Encima de los trenes no se nota, pero aquí, donde todo está limpio y resplandeciente, donde los pasos resuenan en el pavimento y la gente lleva sus mejores vestidos para ir a misa, es diferente. La suciedad de nuestras caras asustaría a cualquiera, vamos medio desnudos y el penoso vendaje de Fernando es la guinda del pastel. De repente siento una vergüenza terrible.

El párroco ya nos ha mirado bastante y se aleja de nosotros. Estoy seguro de que los dejará pasar, pero curiosamente no lo hace.

—Debo de ser ciego, porque no veo las pruebas que ustedes dicen. No veo ningún letrero que diga «delincuentes». Y tampoco tienen las manos ensangrentadas.

El de la cara roja duda, coloca los pulgares bajo el cinturón y se pone a repicar nervioso con los otros dedos.

—Escuche, padre, a nadie de nosotros se le ocurriría ordenar lo que tiene que decir en las homilías, por lo tanto, no nos mande tampoco a nosotros y déjenos terminar nuestro trabajo.

Quiere pasar, pero el padre levanta las manos.

—No es mi intención... en la medida que ustedes estén fuera, pero aquí dentro no estamos ni en la comisaría ni en la calle. Ustedes no pueden aparecer aquí y hacer lo que les plazca.

La mirada del cara roja se vuelve todavía más siniestra.

—No hace falta que le recuerde que las leyes también son vigentes aquí dentro.

—No —replica el párroco—, respeto las leyes... en la medida que estén de acuerdo con mis convicciones, las cuales dicen que alguien que busca protección no puede ser expulsado, y todavía menos de una iglesia.

El cara roja da un paso al frente y se planta directamente ante el clérigo.

—Debería tener cuidado con lo que hace, hay quien le vigila. Seguramente ya debe de estar informado que no hace mucho el jefe de la policía se quejó de usted y de su modo de actuar ante el obispo.

—Sí, lo sé bastante bien, y todavía recuerdo mejor la respuesta del obispo. Le dijo que la policía se tiene que mantener al margen de los asuntos de la Iglesia, ¿no es cierto?

La cara del policía se vuelve aún más sombría.

—¡Tendrá un problema, y gordo!

—Ay no, no lo creo —replica el padre encogiendo los hombros—, ¡los problemas gordos solo se tienen con la propia conciencia!

—Le podría detener por proteger a ilegales.

—Podría.

El policía se lo queda mirando, desafiante.

—Pero no lo haré —dice entonces—, no hemos venido aquí a por usted. Si ahora es tan amable...

Intenta apartar al párroco hacia un lado. Los dos más jóvenes se quedan quietos, parecen desorientados, como si todo ello les resultara vergonzoso. Hasta ese momento los feligreses han asistido a la discusión en silencio, pero cuando el cara roja ha tocado al cura, la cosa ha cambiado. Primero se oye un cierto malestar, a continuación un parroquiano se levanta y se coloca junto al padre. Después de dudarlo un momento, otro hace lo mismo, así como un tercero.

No me atrevo ni a respirar. No he entendido muy bien toda la conversación, pero sí lo suficiente para ver que el párroco, por las razones que sean, está de nuestra parte. Y ahora me doy cuenta de que no es el único: cada vez son más los que se levantan y se colocan en el pasillo entre nosotros y los policías, y lo más impresionante de todo es el absoluto silencio con que lo hacen. Nadie dice nada, solo se oyen pisadas y el crujir de los bancos de la iglesia. Llega un momento en que hay tanta gente en el pasillo, que no alcanzo a ver ni al cura ni a los policías.

—¿Y ahora qué? —oigo que dice el padre—. ¿Quieren detener a todos los feligreses?

No hay respuesta. Miro a Fernando, que mueve la cabeza de un lado a otro, como buscando una manera de aprovechar la ocasión. Jaz le agarra por el brazo y le dice que no con la cabeza, sin palabras.

—Y vosotros, ¿qué? —continúa el padre, que parece que ahora se dirige a los dos policías más jóvenes—. Os conozco... de pequeños, de la catequesis de la primera comunión, ¿no es cierto?

Se vuelve a producir un largo silencio. Solo puedo ver que algunos de los que están de espaldas delante de nosotros poco a poco se van relajando.

—Nos vamos —dice finalmente el de la cara roja—, pero no piense que hemos acabado. Esto traerá cola... ¡para usted y para su parroquia!

Vuelve a resonar el ruido de las botas por toda la iglesia, que poco a poco se va apagando. Siento que me he quitado un peso de encima, pero todavía estoy tan desconcertado por lo que ha ocurrido que no me atrevo a respirar tranquilamente. Creo que los otros están igual, Jaz me lanza una sonrisa, pero todavía tiene el miedo en los ojos, y Fernando, hecho un manojo de nervios, parece no fiarse de la calma.

El cura da las gracias a la gente y acaba la eucaristía. Después de la bendición final, la iglesia se va vaciando poco a poco. Algunos nos miran, sus miradas no son ni amables ni de rechazo, son simplemente de curiosidad. Les observo, hasta que se van los últimos y el párroco cierra la iglesia. Entonces vuelve hacia nosotros por el pasillo central. Anda arrastrando los pies, por un momento parece completamente agotado.

—Sentaos —nos dice cuando llega a nuestro lado.

Nos sentamos en el escalón que hay bajo el púlpito, todos menos Fernando, que hace caso omiso de la orden y se queda de pie con los brazos cruzados.

Visto de cerca, el cura es más pequeño de lo que me había parecido en un principio. Nos observa otra vez mientras sacude la cabeza.

—Tenéis un aspecto horrible.

—No lo podemos evitar —replica Jaz—, venimos del...

—Del tren, sí, ya lo sé —la interrumpe el cura—, no sois los primeros chicos del tren que llegan a mi iglesia.

—¿Quiere decir... que ha ayudado otras veces a gente como nosotros?

—Bueno, si lo quieres llamar «ayudar»... —hace que no con un gesto—, pero es lo mínimo que podemos hacer. Quién sabe si esto ayuda realmente a alguien.

Suena un poco triste, tal y como lo dice. No me puedo sacar de la cabeza las últimas palabras del policía, han sido como una amenaza y todavía me resuenan en los oídos. De repente tengo mala conciencia. Sí, está claro, está muy bien que uno ayude al prójimo, pero si ello le tiene que arruinar la vida, quizás habría sido mejor no hacerlo. Y, además, mejor para todos.

Permanecemos un buen rato sentados y entonces Jaz dice:

—En cualquier caso, muchas gracias.

—Oh, a mí no me tienes que dar las gracias, se las tienes que dar a mi parroquia.

Cuando acaba de decir esto, Emilio se levanta de repente y se para ante él.

—¿Por qué lo han hecho?

El padre lo mira sorprendido.

—Quieres decir, ¿por qué han bloqueado el paso a los policías y os han ayudado? Bien, pienso que lo han hecho porque necesitabais ayuda.

Emilio niega con la cabeza.

—¡Es demasiado simple, entonces tendrían que ayudar a todo el mundo!

El padre se ríe.

—Ah, ya lo veo, quieres saber por qué lo han hecho realmente. Bien, pues, diría que os han ayudado porque ellos tienen casa y vosotros no. Son gente sencilla y saben que cualquier día también pueden quedarse sin casa, por alguna desgracia o mala suerte, y se quedarían en la calle, como por ejemplo vosotros, y también querrían que alguien los ayudara. ¿Te parece suficiente razón?

—No —dice Emilio.

—Bueno, pues también os han ayudado porque creen que nadie, ni el presidente del gobierno, tiene derecho a irrumpir en una iglesia y detener a alguien, ni a hacerle nada, aquí dentro. ¿Qué te parece ahora?

Emilio mueve la comisura de la boca hacia abajo.

—De acuerdo, tienes razón. Todavía hay otro motivo —el padre sube al altar y señala el crucifijo que cuelga encima—. ¿Conocéis aquel pasaje de la Biblia, donde Jesús habla con los jóvenes sobre el fin del mundo?

Nunca he oído hablar de ese pasaje, aunque esto no significa nada, no conozco muy bien la Biblia. Parece que Jaz, Ángel y Emilio tampoco. Fernando pone los ojos en blanco y se aparta.

—Pues es una lástima —dice el padre—, lo tendríais que conocer, porque tiene mucho que ver con vosotros. Jesús explica que al final de los tiempos todos los hombres irán a juicio. Pondrá a los buenos a su derecha y les explicará por qué los ha escogido. Les dirá: «tenía hambre y me disteis de comer, tenía sed y me disteis de beber, era un extranjero y me acogisteis». Todos se quedan perplejos, porque no pueden recordar haberle dado nunca de comer, de beber o de haberlo acogido, y así se lo dicen. Él les responde: «Lo que habéis hecho al ser más insignificante, me lo habéis hecho a mí». Aquí en la iglesia hemos hablado a menudo sobre este pasaje, todos lo conocen —se vuelve hacia Emilio—. ¿Tienes bastante con esta razón, chico?

—Sí —dice Emilio y se vuelve a sentar—, tengo suficiente.

El padre se aleja y va hacia Fernando, que se ha vuelto de espaldas. Lo mira un momento y entonces le dice:

—Tú no crees mucho en estas cosas, ¿no es cierto?

—No —responde Fernando, con frialdad. Primero parece que no quiera decir nada más, pero entonces se vuelve despacio y se mete las manos en los bolsillos—, aun así, gracias —murmura.

El padre lo mira pensativo.

—¿De qué vivís? ¿Tenéis dinero?

—Naturalmente, ¡nadamos en la abundancia! Pero por desgracia y de manera misteriosa todo el dinero ha ido a parar a los bolsillos de unos policías de mierda.

—¿Y ahora qué hacéis? ¿Robáis?

—¿Robar? —repite Fernando con una risa socarrona—. ¡Tendríamos todo el derecho del mundo, después de todo lo que nos han hecho! Pero hasta ahora, no. Bueno, en todo caso no directamente, solo hemos recogido fruta, de los campos, quiero decir. Sin embargo, está claro que, quién sabe —sonríe—, quizás todavía lo tendremos que hacer, ya que usted lo menciona...

—No tergiverses mis palabras —corrige el padre—. Te propongo otra cosa: que hablemos con calma, tú y yo a solas.

—¿Ah sí? No sé por qué.

—Pero yo sí que lo sé, y con eso es suficiente —el padre se aleja de nosotros, va hacia el primer banco y se sienta.

Fernando da un paso hacia él y le pregunta:

—¿Por qué nos ha aislado aquí?

—No os he aislado, joven, he aislado al mundo de vosotros, al menos por una noche. Es una diferencia sustancial.

Noto como Jaz, que está a mí lado, afina el oído.

—¿Eso quiere decir que podemos dormir aquí? —pregunta.

—No solo podéis, sino que os recomiendo seriamente que lo hagáis. Están esperando a que salgáis.

Dirijo la mirada hacia los ventanales, altos y pintados de colores. No se puede ver qué pasa afuera, pero por un momento me imagino que un ejército de coches de policía con las luces azules rodea la iglesia y que han desplegado tiradores de precisión sobre los tejados de las casas.

—Y después, ¿qué? —pregunta Fernando—. ¿Cómo conseguiremos salir de aquí mañana?

—Detrás hay una salida que da al cementerio —dice el padre—. Esperaremos el momento oportuno y entonces podréis ir saliendo discretamente. No vayáis hacia la estación, sería demasiado peligroso. Alejaos de la ciudad y subid al tren cuando ya os encontréis fuera, yo os explicaré el camino más seguro —se levanta—. Bien, y ahora venid. Os tenéis que lavar inmediatamente... si es que todavía recordáis cómo se hace.

Nos lleva a una sala que comunica por un pasillo de piedra con un lavabo. Encima de la pila hay un espejo, está roto y casi no te ves. Entro el primero, cierro por dentro y me saco la ropa. Me lavo de arriba abajo, llevo una costra de suciedad del hollín del tren tan enganchada que la tengo que frotar con la esponja que he encontrado en el lavamanos. Me bajan chorros de agua muy sucia que se van hacia el desagüe que hay en el suelo. Después de enjuagarme, la toalla se llena de manchas negras.

También limpio mis cosas, tan bien como puedo. Cuando salgo, Jaz me echa una mirada radiante. Ella es la siguiente, después Ángel, Emilio y Fernando. Mientras tanto el padre nos ha puesto la mesa en la sala, con unas tortillas de maíz y judías y ha desplegado unos cubrecamas viejos en el suelo. Mientras comemos, desaparece por un lado de la sala y nos deja solos.

—¡Ah, cómo me gustaría que hubiera más gente como él! —dice Jaz después de comérnoslo todo y no dejar ni una miga—. ¿Por qué has sido tan mal educado con él, Fernando? ¿Por qué no puedes ser amable, ni por una vez?

—No he sido mal educado, he sido sincero —replica Fernando—, he dicho lo que pensaba, nada más. Por otro lado, nunca se puede confiar demasiado en nadie, si no, solo tienes sorpresas desagradables.

—¡Caramba, una actitud fantástica! Si no confías nunca en nadie, nunca tendrás una satisfacción.

—Pase lo que pase, lo recordaré siempre —dice Emilio—, esté donde esté.

—Quizás nos podríamos quedar aquí unos días —propone Ángel—, y descansar.

—¡Eh, tío! —Fernando se inclina hacia adelante y le pone la mano en el hombro—. Si querías eso, hubiera sido mejor que te hubieses quedado allí de donde vienes, pero no lo hiciste. Ahora estás en ruta y cuando estás en ruta no te puedes quedar en ninguna parte. Tienes que continuar, siempre. No hay término medio, si no, no llegarás nunca a la meta. ¿Entiendes?

Ángel suspira y agacha la cabeza.

—De acuerdo —se limita a contestar, bajito.

«Tienes razón, Fernando», pienso por dentro. «Como casi siempre, tienes razón». Los deseos son una mierda, al menos para la gente como nosotros, porque a la mínima se deshacen como las pompas de jabón. Aunque a veces es bueno tenerlos, durante unos breves instantes, porque dan un poco de esperanza y sin ellos en un momento u otro nos acabaríamos hundiendo. Simplemente porque es bonito imaginarse que nos podríamos quedar aquí... aunque todos sabemos perfectamente que no es posible.

Mientras los otros continúan hablando, me levanto y voy hacia el otro lado, a la iglesia. El padre está solo, sentado en el primer banco, a la luz de las velas, completamente concentrado en sus pensamientos. Al principio no me atrevo a molestarle, pero me acerco. Incluso se asusta un poco cuando me ve.

—Perdone, padre, no le quería asustar, pero... he pensado que quizás me podría hacer un favor.

—Claro, chico. ¿De qué se trata?

—¿Podría mandar una carta por mí? Todavía la tengo que escribir.

—Bien, todavía la tienes que escribir —dice y se ríe—. ¿Y a quién, si se puede saber?

—A mi hermana. Ella... bueno, pues, ella todavía está allí, en mi país, y le prometí que daría señales de vida tan pronto como fuera posible.

Se queda pensativo, inmóvil, un largo rato. Tan largo, que me empiezo a sentir incómodo. Entonces vuelve a levantar la mirada hacia mí.

—¿Estás seguro de que esto que haces, esta travesía hacia el norte, para encontrar a tu madre, a tu padre o a quien sea, es bueno para ti?

¿Seguro? Es una buena pregunta. Si hay algo que ahora no tengo es seguridad. Y además, si se puede decir así, en todos los sentidos, ni moral ni físicamente.

—No lo sé. De todas, es la mejor opción que tengo. Al menos quizás podré llegar a saber quién soy.

—¿Ah sí? ¿Y ya has empezado a averiguarlo?

—No, creo que todavía no he encontrado el camino.

El padre sonríe, pero es una sonrisa amarga, como la que hace alguien cuando una cosa es extraña y triste a la vez.

—Pienso que, por ahora, tienes que hacer simplemente lo que creas que es correcto —me aconseja, mientras se pone de pie—. Prométeme solo una cosa. Es igual lo que pase o lo que la gente diga de ti. Tú no eres un delincuente, ni un ladrón, ni un inútil, ni un ilegal, ni nada parecido. Únicamente te faltan unos papeles, nada más. Piensa siempre en esto, ¿me has oído?

—Sí, de acuerdo, lo intentaré.

—Muy bien —señala en dirección a la sala donde están los demás—. Ahora ve allá y escribe la carta. Mañana la enviaré.

Le doy las gracias y me voy. Pero cuando ya estoy casi fuera, me llama.

—Otra cosa, todavía. Esa chica que va con vosotros: prométeme que la cuidarás, ¿entendido?

Me vuelvo.

—Se ha dado cuenta de que, de que...

Vuelve a sonreír, pero esta vez es una sonrisa auténtica.

—¿A ti qué te parece? Quizás no sepa tanto de leyes como la policía, pero conozco mejor a los hombres. *A mí* no me engañáis tan fácilmente.

Querida Juanita:

En realidad te quería escribir antes, pero la primera carta voló del tren en un momento en que no estaba atento y la perdí. Ahora tengo una libreta como es debido, escribiré aquí, arrancaré las hojas y te las mandaré. Quiero decir que lo hará el padre, el de la parroquia donde estoy ahora, Tierra Blanca. Me ha prometido que mañana sin falta te la enviará. Para entonces, si todo va bien, yo ya me habré ido. Hace una semana más o menos que estoy en México, pero es como si fuera una eternidad. Fernando dice que hemos hecho un tercio del camino, o casi. Es uno de la pandilla, vamos juntos. Los otros se llaman Jaz, Ángel y Emilio. Nos encontramos en la frontera y pase lo que pase nos mantendremos juntos, hasta que estemos en los Estados Unidos, nos lo hemos prometido.

Sin ellos nunca habría llegado tan lejos, te lo aseguro. Sobre todo sin Fernando, realmente lo sabe todo sobre México. Sabe cómo se tiene que tratar aquí a la gente y nadie le toma el pelo. Estoy muy contento de que venga con nosotros, es casi como un hermano mayor —y seguramente mejor de lo que soy yo.

Esta noche dormiremos en la iglesia, con el padre, y hemos disfrutado de una buena cena. Todo va bien, no te preocupes por nada. Y, sobre todo, bajo ningún concepto, no quieras hacer como yo, tienes que prometérmelo. Es demasiado peligroso para las chicas, especialmente si van solas, así que quédate en casa y no hagas ninguna barbaridad, porque tampoco nos podríamos encontrar, es imposible. No te puedes imaginar lo enorme que es México, no se acaba nunca.

A ratos echo de menos Tajumulco. Y a ti. Pero Fernando dice que a partir de ahora no se nos hará tan largo, hasta llegar, que lo peor ya ha pasado. Cree que ahora será más fácil y si en los próximos días tenemos los ojos bien abiertos, no nos pasará nada más.

Bueno, mañana continuaremos hacia el norte. Intentaré escribirte tan pronto como pueda, pero si durante un tiempo no lo hago, no pienses nada malo, quiere decir que estoy bien. Solo tienes que tener paciencia y esperar. Cuando llegue, te traeré conmigo, será lo primero que haga, entonces volveremos a estar juntos —tú y yo y mamá, como antes.

Ahora tengo que dejarte. Los demás ya duermen y a mí también se me cierran los ojos. ¡Cuídate!

Un fuerte abrazo,

Miguel

El camino hace subida. De momento es suave, cruza un valle con bosques a ambos lados, pero algo más allá ya se ven unas montañas más altas, los contrafuertes de la gran montaña, como nos ha explicado el padre esta mañana mientras desayunábamos. Me incorporo sobre los codos. Lejos, detrás de la niebla, se puede distinguir el resplandor de una cumbre nevada, pero no estoy seguro. Quizás solo sean nubes.

Voy tumbado en el tren que hemos abordado pasado Tierra Blanca, después de haber salido de la iglesia por el cementerio y habernos alejado de la ciudad, como nos había aconsejado el padre. Jaz va tumbada formando un ángulo recto conmigo y apoya la cabeza sobre mi barriga. Cuando se da cuenta de que me muevo, se incorpora y me mira.

—Eh, casi no te reconozco —le digo—, vas asquerosamente limpia.

Se ríe.

—No durará mucho, puedes estar seguro.

Ángel y Emilio van sentados algo más adelante. Fernando va de pie delante del vagón y observa el paisaje. Ya no lleva el vendaje y la herida de la frente se le ha cerrado y ha hecho costra. Todo parece indicar que le quedará una buena cicatriz. Jaz baja la cabeza y me mira, pestañeando.

—Dime, cuando ayer al atardecer fuiste a ver al padre, ¿de qué hablasteis?

—Le pregunté si podía mandar la carta a Juana.

—Sí, esto ya me lo supongo, ¿y qué más?

—Nada más.

—¿Cómo, nada más?

—Nada importante. Creo que dijo que te cuidara, yo a ti, o una cosa así, tonterías. Ni idea de cómo se le ocurrió.

—¿Qué? ¿Hablasteis de mí?

—Bueno, hablar, hablar... Solo me dijo esto y ya está.

Jaz mueve la cabeza sorprendida y entonces se ríe.

—¿O sea, que tú me tienes que cuidar a mí? Pues procura no esforzarte más de la cuenta.

—No sufras, ya tengo un plan ideado de cómo cruzaremos México hasta la frontera sin que nadie toque ni uno de tus valiosos cabellos rapados.

—¡Caramba! ¿Y cómo es ese plan?

—Precisamente tú no lo puedes saber, porque, si no, harías alguna barbaridad y todo se iría a pique.

—¡Ah, entiendo, es un plan secreto!

—Naturalmente. Todos los buenos planes son secretos, es su condición indispensable.

Jaz quiere responder algo, pero antes de que lo haga, Fernando viene hacia nosotros y hace una señal a Ángel y Emilio para que se acerquen.

—Parece todo tranquilo —nos dice, mientras busca en el bolsillo de los pantalones y saca unos billetes—. Por cierto, es mejor que nos los repartamos, por si acaso allá arriba en la montaña nos tenemos que separar, ya me entendéis. Así todo el mundo tendrá algo.

Los cuenta y los reparte. Son del padre, se los ha dado a Fernando cuando nos despedíamos. Todavía resuena su voz en mi mente y me siento infinitamente agradecido cuando pienso en él. No solo porque nos ha salvado de la policía, nos ha ofrecido un lugar para dormir y comer, y después incluso nos ha proporcionado dinero, no, es más que esto. Después de toda la mierda que hemos vivido, es el sentimiento de tranquilidad que transmite una persona como él, ver que la ayuda y la esperanza existen, aunque solo sea en un único lugar en el mundo, basta.

Mientras escondo mi parte en el zapato, el camino se va haciendo cada vez más empinado. Las curvas son cada vez más frecuentes, vamos bordeando un río. En un punto pasamos por una cascada, cuyo fragor incluso ahoga el ruido de la locomotora. Al cabo de un rato cruzamos por una ciudad con todas las casas engalanadas con flores y justo después entramos en un desfiladero. Se me corta la respiración. Es como si nos hubieran arrancado la tierra bajo los pies, de repente no hay nada a ambos lados, solo el vacío absoluto y los pilares del puente, es como si estuviéramos volando.

Cuando salimos del desfiladero, pasamos entre dos rocas que tienen una forma muy extraña, parecen un pórtico, y entonces, de repente, la tenemos ante nosotros: la cordillera, Sierra Nevada. Se erige ante nuestros ojos como una pared, como una muralla coronada por unas cuantas crestas nevadas.

Fernando nos la señala.

—Mirad allá arriba. Cuando la tengamos detrás, no habrá quien nos pare.

Levanto la vista hacia las montañas, parecen impenetrables, como unos gigantes silenciosos plantados delante de nosotros.

—No parece que exista un camino para atravesar tales montañas.

—Pensé lo mismo la primera vez que estuve aquí —dice Fernando—. Es como si te dirigieras contra un muro, pero en el último momento siempre hay un valle por algún lado por donde continúa el paso, siempre adelante y hacia arriba, hasta que estás en lo más alto, por encima de las nubes.

—¿Hay nieve por dónde pasaremos? —pregunta Ángel.

—No, ahora en verano no, como mucho arriba en la cumbre, pero no te preocupes, no subiremos más allá de los valles. A pesar de todo, puede hacer un frío terrible, sobre todo por la noche. Y lo peor son los túneles infames, algunos son tan largos que al final quedas medio ahogado. Eso si consigues salir.

Jaz me mira. No suena muy tentador, parece decir con la mirada. Pero con Fernando no sabes nunca si dice la verdad o si es una de sus historias, si nos quiere poner sobre aviso o nos quiere embaucar. O las dos cosas a la vez.

—He estado dos veces en Orizaba —continúa diciendo—. Es la montaña más alta de México, la vía la va bordeando y puede llegar a hacer un frío terrible. Una vez, al atardecer, comí con una pandilla junto al fuego. Acurrucados por el viento, alguien explicó que un chico se empecinó en atravesar las montañas en medio del invierno tal y como iba, solo en camiseta. ¿Y qué pasó? La noche era gélida, empezó a nevar y cuando amaneció, el chico estaba congelado sobre el techo del tren, sentado allí sin poder mover ni un dedo.

—¿Y qué pasó? —pregunta Ángel—. ¿Qué hizo?

—Lógicamente intentó moverse de todos modos, pero no podía, estaba atrapado como una mosca en una tela de araña. El tren continuaba subiendo y cada vez hacía más frío y el pobre chico se había quedado petrificado. Sentado encima del vagón, iba como un muñeco de nieve, haciendo ruta, y todos los que lo veían quedaban horrorizados. En algún momento hicieron parar el tren y lo bajaron. Pero tardaron horas, solo con las manos no lo consiguieron, al final fue necesario que alguien trajera un soplete de presión.

Jaz suspira y menea la cabeza.

—¡Qué bien que el padre nos haya dado todo esto! —dice, mientras saca un jersey de la mochila y se lo pone. Le va grande, las mangas le llegan hasta los dedos—. Así no nos pasarán cosas como esta, espero.

—Si no nos lo hubiera dado él, lo tendríamos que haber conseguido nosotros —dice Fernando—. De todos modos, es verano, no tengáis miedo, lo superaremos.

El padre también pensó en ello: después de desayunar, cuando estábamos a punto de marcha, nos proveyó con unos cuantos jerséis y mantas de los donativos de la parroquia. Es ropa vieja y bastante apolillada, pero puede ser nuestra salvación durante las frías noches de las alturas.

Pasamos por otra ciudad, después el tren toma una curva cerrada hacia la izquierda y a continuación se encamina definitivamente montaña arriba. Se ha acabado el verde vivo e intenso que nos ha acompañado hasta ahora, el paisaje se vuelve más seco y pedregoso a cada metro que subimos. Me parece un poco un regreso al mundo que conozco, pero no me resulta nada familiar.

Es tal y como ha dicho Fernando: subimos la montaña y parece que no haya camino. Solo cuando nos acercamos, se abre de repente un valle estrecho que nos engulle. La subida es empinada y el convoy describe curvas estrechas y cerradas, a un lado tenemos la ladera del volcán, al otro el precipicio. El tren dispone de tres locomotoras, una delante, una detras y otra en medio, aún así sube con mucha dificultad.

Ya tenemos el primer túnel delante. No es largo y cuando entramos, puedo ver la luz al final, pero el ruido es ensordecedor por todos lados, el jadeo de la locomotora y los chirridos de las ruedas resuenan a derecha e izquierda, arriba y abajo, delante y detrás y se hace mil veces más fuerte. Parece que estemos dentro de un cañón y que hayan disparado la bala. Cuando volvemos a estar fuera, me silban los oídos. La ruta continúa subiendo, el paisaje se vuelve más yermo, el aire más débil y el viento más frío. Me acerco a los demás, todos nos hemos puesto los jerséis. Cuanto más subimos, más escarpadas son las montañas y los túneles más frecuentes, cada vez a menos distancia, a veces la máquina trasera todavía no ha salido de uno cuando la de delante entra en otro. Por medio atravesamos puentes sobre cañones tan profundos que no puedo ver el fondo.

El tren da una sacudida en una curva al tocar con la ladera y aparece el primer túnel realmente largo. Entramos y esta vez no se ve el final, es negro como la garganta de un lobo, no me veo ni la mano. El humo espeso de la locomotora diésel invade el aire y se acumula en el techo del túnel, irrita los ojos y se pega a la garganta. Me vuelvo hacia un lado y contengo la respiración, pero en algún momento tengo que volver a inspirar aire y empiezo a toser, cada vez que respiro me da una tos horrible. Por fin llega el final del túnel. Cuando salimos, jadeo como si hubiera estado un rato bajo el agua, el humo espeso me ha dejado una sensación de ahogo en la garganta que me cuesta que desaparezca. Miro alrededor y veo que todavía hemos subido más y cada vez hace más frío. Jaz y Ángel ponen mala cara, están bastante pálidos y se han envuelto con las mantas. Todos hacemos lo mismo de inmediato y nos acurrucamos los unos junto a los otros, tiritando de frío.

El trayecto ascendente parece no tener fin, pasamos sin parar por túneles oscuros, asfixiantes y contaminados, donde luchamos a muerte por conseguir aire, por tramos con abismos que dan vértigo y con un viento gélido, que nos obliga a taparnos con las mantas hasta la boca para calentarnos con el aliento.

El último túnel es el más largo. Se me hace eterno, por un momento creo que no volveremos a ver la luz del día nunca más. Toso, jadeo y me atraganto, pero el ruido del tren lo ahoga todo. Definitivamente, parece que el mundo esté hecho de estrépito, humo y oscuridad, me doy cuenta de que poco a poco voy perdiendo el conocimiento, se me ha metido un silbato estridente en la cabeza y todo me empieza a dar vueltas. De repente se acaba el túnel y salimos al aire libre rodeados de una inmensa nube gris de humo. Pasa un buen rato hasta que conseguimos sacar todo el hollín acumulado en los pulmones. Jaz debe de haberse arrastrado bajo mi manta mientras estábamos en el túnel, está temblando por culpa de los ataques de tos y se retuerce a mi lado. Ángel ha perdido el conocimiento, pero por suerte no ha caído del tren porque está entre Emilio y Fernando. Cuando vuelve en sí, de la nariz le gotea un moco negro lleno de hollín. Hasta que no pasan unos minutos no vuelvo a tener la cabeza clara para mirar alrededor. El mundo ha cambiado. Mientras estábamos en el túnel, debemos de haber atravesado las nubes, porque ahora las tenemos debajo. Estamos en una meseta, rodeados de cumbres nevadas, por todas partes, como la del Orizaba, que reconozco al instante. Todo es diáfano, soleado y frío, el paisaje es pedregoso y arisco, ya no hay plantaciones de melones o de caña de azúcar, sino que en las vertientes de la montaña, al lado de la vía, crecen los cactus.

Jaz también ha conseguido superar los ataques de tos y respira aliviada. La miro y me da la risa, tiene la cara negra por el humo del túnel. Le limpio la punta de la nariz.

—¿Qué es esto, marrana?

Me saca la lengua.

—¿A lo mejor crees que tú tienes mejor aspecto? Ya te he dicho que la pulcritud no duraría mucho.

Intentamos sacarnos la suciedad del rostro tan bien como podemos, pero al momento nos damos cuenta de que es bastante inútil. La llevamos en cada poro y además tenemos las manos tan sucias como la cara.

—Tenéis realmente un aspecto lamentable —dice Fernando—, pero no os esforcéis, solo conseguiréis cambiar la suciedad de sitio. Aquí tengo una cosa mejor para matar el tiempo.

Saca un tubo de pegamento y una bolsa de plástico de la mochila. Supongo que lo ha comprado en Tierra Blanca con el dinero del padre, he visto que entraba en una tienda cuando ya estábamos casi fuera de la ciudad. Deja caer unas gotas de pegamento dentro de la bolsa, la hincha con fuerza e inhala el aire corrosivo hacia los pulmones, unas cuantas veces seguidas.

—¡Ah, qué bueno! —dice después y pone los ojos en blanco, de gusto—. ¡Qué bueno, sin pegamento no se tendría que poder ir a la montaña, hace pasar el frío y el hambre y te alegra! —aspira de nuevo y luego me pasa la bolsa.

Recuerdo que en Tajumulco hubo una época en que también esnifaba pegamento, más del necesario. Lo hacía por culpa de la soledad, la tristeza y todas las jodidas decepciones que tenía demasiado a menudo. Pienso en la gente que se quedó enganchada: nunca pudieron dejar su adicción, solo podían arrastrarse y vivir entre los contenedores de basura, con los ojos vidriosos... pero ahora ya es igual. Desde que dejé Tajumulco, no he pensado en ello ni un segundo, es agua pasada. Y Fernando tiene razón: con el frío que hace aquí, es exactamente lo que necesitamos.

Hago como él e inhalo fuerte unas cuantas veces. El calor agradable y reconfortante que ya conocía se esparce por mi pecho y de allí a todo el cuerpo. Da gusto, te olvidas de golpe de los túneles con el humo, del ruido y de la oscuridad, ya no siento el frío y las montañas se han vuelto pequeñas.

Ahora le toca a Jaz. Aspira fuerte tres o cuatro veces y me doy cuenta de que no es la primera vez que lo prueba. Siento como un pinchazo, aunque ya me suponía que haría lo mismo que Fernando, yo, y todos los otros que venimos de la calle, solo que en ella me ha resultado chocante.

Jaz pasa la bolsa a Emilio, se sirve, pero cuando se la va a pasar a Ángel, de repente, duda.

—¿Qué pasa? —pregunta Fernando.

—Todavía es muy joven —dice Emilio.

Fernando lo niega con la cabeza.

—Es uno de los nuestros. Todo lo que hemos conseguido, él también lo ha hecho, o sea, que no es tan pequeño. ¡Pásale!

Ángel aspira su dosis, devuelve la bolsa a Fernando y este la guarda. Como siempre, ha hecho su efecto: mientras el tren continúa por la meseta, estamos sentados y disfrutamos del hormigueo caliente dentro del cuerpo y de nuestra victoria contra los túneles y las montañas.

—Oye, Ángel —Jaz interrumpe el silencio—, en Tecún Umán, cuando estábamos en el albergue, explicaste que quieres ir con tu hermano... ¿y eso? ¿Y tus padres?

—Quiero ir con Santiago —responde. Ya le ha pasado el desmayo que ha tenido en el túnel y lo que acaba de decir Fernando sobre él, lo debe de haber animado, porque parece que haya crecido unos cuantos centímetros bajo la manta—. Es mi hermano mayor, tiene cinco años más que yo.

—Sí, pero...

—A mis padres no los conocí, siempre me cuidó Santiago. Primero estuvimos con los abuelos, pero Santiago se peleó con ellos porque lo regañaban continuamente y entonces una noche se largó a la ciudad y me llevó con él.

—¿Y ya está? —pregunta Jaz—. ¿Conocíais a alguien, ahí?

—Al principio no, pero después sí. Santiago pronto conoció a gente, es muy listo. Al cabo de poco tiempo ya era un pez gordo de la calle.

—Caray, debe ser un buen elemento, tu hermano —dice Fernando—. ¿Y de qué vivíais?

—La mayor parte del dinero lo conseguía él, haciendo negocios, pero yo también ganaba algo en la calle.

Fernando sonríe de un modo irónico.

—¿Robando o qué?

—¡No! —exclama Ángel levantando las cejas, enfadado—, pero hacía de todo.

—¿Y cuándo se fue hacia los Estados Unidos? —pregunta Jaz.

—Hace dos años. Dijo que se tenía que ir, que no se podía quedar más tiempo debido a los negocios y que le gustaría que fuese con él, pero que era imposible, que tuviera un poco de paciencia, no tardaría mucho en venirme a buscar y que lo tenía todo previsto. Y entonces se fue.

—O sea... que te dejó solo.

—¡Eso no lo habría hecho nunca! —dice, ofendido—. Estaba al cuidado de dos amigos. Santiago siempre enviaba dinero y también me llamaba. Me dijo que estaba en Los Ángeles y que pertenecía a una banda, que yo también podría formar parte de ella cuando me viniera a buscar, solo que me tenía que esperar a ser mayor. Pero no quiero esperar más, quiero ir con él.

—Ah, ya lo entiendo, ¿y por eso te has ido?

—Sí, pero primero estuve unos meses trabajando para un conductor de autobús, para reunir un poco de dinero.

—¿Para un conductor de autobús? —dice Fernando—. No me digas que eras uno de aquellos mocosos que anuncian las paradas.

—Hacía mucho más que eso —replica Ángel, enfadado—. A las seis de la mañana, cuando el conductor todavía no había llegado, preparaba el bus: lo limpiaba, rellenaba el aceite y el agua y lo dejaba a punto de marcha. Entonces, me iba con él, anunciaba las paradas, cobraba el billete, cargaba las maletas, todo esto hasta las nueve de la tarde. Y por la noche dormía en el autobús, para que no lo robaran.

—¡Menudo carrerón! —reconoce Fernando—. ¡Has tenido que bregar de lo lindo, chico!

Ángel asiente con la cabeza.

—No os podéis imaginar las maravillas que me ha explicado Santiago. Es uno de los líderes de la banda, todos le hacen caso y él hace siempre lo que cree oportuno. Tiene una casa solo para él, gana mucho dinero y...

—¿Lo sabe, que vas? —lo interrumpe Fernando.

—No, le quiero dar una sorpresa.

Jaz me mira de reojo, sonríe por un instante, pero parece triste.

—Lo conseguirás, Ángel —le dice—, encontrarás a tu hermano, deseo que lo encuentres, de verdad.

Entonces cambia rápidamente de tema y empezamos a hablar sobre qué pasará cuando lleguemos a los Estados Unidos: qué nos espera, qué haremos y la imagen que cada uno se ha hecho del país. Mejor dicho: Jaz, Fernando y Ángel hablan y de vez en cuando incluso interviene Emilio. Yo permanezco sentado y los escucho. Siento a Jaz a mi lado, los miro a todos y de repente tengo un sentimiento reconfortante, y no es solo el jersey, la manta y lo que he esnifado, que me hace pensar: tan duro, peligroso y jodido como es este viaje y nunca había encontrado nada como esta amistad.

—¿Sabéis qué? —digo en un momento de silencio—. No importa lo que nos pueda pasar... tanto si conseguimos cruzar la frontera como si nos pillan y tenemos que regresar, pase lo que pase... no olvidaré nunca estos momentos, y todavía menos a vosotros.

Me sorprendo a mí mismo de haberlo dicho. Los otros también, porque todos me miran extrañados.

—¡Mira por dónde, ahora resulta que los sermones del padre se contagian! —acaba diciendo Fernando—. ¿Alguien más que se quiera confesar, antes de que anochezca?

—¡Fernando, quieres callarte de una vez! —se queja Jaz—. En realidad no haces gracia, cuando te pones en plan bravucón. En el fondo también tienes sentimientos, aunque no lo sepas.

—Ahora resulta que crees en mí: ¡gracias, me acabas de alegar el día! —le dice Fernando. Después se aparta de Jaz y me dice—: Bromas aparte, ahora hablo sinceramente. En cierto modo, tienes razón. Pero la amistad entre gente como nosotros siempre tiene fecha de caducidad. En algún momento nos tendremos que separar, una vez crucemos la frontera, y después seguramente ya no nos veremos nunca más. Es así, y no lo podemos cambiar.

—Puede ser —añade Jaz—, pero me imagino cómo sería si de aquí a unos años, cuando ya estemos instalados...

—¿Quieres decir cuando ya no viajemos en trenes de carga sino en unos buenos coches americanos? —la interrumpe Fernando.

—No, quiero decir cuando...

—Cuando ya no esnifemos pegamento sino cuando fumemos cigarros de los caros...

—Va, para de una vez de interrumpirme constantemente. Quiero decir cuando esto de ahora se haya acabado y hayamos encontrado a los que buscamos y junto a ellos vivamos tiempos mejores. Será fantástico y espero que lo sea para todos... solo que, amigos mejores que los que estamos aquí, no creo que los encontremos nunca más, ¿no creéis?

Fernando se quita la manta y mira hacia las montañas. Al menos por una vez no hay en su cara ningún rastro de burla ni de superioridad.

—Tienes razón, Jaz —reflexiona—, en los momentos más oscuros las amistades siempre son más claras.

—¡Eh, chicos, ayudadme! —nos llama un hombre desde abajo y, antes de entender qué ocurre, lanza su bolsa a nuestro vagón. Emilio reacciona más rápido que nadie, se levanta de un salto y la atrapa al vuelo. El hombre corre junto al tren, se encarama a la escalera y al cabo de un segundo ya está arriba.

—¡Uf, lo he conseguido! —jadea aliviado mientras se nos acerca—. ¿Sabéis qué? Cuando he visto aparecer el tren, he pensado: en aquellos cinco chicos de allá arriba se puede confiar, seguro que ayudarán al viejo Alberto. —Recupera la bolsa de Emilio y le da las gracias—. Ese es mi nombre: Alberto. ¿Os importa si me siento?

Nadie pone objeciones, él lo entiende como una aprobación y se sienta. Lo observo con más atención: se ve a la legua, por la ropa sucia y el aspecto salvaje, que el hombre hace bastante tiempo que va por los trenes. Una espesa barba gris le esconde la mitad inferior de la cara y los cabellos le caen sobre la frente hasta los ojos, cosa que le da un aire siniestro, pero me da que es buena persona.

—¿Siempre la tira así, la bolsa? —pregunta Jaz. Como siempre que habla ante desconocidos, adopta una voz de chico grave y profunda. Ahora ya se ha acostumbrado, a lo largo del viaje ha ido aprendiendo.

—No —dice Alberto, moviendo sus greñas con la cabeza—, pero ayer casi no lo cuento. Cuando quería saltar al tren, una de las asas se me enredó y por un pelo no acabo bajo las ruedas. Y hoy he pensado: Alberto, tienes que ser más listo. ¡Y como habéis visto, lo he sido!

—Pero porque ha confiado en nosotros —le dice Ángel.

—¡Claro, sin vosotros no lo hubiese conseguido! ¡Dónde iríamos a parar si no confiáramos los unos en los otros! Quiero decir que... dentro de esta mierda que nos rodea, al menos nos tenemos que ayudar entre nosotros, si no, estamos perdidos, ¿no os parece?

Pone la mano sobre el hombro de Fernando, sentado a su lado. Fernando vuelve lentamente la cabeza, mira la mano como si fuera un insecto venenoso y Alberto la retira al instante.

—Hace unos días, por ejemplo —continúa como si nada—, estaba encima de un tren, se hizo de noche y estaba muy cansado, pero no podía dormir porque había muchas curvas y los vagones iban dando bandazos. Entonces se me ocurrió que me podía atar con el cinturón, sujetándome en una barra. Lo hice y me puse a dormir, tan tranquilo. Pero en medio de la noche... —abre la bolsa, hurga dentro y para demostrar la veracidad de su historia, saca un cinturón roto en dos partes—... ¡crack!, el cinturón se partió y antes de despertarme y darme cuenta de lo que pasaba, empecé a rodar por el techo. Me habría caído abajo si dos chicos que por casualidad estaban sentados a mi lado no se hubieran dado cuenta y me hubieran sujetado. Ya lo veis, esto es lo que quiero decir. ¿Qué sería de nosotros, si no nos ayudáramos?

Vuelve a guardar los dos trozos de cinturón en la bolsa y pregunta:

—Por cierto, ¿tenéis hambre?

Es media tarde y hace unas cuantas horas que viajamos por la meseta, en medio de montañas inmensas a ambos lados y entre campos de maíz y cereales, viendo pasar cactus gigantes y pueblos con iglesias blancas como la nieve. Aún no hemos tocado las provisiones que nos dio el padre, nadie tiene hambre.

—No —dice Jaz—, todavía no hemos...

Alberto saca una tableta de chocolate.

—Quiero decir... que todavía no hemos comido nada —Jaz rehace rápidamente la frase—. Sí, yo tengo hambre.

—Yo también —dice Ángel.

Alberto se ríe, parte la tableta y nos la ofrece. Jaz y Ángel se sirven primero, después Emilio y yo y al final incluso Fernando lo hace.

No recuerdo cuando fue la última vez que comí algo dulce. Alguna vez en Tajumulco, seguro, pero todo lo que viví allá, ahora me parecen tiempos remotos. Tengo la sensación de que han pasado años, no semanas, y de algunas cosas ya ni me acuerdo, como si delante hubiera un velo.

Mientras mordisqueamos el chocolate, sentados, Alberto nos revela de dónde es y lo que ha vivido en su travesía por México. Es un buen narrador, quizás no tan bueno como Fernando, pero, vaya, escucharlo es divertido. Nos dice que es su sexto intento y entonces nos explica qué le ha fallado en las otras cinco veces. Es extraño, pero las historias me suenan todas.

—¿Y vosotros? —pregunta finalmente, cuando ya no se le ocurre nada más sobre él—. ¿Cuántas veces habéis hecho el *tour*?

—Pues... es la primera vez —responde Jaz.

Cuando se entera de que Emilio, Ángel y yo también somos noveles, se queda boquiabierto.

—¿En serio? —pregunta—. ¿Lo decís de verdad? ¿Cómo lo habéis hecho? ¿Tan jóvenes y ya habéis conseguido llegar hasta la meseta a la primera? ¡Pues ya podéis estar orgullosos, madre mía, muchos ni lo sueñan!

—El mérito no es nuestro —le explico—, hemos llegado hasta aquí gracias a Fernando. Se sabe mover por México, conoce cómo funciona y...

Fernando me interrumpe antes de que pueda continuar hablando:

—Eh, Miguel, basta, eso no viene a cuento ahora —me lanza una mirada fugaz, sé que no le gusta que hablen de él y prefiero no decir nada más.

—Fernando conoce a un mara —añade Ángel—, un mara auténtico que nos ha protegido.

Alberto levanta bruscamente la cabeza, parece que esto le interesa.

—Pero... ahora ya no está aquí, con vosotros, ¿no?

—No —responde Ángel—, solo nos ayudó a atravesar Chiapas.

—Ah, muy bien, muy inteligente por vuestra parte, así habéis superado lo peor. Pero aun así, las montañas tampoco son fáciles. Dejad que el viejo Alberto os diga una cosa: mantened los ojos muy abiertos.

—¿Hay controles, aquí?

—Ah, no, eso no. Los cuicos se desfogan por allí abajo, por aquí arriba no se ven demasiados. El problema en las montañas es más bien la chusma de ladrones. Son unos cabrones, mala gente, podéis creerme, una plaga, hacen su trabajo y vuelven a desaparecer en sus escondrijos de las montañas.

—¿Cómo lo sabe? ¿Ha dado con ellos alguna vez? —pregunta Emilio.

Alberto duda, se mesa la barba, le tiemblan los dedos.

—En el cuarto viaje me robaron. Y todavía tuve suerte de poderlo explicar, no les importa nada la vida de la gente. Me lo robaron todo y me tiraron del tren, no sé cómo, llegué a un lugar civilizado y allí un médico me curó, él y su mujer me cuidaron como si fuera uno más de la familia. Todavía hoy les estoy agradecido, el viejo Alberto no olvida nunca cuando alguien se porta bien con él.

—Nosotros también vivimos una situación similar —dice Ángel con los ojos brillantes—, el padre de Tierra Blanca nos salvó de la policía y pudimos dormir en su parroquia.

Alberto se queda pensativo.

—Sí, creo que he oído hablar de ese párroco. ¿En Tierra Blanca dices? No lo he llegado a conocer nunca, pero por todo lo que dice la gente, debe de ser una persona extraordinaria.

—Sí, lo es —dice Ángel—, cuando nos marchamos, incluso nos dio dinero, para que nos compráramos comida y no tuviéramos que pedir por la calle o robar.

Alberto mueve la cabeza en señal de reconocimiento.

—Veis, esto es lo que quería decir. Se puede hablar de suerte cuando encuentras a gente así. Aquel médico, por ejemplo, incluso me advirtió de cuáles serían los lugares especialmente peligrosos que me iría encontrando, cuando continuara el camino.

Al escuchar esto, Fernando presta atención.

—¿Sabe dónde nos pueden atacar los ladrones?

—Bueno, al menos sé que hay que estar atentos y cómo se los reconoce —calla y nos mira pensativo—. Escuchad, chicos: me gustáis. ¿Qué os parece si vamos juntos? No tiene que ser para siempre, sólo por las montañas. Mis ojos son algo más viejos que los vuestros, pero precisamente por eso veo cosas que vosotros no veis. ¿Qué decís?

—No lo sé —responde Fernando—. ¿Y usted qué gana?

—¡Bueno, estoy contento de no estar solo aquí arriba —replica riendo—, está claro! Si no, ¿quién hubiera agarrado la bolsa y se estaría comiendo mi chocolate?

Evidentemente, esto ya es una razón. No tengo nada en contra de que venga con nosotros y Jaz, Ángel y Emilio parece que tampoco, solo Fernando desconfía un poco, pero esto no significa nada. Él siempre es desconfiado, incluso lo fue con el padre.

Nos cuesta un buen rato convencerlo, pero al final se encoge de hombros y declara no tener nada en contra para que Alberto se añada al grupo.

Al poco rato, el tren para en un desvío. Empieza a oscurecer y seguramente el maquinista quiere bajar a comer algo con tranquilidad. Saltamos y nos dispersamos entre los matorrales para buscar un riachuelo donde podamos llenar las botellas.

Empiezo a caminar por el lugar. Da gusto estirar un poco las piernas. Al poco rato me llama la atención un cactus con un aspecto muy divertido, parece que lo amenace un héroe del oeste con la pistola y por eso tiene los brazos levantados. Me acerco y orino en él, y me imagino que me ataca con sus brazos llenos de pinchos. Me divierto apuntando a las espinas, porque se rompen cuando la fuerza de mi chorro las acierta.

Mientras me subo la cremallera, veo a Alberto algo más allá. Acaba de hacer una llamada porque desconecta el móvil y lo guarda. No lo sabía, que llevaba uno. Se gira y me descubre, duda un momento y entonces me llama.

—¡Eh, chico! Lo acabo de localizar.

—¿A quién?

—Sí, al médico del cual os hablaba. No estamos muy lejos de donde vive, me ha dicho que podemos pasar la noche en su casa.

—Quieres decir... ¿todos?

—¡Claro! Si nos apretamos un poco, cabremos. Es fantástico, ¿no?

—Sí, es genial.

Volvemos al tren y se lo explicamos a los demás a medida que van llegando. Todos se sorprenden y abren los ojos de par en par. Ahora que empieza a oscurecer y ya se presiente que la noche será fría, es realmente una buena noticia saber que dormiremos bajo techo y no tendremos que pasar frío.

—¡Ah, no os podéis imaginar, cómo me alegro de volver a ver a aquella gente! No me hagáis quedar mal, ¿me oís? No os hurguéis la nariz ni eructéis en la mesa, espero que os sabréis comportar.

Cuando el tren reprende la marcha la noche ya es muy oscura y empezamos a atosigar a Alberto con preguntas: si falta mucho para llegar, cómo se llama el lugar, si la casa del médico es grande, si tiene hijos, y todas las preguntas que nos pasan por la cabeza. Nos da explicaciones y escuchándolas me doy cuenta de que todo ello es impresionante. Desde que cruzamos el río Suchiate nos han perseguido y detenido, humillado y golpeado, y ahora, de repente, en medio de este país inmenso, ¡hay alguien que no nos conoce y aun así nos abre su casa, como si fuéramos viejos conocidos! Solo puedo estar agradecido, pienso.

Los demás también están de buen humor, sobre todo Jaz y Ángel. Empezamos a contar las aventuras que nos han pasado a lo largo del viaje. Cuando uno acaba, al otro se le ocurre algo nuevo y mejor. Alberto lo quiere saber todo y cada detalle le interesa. El tiempo nos pasa volando, el tren traquetea en medio de la noche y ya no estamos atentos a lo que sucede a nuestro alrededor.

Cuando la luna se ha encaramado en el horizonte ya no es tan oscuro y miro alrededor: estamos atravesando un lugar fantasmagórico, solo se distinguen siluetas borrosas. De repente y de pasada me ha parecido ver un movimiento, me fijo mejor y tengo un escalofrío: ¡hay alguien en el extremo del techo, en lo alto de la escalera!

Antes de que pueda hacer o decir nada Fernando, que está sentado ante mí, se levanta de un salto y mira fijamente hacia delante. Me vuelvo de golpe. Al otro lado también se ve una silueta iluminada por el claro de la luna. No, son dos, una por cada lado de la escalera. Al principio no se mueven, pero cuando ven que los hemos descubierto se nos acercan lentamente. No les puedo ver la cara, pero van armados, uno de ellos incluso lleva un fusil.

Antes de que me pueda hacer una idea de lo que pasa, los tres ya están alrededor nuestro. Ninguno de ellos dice nada, pero por la manera de moverse y por su actitud, está claro que no traen buenas intenciones. Miro a Fernando que, con cara de preocupación, se sienta despacio, casi a cámara lenta.

—¿Son ellos? —uno de los hombres, el que trae el fusil, rompe finalmente el silencio.

En un primer momento no responde nadie. No acabo de entender a quién formula la pregunta ni qué quiere decir. De repente Alberto se pone de pie.

—Sí, lo son —duda un segundo, entonces nos mira y encoge los hombros—. Lo siento, chicos, me sabe mal. Me caéis bien, de verdad, pero así es la vida, a veces se gana, otras se pierde. La próxima vez tendréis más suerte.

Se pone junto a los hombres. Es como si me hubieran dado un bofetón en toda la cara, no me puedo creer lo que está pasando, pero veo que Fernando, impotente, aprieta los puños con rabia. Ahora entiendo a quién llamaba antes por el móvil y que lo tenía todo planeado desde el principio, desde el momento en que este mentiroso de mierda nos lanzó su bolsa. Todas sus historias eran una sarta de mentiras. Lo del médico era falso, incluso el chocolate formaba parte de su plan.

—Sí, así son las cosas —dice el del fusil—, y si queréis que haya una próxima vez, sed buenos chicos, quietos aquí y entregadnos lo que queremos.

Se saca el fusil del hombro y nos apunta. Al ver el cañón apuntándome no me lo pienso dos veces, aunque sea una infamia dar el dinero que nos dio el padre precisamente a estos desgraciados, no hacerlo sería un suicidio. Saco los billetes del zapato y se los alcanzo; los demás hacen lo mismo.

—Muy bien —dice el del fusil mientras el otro recoge el dinero—, ¡y ahora los zapatos!

—No llevamos nada más en los zapatos —protesta Fernando—, ya lo hemos sacado todo...

—¡Cierra el pico! —le espeta el ladrón—, ¿alguien te ha preguntado tu opinión?

Fernando no responde.

—¿He dicho si alguien te ha preguntado tu opinión de mierda? —insiste, apuntándolo con el fusil.

—No —masculla Fernando.

—Precisamente. Y como que es así, ahora repetirás conmigo: «Solo hablo si me preguntan mi opinión de mierda».

—De acuerdo, ya lo he entendido.

—No me interesa, si lo has entendido o no. ¡Repite lo que he dicho, si no quieres que te meta una bala en tu asqueroso cerebro!

Fernando se vuelve pálido como un muerto y estrecha los ojos.

—Solo hablo si me preguntan mi opinión de mierda —masculla entre dientes, con una rabia que puedo percibir.

—Muy bien, ahora sí, ya has aprendido algo esta noche. Y ahora, ¡fuera zapatos!

Le lanzamos los zapatos, los examinan pero no encuentran nada.

—Anda, realmente no habíais escondido nada —dice el del fusil—, parece que sois buena gente, chicos. Bien, pues, para que la cosa quede así y no tengáis ninguna idea estúpida...

Guiña un ojo al otro y entonces toman los zapatos y los lanzan a la vía, uno tras otro, describiendo una gran parábola. Oigo como golpean contra el suelo o rozan los matorrales.

—Bueno, esto frenará vuestro impulso de querer recuperar el dinero.

—Sin zapatos también os acabaré encontrando —murmura Fernando.

Le he entendido porque está sentado ante mí, pero me parece que el cabecilla de los bandidos también le ha oído.

—¿Qué dices? —le pregunta, situándose detrás de él.

—He dicho que no queremos ir a recuperar el dinero —aclara.

—Es extraño, juraría que he entendido otra cosa. ¡Va, levántate y date la vuelta!

Fernando obedece, pero a paso de tortuga, hasta que se quedan mirando, frente a frente.

—¡Ay, ay, ay, si pudieras ver la rabia que muestran tus ojos...! ¡Ah, ahora! ¡Ahora estás intentando esconderla, pero no hay manera, te sale aunque no quieras! ¿Sabes qué? Conozco a los chicos como tú: ahora me querrías matar, ¿verdad que sí? Estás pensando en cómo lo podrías hacer —se va hacia un lado y se dirige a los otros—. ¡Va, atadlo y arrojadlo abajo!

La orden no les es extraña, al instante van hacia Fernando y lo agarran. Se defiende, pero contra dos adultos no puede hacer nada. Uno le pone un cuchillo en el cuello y el otro le sujeta las manos a la espalda y se las ata con una cuerda.

Todo va tan deprisa que no reacciono. Veo ante mí la cara de Fernando más hinchada de lo normal, desfigurada, con el cuchillo al cuello y las muñecas atadas, pero no puedo mover ni un dedo.

De repente se levanta Emilio y grita:

—¡Dejadlo!

El jefe de los ladrones se gira.

—¿Qué has dicho, indio de mierda?

—Que lo dejéis, no ha hecho nada.

—¿Ah sí? ¿Tú crees? Bueno, pues empezaremos contigo y así seguiremos la línea del orden divino.

Los hombres sueltan a Fernando, lo empujan a un lado y cae al suelo, entre Jaz, Ángel y yo. Entonces agarran a Emilio, parece que les gusta más que Fernando. Cuando intenta defenderse, uno de ellos, sin pensarlo dos veces, le asesta un puñetazo en la cara, mientras el otro le sujeta las manos por detrás.

A Fernando le hierve la sangre de rabia, se levanta y quiere rebelarse, pero en aquel momento se oye un clic metálico: el jefe de los ladrones ha quitado el seguro del rifle y apunta a Fernando. Cuando ve que tiene el cañón del arma a dos palmos de la cabeza, se queda paralizado.

Mientras tanto los otros dos ya han atado a Emilio. En mi interior, espero que la orden de tirarlo del tren no sea verdad, que solo sea una amenaza para avisarnos de lo que nos puede pasar si no obedecemos. Pero a continuación veo como arrastran a Emilio hasta el extremo del techo y lo lanzan al vacío, en medio de la oscuridad.

Jaz y Ángel gritan. Antes de darme cuenta de lo que ha pasado, los dos hombres vuelven para atar a Fernando, pero entonces el viejo que nos ha metido en todo este lío y que hasta ahora se había quedado en un segundo plano, se implica. Les pide que se esperen, se dirige al jefe y le dice algo. Este se pone a reír, sarcástico:

—¿Te has hecho amigo suyo o qué? ¿Qué broma es esta, ahora? ¿Alberto viejo y buena persona? Pues ya te puedes despedir, no te necesitamos más.

—No se trata de eso —dice el viejo. Se aparta de nosotros y habla en voz baja, pero lo puedo entender casi todo—, ya sabes de qué va. A nadie le importa un indio muerto, pero si encuentran cuatro cadáveres junto a la vía, ¿qué crees que pasará?

—¿Qué quieres que pase? Hará muchas horas que estaremos lejos.

—Sí, pero queremos volver por aquí y hacer de las nuestras con tranquilidad, ¿no es así? Déjalos marchar, ¿me oyes? Ya han visto cómo las gastamos si hacen el idiota. A la pasma no pueden ir, no tienen papeles. Y tampoco tienen zapatos, ¿qué quieres que hagan?

—Venga, pesado, basta de palabrería —responde, negando con la cabeza—, te estás volviendo demasiado blando para este negocio, ¿qué voy a hacer contigo?

Las palabras del viejo hacen efecto, porque después de dudar un momento se vuelve a poner el fusil al hombro, se dirige hacia nosotros y nos da la orden:

—¡Vamos, largo! Y recordad esto: si nos seguís o vais a la poli, sois hombres muertos.

Nos levantamos y vamos hacia las escaleras. ¡El único pensamiento que tengo es apartarme tan deprisa como pueda del tren y de estas bestias, y encontrar a Emilio!

Bajando descalzo casi no me puedo sujetar a la escalera y el tren va bastante deprisa, lo percibo por la corriente de aire. Por encima de mí baja Jaz, lo intuyo por el ruido que hace. Llego al último escalón y no consigo ver el suelo, solo veo pasar unas sombras como si fueran arbustos.

—¡Cuidado! —grito a los de arriba, antes de armarme de valor y saltar.

Todo lo que siento es un dolor insoportable en las plantas de los pies, como si me pincharan y se expandiese por todo el cuerpo. Grito aterrorizado, voy rodando hasta que choco contra algo y al instante lo veo todo negro.

No me debo de haber quedado mucho rato inconsciente, porque cuando recupero el conocimiento todavía se oye el ruido del tren en la lejanía. Al cabo de poco todo permanece en silencio. Intento moverme, pero hay algo que me retiene y cuando hago fuerza es como si alguien me pinchara con mil agujas. Abro los ojos y me doy cuenta de lo que pasa: estoy atrapado dentro de una zarza y las agujas son pinchos que se me han clavado en la piel y en la ropa.

—¡Miguel! —me llega una voz desde algún lugar, apagada y difícil de entender, parece la de Jaz.

—¡Sí, estoy aquí! ¿Jaz? ¿Cómo estás?

—Bastante bien, espera que voy. ¿Dónde has ido a parar?

—Aquí, en este maldito zarzal, me tienes que ayudar a salir como sea.

Oigo que se abre camino para encontrarme. Finalmente llega a mí y con la luz gélida de la luna todavía la puedo ver. ¡Gracias a Dios no le ha pasado nada! Al menos a simple vista parece que ha salido indemne.

—¿No podías haber encontrado un lugar mejor para aterrizar? —me reprocha mientras se agacha para ayudarme.

—Puedes estar contenta de que haya saltado antes, si no, habrías sido tú, la que hubiese aterrizado aquí. Y ahora ayúdame y no me vengas con discursos.

Jaz empieza apartando las ramas espinosas que se me han enganchado en la ropa. Se clava más de una espina en los dedos y se queja, pero continúa como si no hubiera pasado nada. Pronto me puedo volver a mover y hacer fuerza, lo bastante para liberarme de las zarzas.

Subimos al terraplén de la vía y llamamos a Fernando y a Ángel. Estamos un buen rato sin que se mueva nada, hasta que aparecen por el otro lado de las vías y se acercan destrozados. Ángel cojea y Fernando se sujeta la cabeza. Cuando lo tenemos delante vemos que se le ha vuelto a abrir la herida de la frente y se la presiona con un harapo que ha arrancado de su camiseta, aún así tiene la cara cubierta de sangre. Jaz lo quiere ayudar y mirarle la herida, pero no la deja.

—Ahora ya es igual, ¡saca las manos! —le dice y le aparta la mano hacia un costado—. Nos lo hemos ganado a pulso, el batacazo.

—¿Cómo, que nos lo hemos ganado a pulso?

—Sí, no cuesta mucho entenderlo. ¡Cómo se puede ser tan imbécil para caer en las garras de aquel viejo de mierda! Nos ha embaucado con todas las de la ley y hemos picado como niños.

Se vuelve hacia Ángel.

—¡Sobre todo tú, chico! ¡Precisamente vas y le largas a ese bastardo desconocido la pasta que llevábamos, no se puede ser más estúpido!

Ángel no dice nada, se limita a agachar la cabeza.

—¡Creía que tenías algo en la mollera, pero iba muy equivocado! ¡Lo mejor que puedes hacer es volver por dónde has venido!

—Basta, Fernando —interviene Jaz—. Si Ángel no se lo hubiera dicho, seguramente lo habría hecho yo, que también he confiado en él —me mira—, y tú también, ¿verdad?

—Sí, a mí también me ha engañado.

Fernando resopla y tira el harapo lleno de sangre que todavía apretaba contra su frente. Entonces me clava la mirada:

—Sí, ¡a ti también! Eres tan increíblemente listo que incluso le has visto llamar por teléfono sin darte cuenta de lo que pasaba. ¡En ti sí que se puede confiar, qué héroe!

—¡Fernando! —replica Jaz—. Deja ya de endilgar tu rabia a los demás, cuando en realidad estás furioso contigo mismo porque siempre has tratado a Emilio fatal y a pesar de todo ha sido él quien se ha jugado el cuello por ti.

El comentario lo hace explotar:

—¡Deja esos malditos comentarios de mierda! —se encara a Jaz y la empuja hacia atrás, de forma que pierde el equilibrio y se cae—. ¡Déjame tranquilo, tú y tu psicología barata!

Me interpongo entre ambos y echo a Fernando para atrás.

—Déjala tranquila, ¿entendido?

—¿Ah sí? Quiere que la tratemos como a un chico... pues eso es lo que hago.

—Inténtalo, si te atreves, y ya verás lo que sacas.

—¡Queréis parar, los dos! —nos regaña Jaz desde atrás—. ¡Miguel, apártate!

Dudo un instante, pero me echo para atrás.

—¡Fernando!

—¿Qué quieres?

—Tenemos que encontrarlo, Fernando —le dice Jaz—. Tenemos que encontrar a Emilio como sea.

Fernando respira hondo y aprieta los dientes, veo como tensa los pómulos. De repente le brillan los ojos.

—Me tendría que haber dado cuenta yo, y cuando aquel viejo mentiroso ha sabido que llevábamos dinero, lo tendría que haber hecho saltar del tren de un puñetazo. O, como muy tarde, cuando Miguel me ha explicado lo de la llamada, se me deberían de haber encendido todas las alarmas. ¡La he cagado de verdad!

—Eso no tiene ningún sentido, Fernando —dice Jaz, poniéndose de pie—, tú no lo puedes prever todo, hay cosas que pasan sin que tú puedas hacer nada, no siempre tiene que tener alguien la culpa.

Se vuelve enfadado.

—¡Qué bobada! ¿Quieres que te diga dónde ha empezado toda esta mierda? Con el padre, en Tierra Blanca.

—Pero ¿cómo se te ocurre? No mezcles al padre en todo esto, él no tiene nada que ver.

—Sí que tiene que ver, y mucho. No tengo nada contra él, es una buena persona, pero el problema es que cuando te encuentras a alguien así, empiezas a confiar en la gente. Y ese es el peor error que puedes cometer. Estás perdido, si confías en los otros, sin conocerlos. Me podéis creer: si no hubiéramos conocido al padre, el viejo no nos habría engañado.

—En esto tienes razón —le digo yo—, porque no habríamos llegado tan lejos.

—¡Basta, así no vamos a ninguna parte! —exclama Jaz—. Estamos aquí discutiendo sin hacer nada y Emilio está en algún lugar y necesita ayuda —se dirige a Fernando—. ¿Qué te parece? ¿Crees que está muy lejos el lugar donde...?

Fernando traga saliva. Se queda mirando el suelo un buen rato, parece que intenta tranquilizarse y mantener la cabeza fría.

—A dos o tres kilómetros de aquí, calculo —asegura finalmente mientras se aparta algunas gotas de sangre que le bajaban hacia los ojos. Entonces señala la vía en dirección de la cual veníamos—. Manos a la obra. Será mejor que avancemos entre las vías, cualquier otra opción en la oscuridad es demasiado peligrosa. Procurad ir solo por encima de las traviesas y no por el medio, si no, os destrozaréis los pies. Iremos gritando su nombre y si él... quiero decir que si no está inconsciente o algo así, nos oirá y dará señales de vida.

La propuesta suena bien, en cualquier caso ninguno de nosotros tiene una mejor. De modo que empezamos a hacer lo que ha dicho, Fernando delante, seguido de Ángel, detrás Jaz y yo el último. Por suerte hay un poco más de luz, ahora la luna está en lo más alto y se vislumbran algunas estrellas. Aún así, en el mejor de los casos, solo podemos divisar un trozo de la vía y reconocer algunos matorrales o cactus a los lados; más allá, todo desaparece en la oscuridad.

Andar descalzo por las traviesas es agotador. La madera es áspera, a veces resbaladiza por culpa del aceite de los trenes, voy avanzando con cuidado, asegurando cada paso. Continuamente encontramos piedras puntiagudas y, cada vez que piso una, el dolor que me produce me estremece todo el cuerpo.

Al cabo de unos minutos de haber empezado a andar, comenzamos a llamar a Emilio. La mayor parte de las veces lo hace Fernando, que tiene una voz más potente, a veces también Jaz. Después callamos, esperando oír alguna respuesta, al margen de algunos ruidos de animales o de algún chasquido o crujido entre los matorrales. A pesar de nuestros gritos, Emilio no responde.

Continuamos andando a través de la noche. En algún momento me doy cuenta de que Ángel y Jaz van cada vez más despacio. Hace más de una hora que caminamos y hace rato que debemos de haber pasado por el lugar donde los ladrones han arrojado a Emilio del tren. Me duelen las plantas de los pies, noto que me he hecho sangre. Me parece que Ángel todavía está peor, casi no puede poner un pie delante del otro, y entre él y Fernando ahora hay mucha distancia.

—¡Eh, Fernando! —le grito.

Fernando se para, no porque lo haya llamado, sino para hacer altavoz con las manos y volver a llamar a Emilio. Después continúa andando. Insisto pero no me oye... o no me quiere oír. Casi no lo vemos, prácticamente ha desaparecido en la oscuridad.

Jaz se gira hacia mí.

—¡Detenlo! —me dice sin fuerzas, con una voz que suena completamente agotada—. ¡Haz que se detenga!

Con las fuerzas que todavía me quedan avanzo cojeando hasta Fernando. Cuando llego detrás de él, lo agarro por el hombro y hago que se dé la vuelta.

—Para, Fernando, no tiene ningún sentido, hace rato que hemos pasado de largo. Ángel está completamente agotado y Jaz tampoco puede continuar.

Mira hacia la oscuridad, como si esperara que Emilio apareciera de repente andando por la vía. Entonces baja la cabeza y se hunde. Me doy cuenta de que está desesperado, hasta ahora me había parecido que lo había asumido bien, primero con el ataque de rabia y después andando a todo gas a lo largo de la vía, pero ahora le sale la verdadera desesperación. Nunca lo había visto así y me sorprende mucho.

—He fallado, Miguel —dice al cabo de un rato.

—¿Cómo? ¿Qué diablos dices?

—Me debería de haber mordido la lengua arriba en el tren. Si lo hubiese hecho, no habríamos llegado hasta aquí, soy un estúpido.

—Tu lengua es como es, si no, no serías tú. Además, habría pasado lo mismo si no hubieras dicho nada.

No parece que esto lo consuele especialmente y me mira a los ojos.

—Emilio está muerto, ¿verdad?

—No, esto no lo puedes decir. Solo que a oscuras no lo podemos localizar. Escucha, Fernando, tenemos que pasar la noche en algún lugar, cuando amanezca podremos continuar buscando. Es todo lo que podemos hacer, cualquier otra cosa es inútil.

—¿No lo dirás de verdad, que yo ahora me eche a dormir en algún lado?

—Sí, lo tienes que hacer, al menos por Ángel y por Jaz.

Mira atrás, hacia la vía, buscándolos.

—Pero, ¿dónde están?

—Ya te he dicho que no pueden más. ¡Va, retrocedamos!

Cuando volvemos a estar juntos y Fernando ve como tiemblan sentados sobre la vía con los pies ensangrentados, se convence de que debemos detener la búsqueda. Decidimos buscar un lugar donde podamos pasar la noche y continuar cuando amanezca. Mientras tanto ha empezado a hacer más frío, tengo los pies como dos témpanos de hielo y me hacen un daño horrible.

—Nos tenemos que calentar como sea —dice Jaz girándose hacia Fernando—. ¿Todavía tienes el mechero del viejo borracho?

Se revuelve los bolsillos.

—¡Mierda, lo debo haber perdido cuando he saltado del tren! —maldice su suerte, mientras se golpea desesperado los pantalones, pero de repente se detiene—. No, no, estaba en la mochila, es...

Nos miramos unos a otros. Nos acabamos de dar cuenta de que todas nuestras pertenencias se han quedado en el tren. Con el pánico no hemos pensado en ellas. Las mochilas, las mantas, todo. Solo nos queda lo que llevamos encima.

—¡Oh, madre mía, ni fuego ni mantas —murmura Jaz—, esto sí que es fuerte!

Fernando mueve la cabeza, apenado.

—No podemos hacer nada. Va, salgamos de la vía y vayamos a algún lugar donde al menos no nos dé tanto el viento.

Nos arrastramos unos minutos por la zona hasta que encontramos un lugar más protegido, prácticamente rodeado de matorrales.

—Nos quedaremos aquí —dice Fernando—, no encontraremos nada mejor. Y haremos la tortuga.

—¿Haremos qué? —pregunta Jaz.

—Una vez compartí comida con unos chicos que me explicaron la mejor manera de pasar una noche al raso, en la montaña, la llamaban «la tortuga».

Nos muestra qué quiere decir. Nos tenemos que sentar en círculo, todos de cara y juntar las piernas de forma que los pies hagan una pila. Fernando se saca el jersey y nos los envuelve con él, muy fuerte, de forma que quedan cubiertos por todos lados.

—Esto no funcionará, Fernando —protesta Jaz—, necesitas el jersey, no puedes pasar la noche con la camiseta rasgada.

—Cierra el pico, que aún no hemos acabado. Inclinaos hacia adelante, hasta que tengamos los hombros juntos. Los brazos para adentro, juntamos las manos y las cabezas también adelante, con la cara abajo para que el aliento nos mantenga calientes. ¿Veis? —su voz parece apagada, porque estamos agachados, como nos ha dicho—. Esto es la tortuga.

—No está mal —dice Jaz—, el problema es que si estamos toda la noche sentados así, mañana sí que pareceremos tortugas, no podremos andar derechos de ninguna forma.

—Mejor tener la espalda torcida que congelada —replica Fernando—, y ahora, ahorra el aliento, que te hará falta.

Pasan unos minutos hasta que cada cual encuentra una postura medianamente cómoda y nos vamos tranquilizando, lentamente. Siento que las manos y los pies se me van calentando despacio, en contacto con los otros. Primero me hacen daño, cuando la sangre vuelve a circular, pero después la sensación es reconfortante. Mientras siento el frío en la espalda, entre nosotros hay un calor que no tiene precio, como si fuera una casa, una casa minúscula en medio del desierto.

Oigo una lechuza cerca y a continuación, bastante más lejos, como si fuera una respuesta, el grito de un coyote a través de la noche. Escucho durante un buen rato la respiración regular de los demás y entonces me viene el sueño.

Tiene que correr. Correr y correr, sin cesar, para que los pies no se le enfríen. ¡No puede estar cansada ni dormirse! Tampoco se puede quedar parada con los zapatos rotos, con el frío que hace, pronto no sentiría los pies, las puntas se volverían azules y se empezarían a congelar.

La tomo de la mano y la voy animando, sé muchos trucos para que continúe corriendo. «Juana, ¿ves aquella piedra de allá adelante? Si llegas antes que yo, te alzaré y te haré dar una voltereta en el aire. ¿Lo ves?, ¡así! Pero ahora continuemos, si no, llegaremos demasiado tarde». Mi repertorio de trucos alcanza hasta el vertedero. Ha empezado a clarear, pero el sol todavía no ha salido. Llega gente por todas partes, saludamos a los amigos y nos sentamos juntos. Acercamos los pies a las cenizas calientes y ponemos las manos sobre neumáticos de coche que humean, es una sensación agradable.

Rozo los dedos de Juana. Hace un olor fétido a desechos podridos y a goma quemada. Amanece lentamente y podemos ver los límites de la montaña de residuos. Ahora ya no falta mucho, pronto llegarán los camiones de basura, uno tras otro por la carretera y levantarán una gran polvareda.

De un salto vamos hacia la rampa y todos nos peleamos para conseguir un buen lugar, a partir de ahora los amigos dejan de serlo. Saco la bolsa de plástico y vigilo a Juana ante mí, en un lugar donde la pueda ver.

El primer camión da marcha atrás hacia la rampa, justo encima de nosotros, berrea y nos deja sordos, como si fuera una bestia. Levanta el contenedor hacia arriba y lo vuelca, al instante nos cae encima el estrépito de una catarata de botellas y latas, de cartones y ropa, la montaña entera se desliza hacia abajo.

Nos lanzamos adelante y luchamos por subir. Juana es la más pequeña, pero también la más rápida. Solo las águilas y las cornejas, que atacan desde arriba con unos gritos rabiosos, van más deprisa que ella. No tenemos mucho tiempo, en pocos minutos llegarán las excavadoras y lo nivelarán todo, tenemos que acabar antes. Somos un equipo entrenado, Juana y yo. Antes de que el sol esté en lo más alto, que haga calor y que el mal olor del vertedero sea insoportable, ya tenemos la bolsa llena. Me la cargo a la espalda y vamos a la ciudad, para venderlo todo, a ver si sacamos dinero.

Cuando volvemos a casa, al atardecer, a menudo ya es oscuro. Muchos días son así, hasta que finalmente llega uno que es diferente. Aquel anochecer, cuando mi madre dijo que no podíamos continuar de aquella manera. «No quiero que vayáis más al vertedero», dijo. «Os dejaré. No será por mucho tiempo, volveré pronto. Pero al vertedero no iréis nunca más».

De madrugada me despierta un rumor. Levanto la cabeza y abro los ojos. Está amaneciendo y una delgada neblina se sostiene en el aire. Justo ante mí, en los matorrales, una cabra me está mirando. Mordisquea unas hojas, se gira y desaparece. Estoy completamente congelado, excepto las manos y los pies, que al menos los tengo calientes, gracias a que la tortuga de Fernando ha funcionado. Pero tengo la espalda helada y me duele, como si alguien me hubiera clavado cuchillos de arriba abajo. Me incorporo, cruzo las manos por detrás de la cabeza y me pongo a andar a gatas. Respiro hondo unas cuantas veces.

Los demás se van despertando y desperezándose poco a poco. Jaz y Ángel tienen cara de no saber dónde están, pero cuando Fernando tira del jersey de los pies sin miramientos, se desperezan de inmediato.

—¡Se acabó el dormir! A partir de ahora cada uno se apaña solito —se levanta, se pone el jersey y gira los brazos en el aire como las aspas de un molino de viento—. Mirad, así es como os tenéis que poner en marcha. ¡Venga, tenemos que irnos!

¡Emilio! Su imagen me viene a la cabeza y pienso en cómo habrá pasado la noche a solas, en algún lugar. Al cabo de poco rato estamos todos de pie, saltando para entrar en calor. Mientras tanto ya se ha levantado el día y no podemos perder más tiempo. Volvemos a la vía y vamos en dirección por donde llegamos ayer noche. Fernando y Ángel se mantienen en un lado del terraplén, Jaz y yo en el otro. Así podemos inspeccionar el terreno y buscar en cada matorral, en cada arbusto y en cada agujero con la esperanza de encontrar a Emilio donde sea o, al menos, un rastro suyo.

Transcurre bastante rato sin que encontremos nada ni toparnos con nadie. De repente oigo un grito desde el otro lado. ¡Es Ángel! Quiero acercarme pero él aparece antes.

—¡Jaz! —grita por encima—. ¡Esto es tuyo!

Levanta un zapato de Jaz con aire triunfal, corremos hacia él, Fernando también se acerca al momento.

—¡Eh, qué bien! —le dice a Ángel—. ¿Dónde lo has encontrado?

—Escondido en un matorral, solo se veía la punta.

—¡De acuerdo, esto quiere decir que los otros están cerca, miremos a ver si los encontramos!

Nos repartimos y al cabo de un rato encontramos todos los zapatos, dispersos a lo largo de unos cuantos metros a la redonda, también los de Emilio. Están bastante maltrechos, medio rotos y agujereados, pero por suerte todavía se pueden usar. Contentos, nos sentamos en la vía y nos calzamos.

—¡Ay, qué gusto, volver a llevar algo en los pies —dice Jaz—. Tenía las plantas a punto de desintegrarse.

—Sí, ahora lo tenemos más fácil —Fernando saca el barro de los zapatos de Emilio, ata los cordones de ambos y se los cuelga al cuello—, pero debemos continuar. No pasó mucho rato entre que tiraron los zapatos y a Emilio, el lugar donde lo arrojaron tiene que estar muy cerca de aquí, a partir de ahora buscaremos bajo las piedras, una a una.

Encontrar los zapatos nos ha dado ánimos. Mientras tanto ha salido el sol y sus primeros rayos cálidos nos devuelven las ganas de vivir. Y Fernando tiene razón: no podemos estar muy lejos del lugar donde arrojaron a Emilio del tren. Nos levantamos y volvemos a inspeccionar la zona con un afán renovado.

Andamos unas cuantas horas, llamando a voces y peinando cada centímetro cerca de la vía, para encontrar, si no a Emilio, al menos algún indicio suyo y saber si todavía está vivo o qué le ha podido ocurrir. Casi es mediodía y me encuentro, de repente, otra vez ante la zarza donde fui a parar la noche anterior y de donde me liberó Jaz. Subo al terraplén, veo a los otros algo más atrás y los llamo:

—¡Alto! ¡Es inútil!

Fernando, que iba justo detrás de mí, levanta la cabeza.

—¿Cómo? ¿Qué pasa?

—Mira a tu alrededor: este es el lugar donde nos hicieron saltar del tren, hace rato que hemos pasado por donde debería estar Emilio.

Fernando se pone de pie, se mesa los cabellos, duda, hasta que parece que también lo ve claro. Sube despacio hasta donde estoy yo, al momento llegan también Jaz y Ángel. Desconcertados y agotados nos dejamos caer sobre la vía.

—Ni rastro —murmura Fernando—, ni una maldita pista en todo el camino, ¿cómo es posible?

—Yo tampoco lo entiendo —dice Jaz—, pero pensad un poco: al fin y al cabo no es ninguna mala señal, ¿no?

Fernando tiene la mirada fija, parece que ni la ha oído.

—Tenemos que volver atrás.

—No, lo hemos rastreado todo —replica Jaz—. Si Emilio no hubiera sobrevivido al batacazo o hubiera quedado malherido en algún lado, lo hubiésemos encontrado. Pero no ha sido así. Por lo tanto, habrá conseguido hacer el esfuerzo y esta es la prueba de que todavía está vivo, ¿no creéis?

Fernando lanza una mirada funesta a Jaz y refunfuña:

—A no ser que alguien lo haya encontrado antes que nosotros...

—Venga ya, ¿quién lo ha podido encontrar en este lugar? ¡Aquí no hay nadie!

Fernando duda. Se queda pensativo mirando la vía, en la dirección de dónde hemos venido. Cuando se vuelve a girar hacia nosotros, ya no tiene el rostro tan sombrío, parece que ha recuperado un poco la esperanza.

—Créeme, aquí pueden pasar muchas cosas —dice a Jaz—, pero, de acuerdo, supongamos que tienes razón y que Emilio lo ha podido superar. Aún así está herido, puedes estar segura, con un batacazo así no puede ser de otro modo. Seguramente se ha roto algo, al principio debió de quedarse inconsciente, si no, nos habría oído cuando ayer noche lo buscábamos. Pero no lo podemos saber... quizás se ha despertado en cualquier otro momento.

—Sí, podría ser. Intentemos ponernos en su piel. Está herido, está oscuro, va atado, completamente sucio y está solo. Pero ha sobrevivido y se puede mover aunque con dificultad. Y ahora viene la pregunta del millón: ¿qué ha podido hacer?

—Ha intentado andar siguiendo la vía —propongo lo primero que me pasa por la cabeza—, detrás del tren, porque tiene la esperanza de encontrarnos.

—Sí, podría ser. Pero también pudo intentar encontrar ayuda. Incluso aquí, en estas montañas inhóspitas, debe vivir gente en alguna parte.

Fernando da vueltas sobre sí mismo.

—No creo que haya ido detrás del tren —dice, mirando los zapatos de Emilio que todavía lleva colgados al cuello—, no es una persona que se haga ilusiones donde no puede haberlas. ¿Cómo podía pensar que aquellos animales nos dejarían marchar? No lo habría sospechado nadie. No, Emilio no es un visionario. Seguro que ha pensado: si todavía están vivos, ya se encuentran más allá de las montañas y seguramente no los volveré a ver nunca más.

Parece lógico. Un razonamiento así sería propio de Emilio. Desde que lo conozco, nunca ha hecho planes, simplemente ha aceptado las cosas tal como venían. ¿Por qué tendría que ser diferente, ahora?

—Muy bien —digo yo—, supongamos que Jaz tiene razón y Emilio ha ido a buscar ayuda. ¿Hacia dónde ha podido ir?

—A la casa de algún campesino —interviene Ángel.

—¿Y por qué allí?

—Bueno, porque es en quienes más confía.

Jaz se ríe.

—¡Podría ser! Aquella pequeña granja que hemos pasado parecía hecha a la medida de Emilio. Tengo el presentimiento de que ha ido hacia ahí.

Fernando se levanta.

—Manos a la obra pues, ¡el día todavía es largo! Le encontraremos... ¡Aunque tengamos que recorrer todas las granjas de México una a una!

Nos hemos pasado todo el día yendo por las granjas que hay cerca de la línea del tren, pero nadie ha visto a Emilio ni ha oído nada. La mayoría no quiere hablar con nosotros, a pesar de que siempre nos hemos acercado con los brazos en alto y proclamando que íbamos con buenas intenciones. Pero cuando nos han visto con los andrajos que llevamos, nos han echado de sus tierras, uno incluso nos ha soltado a los perros. La gente de montaña es desconfiada.

Hemos hecho un último intento, antes de que oscureciera, en una pequeña granja que se veía a lo lejos, unos kilómetros más allá. Nos hemos dirigido hacia allí y por el camino Ángel ha visto un rastro: un reguero de gotas de sangre secas que conducen exactamente hacia la granja.

—¡Ay! —se lamenta Jaz mientras nos acercamos a la casa—. No sé... si el rastro fuese de Emilio, lo tendríamos que haber encontrado también cerca de la vía.

—No, allí todo era pedregoso —dice Fernando.

—¡Pero al menos las gotas de sangre!

—Quizás se ha herido los pies caminando descalzo hacia aquí, o quizás no hemos sabido ver el rastro en la vía, ¡al fin y al cabo no somos rastreadores profesionales!

La pista conduce directamente a una valla que rodea la granja. Saltamos al otro lado y nos quedamos agachados, por precaución. Por este lado también continúan las manchas de sangre y siguen hasta un pajar que tenemos delante.

Fernando nos advierte poniéndose el índice en los labios. Nos mantenemos escondidos un momento, hasta que nos colamos en el pajar, abrimos el portón y entramos. Dentro huele a alfalfa fresca y a madera húmeda. Está oscuro y me cuesta un poco acostumbrarme, pero pronto distingo las vigas que aguantan el techo y el altillo, encima nuestro, donde se seca la hierba, y a donde se puede subir por una escalera.

Mientras Jaz, Ángel y yo todavía estamos mirando, Fernando sube y desaparece en el altillo. Oímos como busca durante un rato, hasta que saca la cabeza por el final de la escalera.

—Aquí se ha tumbado alguien y hay manchas de sangre por todas partes.

—¿De Emilio? —pregunta Jaz.

—No lo sé, no hay nada más, podrían ser de cualquiera.

Jaz va hacia la escalera y se sienta en el escalón más bajo.

—Pero podría ser él, ¿no? ¿Os lo podéis imaginar? —levanta la cabeza y me mira—. Pudo sobrevivir arrastrándose lejos de la vía. En algún momento debió de ver la granja a la luz de la luna, se pudo colar en el pajar y echarse sobre la hierba seca porque aquí no hace tanto frío. Quizás con la esperanza de que, al día siguiente, la gente de la casa le ayudaría.

—Sí, es posible —dice Fernando sentándose y dejando caer las piernas por el borde del altillo—, pero me pregunto una cosa: el rastro de sangre entra en el pajar... pero no sale.

—Quizás se ha podido proteger los pies de algún modo —deduce Jaz—, o han parado de sangrar por la noche. Eso es lo de menos.

—Como siempre —dice Fernando poniendo los pies en la escalera—, solo lo sabremos si preguntamos. ¡Cuidado que bajo!

Jaz se levanta y Fernando acaba de bajar del altillo. Una vez en el suelo se mesa los cabellos y se sacude la paja de la ropa, entonces se acerca a nosotros.

—Me parece que sería mejor que no fuéramos juntos. Si no, volverán a desconfiar y nos echarán a la calle antes de poder averiguar nada —nos mira pensativo y finalmente se fija en Ángel—. ¿Qué te parece si lo intentas tú? Contigo seguro que no tienen ningún...

No acaba la frase, porque de repente se abre el portón del pajar provocando un chirrido estruendoso. La luz de fuera penetra en el edificio y a continuación aparece un hombre. No lo puedo ver demasiado bien, solo veo que lleva un arma y nos apunta.

Oigo ladrar a un perro y al instante se nos echa encima. Su ladrido hace temblar las paredes.

El susto me ha dejado de piedra, tengo los dedos paralizados y soy incapaz de moverme. Solo consigo dar unos pasos atrás hasta que toco una viga con la espalda.

—¿Quién sois? —pregunta el hombre. Casi no le entiendo porque el perro hace un ruido infernal—. ¿Y qué hacéis aquí?

Al principio nadie se atreve a responder, pero Fernando da un paso al frente.

—Buscamos a una persona.

El hombre duda, entonces hace chasquear la lengua para que el perro deje de ladrar.

—¿Y quién es?

—Nuestro amigo Emilio —explica Jaz—. Unos ladrones lo tiraron del tren, ¡le tenemos que encontrar!

Al oír esto, el hombre baja el fusil y se acerca a nosotros. Ahora le puedo ver mejor, es bastante mayor y va muy encorvado, no parece especialmente amenazante, más bien es como si tuviera tanto miedo de nosotros como nosotros de él.

—Basta, Carlito —le dice al perro y después vuelve a dirigirse a nosotros—. No os toméis a mal que os haya tratado como si fuerais delincuentes, pero he pensado que quizás erais de la pandilla de ladrones que le hicieron daño a vuestro amigo.

Pasa un rato hasta que capto lo que ha dicho e inmediatamente lo tengo claro: ¡conoce a Emilio, le ha visto, incluso ha hablado con él!

—Esto quiere decir que... ¿ha estado aquí? —pregunta Jaz antes de que lo pueda hacer yo.

—Sí.

—¡O sea que el rastro de sangre es suyo! —dice Fernando—. ¿Cómo está? ¿Está muy malherido?

—Bueno, no tenía muy buen aspecto, ya os lo podéis imaginar. Iba lleno de rasguños y tenía heridas por todo el cuerpo, pero sobre todo tenía los pies echados a perder. No tenía nada roto, al menos a simple vista. Es un chico fuerte, lo superará. No tenía nada que no se pudiera curar en unas pocas semanas.

Sin podernos reprimir empezamos a asediar al hombre con preguntas sobre qué sucedió la última noche, qué le explicó Emilio y, sobre todo, dónde le podemos encontrar. Levanta las manos para pedirnos calma, después va hacia la puerta del pajar, mira un momento afuera y luego la cierra.

—No hagáis ruido por favor —nos pide y nos mira casi suplicando—, mi mujer no sabe nada. Y es mejor que sea así, es un poco miedosa, ¿sabéis?

Se acerca al perro, que mientras tanto se ha echado, pero todavía nos mira desconfiado, y lo acaricia para tranquilizarlo. Después apoya el arma en la pared y vuelve hacia nosotros.

—A ver, yo os explico la historia de ayer por la noche, pero me tenéis que prometer que después os iréis. Hacedme caso, es mejor para todos.

—No teníamos previsto quedarnos aquí —dice Fernando—, todo lo que queremos es encontrar a Emilio.

—Bien, pues entonces escuchad. Era pasada la medianoche, me desperté porque oí un ruido en el patio y por la ventana vi que vuestro amigo entraba en el pajar. Dejé que mi mujer siguiera durmiendo y fui a ver qué pasaba. Lo encontré tumbado en la paja, gimiendo. Pronto me di cuenta de que no había nada que temer.

—¿Y le ayudó? —pregunta Jaz.

—Le propuse llevarlo al médico, pero no quiso, por eso le curé las heridas lo mejor que pude. Le di una manta y unos zapatos, unos de mi hijo, ya no los necesita porque ahora vive en la ciudad. Dejé que vuestro amigo durmiera aquí y le pedí que por la mañana se marchara, lo más temprano posible para que mi mujer no le viera y se asustara. Veo que ha mantenido su palabra porque hoy, cuando he venido, ya no estaba.

Fernando golpea nervioso con los dedos contra una viga.

—Muy bien, ¿pero hacia dónde ha ido?

—Esto no me lo dijo. Lo siento, pero... en realidad no hablaba mucho.

Miro a los demás, parecen un poco desconcertados. Por un lado es un alivio enorme saber que está vivo y que no está herido de gravedad, que ha superado la noche y sobre todo que está bien, aunque herido, pero por otro lado había empezado a tener esperanzas de que estaría aquí, en la casa, o al menos cerca, y que le volveríamos a ver pronto. Ahora no sé si tengo que estar triste o contento.

Pero antes de que alguien pueda decir o hacer algo, de repente se vuelve a abrir la puerta del pajar. Esta vez no hace un chirrido ruidoso, como antes, sino que se abre con cuidado y muy sigilosamente. Una mujer nos mira por la rendija.

—¿Quiénes son, Antonio? —pregunta.

El hombre se le acerca y se sitúa entre nosotros y ella.

—No pasa nada, María, vuelve a casa y no te preocupes, solo son gente del tren.

La mujer duda un momento y entonces abre completamente el portón, aparta al hombre hacia un lado y nos mira bien.

—¡Por Dios! —exclama—. ¡Dios mío, si solo son unos críos!

Se vuelve hacia su marido y lo mira con reproche:

—¿Es que no tienes ojos en la cara, Antonio? ¿No ves que tienen hambre? ¡Llévalos a casa!

—Creo que no tienen tiempo —dice titubeante—, ya se van.

—¡Ay, qué barbaridad, míralos bien! —la mujer nos hace un gesto con la cabeza y mueve la mano para darnos la orden—. ¡No hay excusas que valgan, venid conmigo a casa! —sin esperarnos, sale al patio.

Nos quedamos sin saber qué hacer. El hombre piensa un rato y después suspira.

—De acuerdo, quizás tenga razón. Quizás no sea del todo correcto dejaros marchar así, sin más —baja el tono de voz—, pero, por el amor de Dios, prometedme una cosa: no digáis nada a mi mujer de vuestro amigo, bajo ningún concepto, ni de su accidente. ¡Pase lo que pase, es un secreto!

El techo bajo, las paredes ennegrecidas por el humo, las ollas mugrientas, las imágenes de santos encima de la puerta, la madera del suelo que cruje, las hierbas en la estantería encima de los fogones... todo me resulta familiar. Todo es como antaño, solo tengo que cerrar los ojos para revivirlo. Vuelvo a estar en la pequeña casa del pueblo donde nací. Además, el olor aromático, de florido, caliente, el aroma a montaña y a fuego, a madera y a pan, me penetra en los ojos hasta que me los humedece.

Me gusta la mujer. Cuando habla no tienes la sensación de que en realidad esté pensando otra cosa, encaja perfectamente con el diminuto espacio de paredes oscuras. Los ojos delatan lo que piensa, lo muestra, no puede ser de otra manera. En cierto modo ella y la casa son exactamente lo contrario al mundo de los trenes y de todo lo que hemos vivido allá.

Estamos en la cocina, sentados alrededor de la mesa comiendo lo que la mujer nos ha preparado después de abandonar el pajar. Nos ha hecho judías con carne y chili con mucha cebolla y pan caliente de maíz para acompañar. Estamos muertos de hambre, nos zampamos todo lo que nos pone en el plato y al final rebañamos con el pan los restos minúsculos que quedan, hasta que los platos acaban tan relucientes que parece que los hayamos lamido.

Y entonces llega el momento en que Ángel se va de lengua. No hemos hablado mucho mientras comíamos. El hombre se ha sentado con nosotros pero se ha mantenido en silencio, como temiendo que alguno de nosotros fuera un bocazas. La mujer ha estado todo el rato yendo y viniendo de la mesa al fogón, pero ahora ya puede descansar y también se ha sentado. Nos ha preguntado qué hacemos en este lugar perdido, porque no hay ninguna estación cerca y estamos bastante lejos de la línea del tren.

—Buscamos a un amigo —balbucea Ángel con la boca llena y volviendo a morder el pan.

Jaz le da un codazo, para avisarle, pero es demasiado tarde, porque ya lo ha dicho.

—¿Qué amigo? —quiere saber la mujer.

Ángel deja de masticar y se pone rojo.

—He dicho que usted es como un amigo —intenta salvar la situación.

La mujer frunce el ceño.

—Escucha, chico, ya no tengo muy buena vista, pero el oído me funciona perfectamente. Has dicho que buscáis a un amigo. A ver: ¿a quién te referías?

Ángel mira fijamente el suelo y guarda silencio, los demás tampoco decimos nada. Jaz juega con los pies debajo de la mesa y Fernando se empieza a hurgar nervioso los dientes.

—¡Antonio! —exclama la mujer dirigiéndose al marido—. ¿Qué significa esto?

El hombre disimula durante un rato, pero no sirve de nada. Finalmente no le queda más remedio que reconocer que buscamos a un chico que la noche anterior había dormido en el pajar.

—Le llevé algo de comer y de beber, y una manta. No te has despertado y he pensado que era mejor no decirte nada, porque no quiero que te asustes.

La mujer lo mira incrédula.

—¿Por qué tendría que tener miedo de un chico que necesita nuestra ayuda? ¿Me escondes algo más, Antonio?

—No, no te escondo nada, puedes estar tranquila. El chico iba algo herido y no quería que lo vieras, eso es todo.

La mujer le lanza una mirada pensativa y después se gira hacia nosotros.

—¿Qué le pasó a vuestro amigo? Tú, Fernando, te llamas así, ¿no? Eres el mayor de todos, ¡cuéntamelo!

Fernando para de hurgarse la boca, se incorpora a la mesa, mira primero a la mujer, después al marido y así sucesivamente y empieza a explicar. Lo relata todo, desde el momento en que el viejo nos lanzó la bolsa mientras estábamos en el techo del tren hasta que nos han encontrado en el pajar. No omite nada, como si no pudiera detenerse, una vez ha empezado.

Mientras habla, la mujer ha ido experimentando un cambio extraño. La puedo observar bien porque se encuentra delante de mí. Primero ha dejado de sonreír. Tiene una cara amable con unos ojos oscuros y cálidos, pero la alegría le ha ido desapareciendo del rostro. Poco a poco se ha ido hundiendo y finalmente, cuando Fernando habla de la noche fría y del rastro de sangre de Emilio, le empiezan a caer las lágrimas. Se acaba echando las manos a la cara y se pone a llorar, sentada en la silla.

Al principio no sé qué pensar. ¿Por qué le afecta tanto, la historia? Sí, ya hemos visto que tiene buen corazón y entiende nuestros sufrimientos, pero no puede ser solo eso.

—Nuestro hijo, sabéis... —interviene el hombre, que también se ha quedado triste al cabo de un rato—, os he dicho que se fue a la ciudad, pero eso solo es cierto a medias. Se marchó como vosotros, hacia el norte, a buscarse la vida allá arriba.

—Creía que solo lo hacía la gente de mi país —dice Jaz.

—No, también pasa en México. Es una vida miserable, la de aquí en la montaña, muchos no ven ningún futuro. Nuestro chico, algo mayor que vosotros, no quería continuar aquí y ya hace un mes que se marchó. Nos dio señales de vida un par o tres de veces la primera semana, pero desde entonces no hemos sabido nada más de él. Subió al tren, como vosotros... y ahora estamos terriblemente preocupados —para y suspira—, sobre todo mi mujer. Por eso no quería que saliera el tema.

—Pero... nosotros hemos tenido mala suerte, simplemente —se apresura a decir Jaz—, es lo peor que hemos sufrido hasta ahora, con diferencia, a la mayoría no les ha pasado nunca nada parecido.

La mujer aparta las manos de la cara y niega con la cabeza.

—Eres muy amable, intentando tranquilizarnos. Pero solo tengo que miraros a los ojos para saber las cosas terribles que habéis vivido. No las podéis disimular, sobre todo tú, el pequeño. Y... tú tampoco —dice mirando a Fernando.

Saca un pañuelo del delantal y se seca las lágrimas.

—Va, comed más —señala la olla de las judías—, no quiero que sobre nada.

Nos miramos, nadie quiere ser el primero. Con el ambiente triste que se ha creado, no nos parece muy apropiado seguir llenando el estómago.

Al ver que no nos atrevemos, la mujer coloca la olla en medio de la mesa.

—Hacedme el favor, os lo pido, quiero estar segura de que lo hemos hecho todo por vosotros. Si Dios existe en alguna parte y nos está viendo, espero que también procure que haya alguien allá fuera que haga todo lo que pueda por nuestro chico.

Esto es diferente. No es que no tengamos más hambre, al contrario. Incluso si estuviéramos hartos, siempre va bien comer un poco más. Seguro que no tardaremos mucho en volver a pasar penas y entonces nos alegraremos por todo lo que hemos comido aquí. De modo que nos lanzamos sobre la olla y nos acabamos la comida.

Una vez hemos terminado, Fernando saca los zapatos de Emilio de debajo de la silla. Durante todo el tiempo que lo hemos estado buscando, los ha llevado siempre colgados del cuello, incluso cuando estábamos en el pajar, y no se los ha sacado hasta que nos hemos sentado a la mesa. Ahora se los quiere dar.

—¡Tomen! Son de Emilio, pero ahora ya tiene y no los necesita. Así recordarán siempre que han hecho lo que han podido.

El hombre duda un poco, después sonríe y toma los zapatos.

—¿Sabéis qué? No os tenéis que preocupar por vuestro amigo. Creo que ahora estará mejor. Y no quiero decir con esto que yo le haya curado las heridas. Ahora sabe a dónde pertenece.

—¿Por qué dice eso? —le pregunta Fernando.

—Bueno, no hablamos mucho, ya os lo he dicho, pero se lo vi en los ojos. Creo que volverá a su país, es lo mejor para él. Parecía alguien que había aprendido la lección, no sé cómo explicarlo, solo es un presentimiento.

Fernando fija la mirada al frente, pensativo, después sacude la cabeza, lentamente. ¿Quizás piensa que el hombre acierta en su presentimiento? Yo todavía espero que Emilio continúe el viaje y que nos volvamos a encontrar. Pero también sé, muy en el fondo de mi corazón, que probablemente el hombre lleva razón.

Afuera hace rato que ha oscurecido. El hombre nos ofrece quedarnos a pasar la noche, así mañana estaremos descansados, podremos volver a la línea del ferrocarril y continuar el trayecto.

—Si queréis podéis dormir aquí, no tenemos mucho espacio, pero si os apretáis, cabréis.

Me parece una propuesta sensata, pero Fernando hace que no con la cabeza.

—Los demás pueden hacer lo que quieran, yo dormiré en el pajar, donde lo hizo Emilio.

La mujer se inclina y lo toma del brazo.

—Ese Emilio... era buen amigo tuyo, ¿no es cierto?

Fernando se amilana. Aparta el brazo y frunce el ceño, con rabia. Después vuelve a relajar el rostro, pero veo que está afectado. Se queda quieto un buen rato y de repente arrastra la silla hacia atrás, se levanta y se va hacia la puerta. Está a punto de salir, pero se detiene en el umbral, se vuelve y dice:

—Sí, Emilio era mi amigo. Pero nunca me di cuenta de ello.

Algo más tarde estamos todos acostados en el pajar. La idea de dormir en la casa junto al fuego era tentadora pero hemos visto que Fernando llevaba razón. Emilio no está, quizás no lo volvamos a ver nunca más y este lugar, al menos, nos recuerda un poco a él.

El hombre y la mujer nos han dado unas mantas y también una nota con la dirección y el nombre de su hijo. Nos han pedido que si nos enteramos de algo sobre él, les escribamos. Se lo hemos prometido, aunque sabemos que no tiene ningún sentido. El país es demasiado grande, no averiguaremos nunca nada, del hijo, pero nos han ayudado tanto que no les queremos hacer perder la esperanza.

Estamos tumbados envueltos con las mantas. Jaz y Ángel ya duermen, lo sé por su respirar profundo. Tengo a Fernando en el lado opuesto, no le puedo ver porque está oscuro como una boca de lobo, pero siento que todavía está despierto y que le da vueltas a la cabeza.

—Eh, Fernando —susurro hacia donde sé que se encuentra.

Oigo que la paja se remueve, seguramente ha levantado la cabeza, pero no me responde.

—¿Te acuerdas de la noche del cementerio, en Tapachula?

Continúa sin decir nada, pero sé que me escucha.

—Cuando me desperté, por la mañana, al amanecer, tú no estabas, ¿te acuerdas? Fuiste a buscar algo para comer, pero yo no lo sabía. No sabía dónde estabas y de repente tuve miedo. Pensé que te habías marchado sin nosotros, porque te poníamos nervioso.

Siento crujir de nuevo la paja, como si se hubiera incorporado y se aguantara sobre los codos.

—¿Pensaste eso, de verdad?

—Sí.

—¡Vaya! —suelta una carcajada—. A veces tienes ideas muy extrañas. Pero... no ibas muy desencaminado. Todavía no me conocías, ¿por qué tenías que confiar en mí?

—Bueno, Emilio tampoco te conocía, aún así, confiaba en ti.

—¿Cómo lo sabes?

—Lo dijo.

—¿Dijo que confiaba en mí?

—Sí. Yo dije a los otros lo que pensaba: que tal vez no volverías. Jaz y Ángel se quedaron de piedra. En cambio Emilio no dudó ni un segundo de ti. «Fernando se queda con nosotros», dijo, «podéis confiar en él».

Se produce un largo silencio, después oigo como Fernando se vuelve a echar.

—¿Por qué me explicas esto?

—No lo sé. Pensaba en Emilio y me ha venido a la cabeza. Es muy propio de él, ¿no te parece?

Fernando emite un suspiro. Oigo un ruido y cuando vuelve a hablar, su voz me suena más cercana, como si estuviera a mi lado.

—¿Dónde crees que puede estar, ahora? —me pregunta.

—¡Daría lo que fuera por saberlo! Cuando antes aquí en el pajar el viejo nos hablaba de él, todavía tenía esperanzas de que continuara hacia el norte y nos volviéramos a encontrar, como muy tarde, en la frontera. Pero ahora creo que el hombre tiene razón, se ha ido con su gente, porque ha visto que es donde debe estar.

—Sí, yo también lo pienso. Y seguramente él también ha estado reflexionando mucho.

—¿Recuerdas también lo que nos explicó en Ixtepec junto al calor del fuego, cuando dormimos en aquella ruina?

—Allí habló bastante. Seguramente más que en toda su vida.

—Sí, pero... me refiero a aquello que dijo de las guerrillas.

—Ah, sí, que primero no sabía si ir hacia el norte o hacia las montañas.

—Exacto. He pensado precisamente en esto: quizás ahora se lo ha pensado mejor y se va a las montañas.

Fernando duda. Entonces siento su mano palpándome y posándose sobre mi hombro.

—En eso podrías tener razón —comenta, y casi suena como si hubiera encontrado la solución al enigma sobre el cual hubiera estado meditando eternamente—. ¡Claro! Esta es la razón por la cual no nos ha seguido. Se ha dado cuenta de que tiene que hacer lo que quería hacer desde el principio. ¿Y sabes qué es lo primero que hará cuando llegue a casa y se una a los rebeldes? Irá a la plantación donde trabajó y se vengará de aquel... espera, ¿cómo dijo?

—Hacendado, creo.

—Eso. De él y de sus hijos. Se vengará por cada maldita llaga que tenía en las piernas, de forma que no lo olvidarán durante el resto de su vida. Será también como el examen de admisión a la guerrilla, donde pertenece realmente.

—Sí, y tal como lo conozco, seguro que pronto será uno de los cabecillas.

—¡De eso puedes estar seguro, y no solo uno, será el principal cabecilla! ¿Y sabes cómo será entonces?

—No, ¿cómo?

—Reservado. Reservado, decidido e insobornable. Cada día dirá como mucho tres palabras. Algo como: «¡Que lo cuelguen!» o «¡Quemadlo todo!» o bien «¡Liberad a los prisioneros!». Y eso tendrá más trascendencia que una hora de discurso de cualquier político de mierda. Pronto todo el mundo hablará de él, saldrá en la tele y en los periódicos, lo veremos en carteles en las paredes de las calles. Y podremos decir que le conocimos.

No necesito ver el rostro de Fernando para saber que le ha cambiado el humor. Hace unos minutos estaba completamente hundido, ahora es como si le hubieran sacado un gran peso de encima. Estamos tumbados y seguimos magnificando nuestra historia.

—Y algún día —dice finalmente Fernando, cuando ya se nos han acabado las ideas—, algún día la gente dirá que todo empezó en las montañas de México. Sobre un tren, en medio de la noche, cuando Emilio se convirtió definitivamente en el que tenía que ser más tarde. «Hoy y aquí», dirán..., «aquí empezó todo».

El mundo exterior se reduce a dos círculos. Dos círculos pequeños completamente iluminados al final de la oscuridad. Uno a mi derecha, el otro al otro lado, detrás de Jaz, Ángel y Fernando. Al final de los círculos hay claridad, aquí dentro está oscuro y silencioso. Pero da gusto estar en medio de la oscuridad, es sinónimo de protección. Afuera, en la luz, acecha el peligro.

Hemos necesitado dos días para llegar desde las montañas hasta aquí. Volvimos a subir al tren más o menos donde habíamos encontrado los zapatos, pero el trayecto ha sido duro. El primer día aún estuvo bien, pero el segundo nos volvió a atormentar el hambre. Intentamos cazar algún animal, pero no tenemos tanta destreza como Emilio. Entonces empezamos a pedir limosna en los pueblos por donde pasábamos. Suerte tuvimos de Ángel, que sabe cómo funciona de su época de niño de la calle. Pronto nos dimos cuenta de que era mejor si lo dejábamos solo, porque tiene el aspecto ideal para enternecer a la gente.

El segundo día al atardecer hemos dejado las montañas atrás y hemos llegado cerca de la capital. La podemos ver a nuestra izquierda: una muchedumbre infinita de casas bajo una neblina donde sobresalen campanarios y rascacielos. Por suerte no la hemos cruzado, sino que hemos pasado de largo a una distancia prudencial, resiguiendo fábricas y zonas comerciales. Al atardecer hemos llegado a Lechería, la estación de mercancías más grande del país, gracias a la cual —como dice Fernando—, se mantiene viva la monstruosa ciudad.

Como está muy vigilada, hemos saltado antes, la hemos rodeado a pie y nos hemos escondido en un pequeño terreno de la parte norte, donde hemos encontrado unas conducciones de desagües viejos. Nos hemos arrastrado hacia el interior y hemos pasado la noche aquí. Ahora amanece y los primeros rayos de luz penetran por las oberturas de los tubos, a ambos lados.

—¿Hay algo para comer? —pregunta Fernando apenas se despierta. Se estira y se queja, el tubo es tan estrecho que hemos tenido que dormir encogidos, a mí también me duelen todos los huesos.

Jaz coge la bolsa de las provisiones.

—No tenemos gran cosa: unas tortillas y cuatro plátanos —dice y nos lo reparte.

Mientras comemos, oímos voces afuera. Ayer noche ya me pareció que no estábamos solos. Algunos tubos estaban ocupados y en la oscuridad se veían siluetas tumbadas o agachadas por todas partes.

—Parece muy solicitado este lugar —observo.

Fernando golpea el tubo y se produce un sonido metálico.

—Los trenes que van hasta la frontera salen de Lechería, donde se encuentran todos los que han conseguido llegar hasta aquí, al lado norte de las vías, bastante lejos para que nadie los vea desde la estación, pero tampoco demasiado, porque si no, los trenes pasan muy deprisa. Hay tres o cuatro puntos buenos, este es uno de ellos. Vamos, tenemos que salir e inspeccionar la zona.

Nos arrastramos para salir. Ayer, cuando llegamos, ya era de noche, por eso hasta ahora no había visto dónde hemos ido a parar. Se levantan fábricas por todos lados, son cubos grises con chimeneas que sacan humo y lo esparcen como si hubiera un incendio. Alrededor hay casas torcidas con tantas antenas en los tejados que parece una selva. Y por el medio pasa la línea del tren, con cuatro o cinco vías. El terraplén es como un vertedero, está rodeado de neumáticos viejos, zapatos echados a perder y muebles rotos.

El terreno donde estamos tiene acceso directo a la vía. Al fondo hay unas vacas que pacen la poca hierba que crece, parecen completamente perdidas en este lugar. La gente de los trenes acampa encima de los tubos o entre ellos, algunos acaban de salir ahora mismo, como nosotros. Hacía tiempo que no veía a tanta gente como nosotros reunida, al menos desde Chiapas. ¡Cómo han cambiado! Allí todavía tenían las fuerzas y las esperanzas intactas. Aquí han adelgazado, tienen bolsas negras bajo los ojos y algunos tiemblan o hablan con la voz tan ronca que casi no se los entiende. Es evidente que nosotros tampoco tenemos un aspecto mejor, pero hemos estado juntos cada día, aunque eso pase desapercibido.

Pronto nos llega el traqueteo de un tren por las vías en dirección norte. Hace un ruido infernal. Es enorme, parece no tener fin, pasa una eternidad hasta que se acaba.

—¿Y ahora qué? —pregunta Jaz mientras contemplamos como desaparecen los últimos vagones entre las fábricas—. ¿Cómo continuaremos a partir de ahora?

—Bueno, el problema es que no hay solo un camino hacia el norte —responde Fernando—. Antes la mayoría iba por la ruta de Tijuana, hacia el oeste, hacia la frontera con California, pero desde que han construido un muro, por ahí no consigue pasar ni una hormiga. Por eso muchos lo prueban por Nogales, más al este, es más fácil, pero al otro lado está el desierto y dicen que allí muchos mueren miserablemente, de sed. Por lo tanto, es mejor ir hacia Río Bravo, allí tendremos más posibilidades.

—Es un río enorme, ¿verdad? —pregunta Jaz—. ¿Y hacia qué ciudad vamos?

—Las más grandes son Ciudad Juárez y Nuevo Laredo. Muchos confían ciegamente en Ciudad Juárez, pero si queréis mi opinión, Nuevo Laredo es mejor. El camino es más corto, se accede más fácilmente al río y además... bien, todavía tengo alguna cuenta pendiente por ahí.

—¿Qué tipo de cuenta?

—¡Ay, Jaz, deja de preguntar! —dice Fernando de mal humor haciendo un gesto de rechazo con la mano—. Te lo explicaré cuando estemos.

—Pero lo quiero saber ahora, no tengo ganas de ir a un lugar solo porque tú tengas ahí una cuenta pendiente.

Fernando protesta.

—Hazme caso, ¿de acuerdo? Nuevo Laredo es mejor para nosotros, el resto es mi problema y, además, es demasiado pronto para decidir. Primero tenemos que llegar.

—¿Y cómo lo haremos? —intervengo, antes de que se peleen—. ¿Cómo sabremos cuál es el tren que va en esa dirección?

—Ese es precisamente el problema —dice Fernando—, nadie lo sabe con certeza. De Lechería salen todos los trenes que van hacia el norte, pero hacia qué ciudad, no lo pone en ninguna parte.

Mientras estamos todavía de pie, confusos y mirando las vías, de repente oímos una risa detrás de nosotros. Me vuelvo y veo a un hombre apoyado en el tubo donde hemos dormido. No debe de hacer mucho que está, pero seguro que ha estado escuchando nuestra conversación.

—¡Ay, los trenes malos! —exclama y vuelve a reír. Tiene un agujero entre los dientes de delante que llama la atención y los ojos pequeños y rojos, que recuerdan un poco los de un conejo—. ¿Por qué no dicen, hacia dónde van? ¡Suban al tren, señoras y señores pasajeros ilegales, les llevaré hacia... Nuevo Laredo! Debería estar escrito en cada vagón, ¿no os parece? Y lo mejor sería con las letras luminosas, para que también se pudieran leer de noche.

Fernando lo mira de mala manera, me parece que no encuentra sus ocurrencias especialmente graciosas.

—¿Quieres algo? ¡Si no, lárgate!

El hombre hace ver que no lo ha oído. Nos mira uno a uno y después señala a Jaz.

—¿Cómo le has llamado? ¿Jaz? Es un nombre extraño para un chico, ¿no?

—¡No te importa una mierda! —le dice Fernando—. ¡Cuídate de tus asuntos!

—He observado —le dice el hombre a Jaz, como si Fernando no existiera—, el modo cómo has salido del tubo y te has desperezado. ¿Tú no eres un chico, verdad? Diría que eres un jodido mariquita o bien lo que a mí me parece es que, en realidad, eres una chica. Y, si no me equivoco, la única aquí, en muchos metros a la redonda.

Fernando se planta ante él.

—¡Lárgate! —le increpa—. ¡Piérdete! ¡Y rápido!

El hombre sonríe.

—¿Y si no lo hago?

—¡Entonces te sacaré la mierda de tu morro de conejo de un puñetazo!

—Bien, parece que te crees muy fuerte —el hombre gira la cabeza despreocupado y escupe por el agujero de los dientes—, pero es mejor que te calmes. Si es chico o chica, no me interesa. Mira, te propongo un trato para hacer las paces: os diré cuál es el tren de Nuevo Laredo.

Fernando lo mira con desconfianza.

—¿Y cómo lo harás? ¿Eres vidente o algo así?

—No, solo mantengo los ojos abiertos. Tú también lo deberías probar, vale la pena. Entonces te llamaría la atención que los vagones aquí a menudo llevan los nombres de las empresas, algunas de las cuales solo hacen envíos a Tijuana, otras solo a Nogales y otras a Nuevo Laredo. Si las conoces, puedes saber hacia dónde va el tren. ¡Así de fácil!

Fernando no dice nada. Parece que le ha picado el orgullo porque lo ha tratado como a un niño.

—Venga, hombre, no me mires tan mal —dice el hombre, riendo, y se gira hacia nosotros—. ¿Sois nuevos aquí, no es cierto? Bien, entonces escuchad bien lo que os diré. Tenéis que procurar subir a un tren que os lleve lo más lejos posible.

Como aquí en el norte las vías son mejores que en el sur, los trenes van más rápidos, por eso no os será fácil saltar y volver a subir. Lo mejor es que toméis uno que llegue hasta la frontera y ya no lo dejéis.

Mientras está hablando, Fernando se aparta y se va hacia un lado, fingiendo que todo aquello no le interesa, pero veo que sigue escuchando. Lo que nos explica el hombre suena bastante lógico.

—¿Y cómo es el techo de los vagones, aquí? —le pregunto—. ¿Cuáles son los mejores?

—Ah, buena pregunta, eso también es diferente que en el sur. No subáis, bajo ningún concepto, arriba, al techo. Sobre la línea a menudo hay cables de alta tensión que pueden ser mortales, aunque no los toquéis, solo por el hecho de ir debajo. Además, la compañía ferroviaria tiene contratado un servicio privado de guardias de seguridad para controlar los trenes. Por lo tanto, lo mejor es que os metáis dentro de los vagones, que tienen unas grandes puertas correderas a los lados y las cerréis. Si tenéis suerte, iréis hasta la frontera de un tirón.

Nos da unos cuantos consejos más y nos deja, entonces se va hacia otro grupo unos metros más allá, para hablar con ellos. Estamos agachados a la sombra entre los tubos y esperando que los trenes abandonen la estación. Cada vez que oímos uno, estamos a punto para saltar, pero el hombre no nos da nunca la señal que hemos acordado. Mira un momento arriba, observa el tren y nos hace que no con la mano, mientras en el mismo momento se dirige a otro grupo diferente.

Estamos así hasta mediodía. Finalmente llega la hora. De nuevo se oye el traqueteo de un convoy entre las fábricas y ahora sí nos da la señal deseada. Con los dos brazos y con el índice señala hacia la vía. Rápidamente echamos a correr, pero no solo nosotros sino prácticamente todos los que nos encontramos en el lugar. Parece que no somos los únicos que queremos ir a Nuevo Laredo.

El tren es infinitamente largo, de modo que hay bastante lugar para todos. Nos fijamos en cómo lo hacen los otros para abrir los vagones y subir. No parece demasiado difícil, en esta zona industrial el tren va tan lento que puedes ir andando tranquilamente a su lado. Nos toca a nosotros. Fernando y Ángel eligen un vagón, Jaz y yo optamos por el de atrás.

Hemos acordado que subiremos al mejor de los dos. Mientras Jaz va en paralelo subo al estribo desde donde puedo alcanzar al pestillo de la puerta corredera y empujarlo hacia abajo: como si fuera a cámara lenta, la pesada puerta se abre hacia un lado. Dentro hay cajas amontonadas hasta el techo y no queda ni un milímetro de espacio. Mientras todavía lo estoy examinando decepcionado, oigo que Fernando nos llama desde el de delante, nos hace gestos, parece que Ángel y él han tenido más suerte.

—Venga, vamos al de delante, Jaz —le digo y empieza a correr a toda prisa. Salto y corro detrás de ella. Cuando llego al vagón de delante, Fernando y Ángel la ayudan a subir y después hacen lo mismo conmigo.

El vagón va cargado de sacos de cemento. En algunos lugares están muy apilados, en otros están amontonados de cualquier modo, como si los trabajadores hubieran perdido las ganas o no hubieran tenido más tiempo para colocarlos. Junto a la puerta hay bastante espacio para podernos sentar todos.

—¡Eh, tráeme un saco! —me pide Fernando—. Tengo que bloquear la puerta.

—Pero... pensaba... —me viene a la cabeza lo que nos ha aconsejado el hombre.

—¡Calla y haz lo que te digo!

Me levanto de un salto y cargo uno que pesa de lo lindo. Lo arrastro hasta Fernando, que está de pie ante la puerta y vigila que no se cierre. Agarra el saco, bloquea la puerta y se deja caer al suelo con un suspiro de satisfacción.

—Pero... ¿no nos ha dicho el hombre que cerráramos la puerta porque así no nos verían los vigilantes?

Fernando hace un gesto despectivo.

—La puerta no se debe cerrar nunca, es lo peor que puedes hacer. Si se cierra, no la puedes abrir desde fuera y todavía menos desde dentro.

—O sea, ¿estaríamos atrapados?

—Iríamos como corderos al matadero y si hubiera una batida estaríamos perdidos. Además, cuando más adelante atravesemos el desierto hará tanto calor que sin un poco de aire sería insoportable. Nos moriríamos de sed, aquí dentro.

—¿Pero entonces, por qué lo ha dicho, el hombre? —pregunta Jaz.

—Porque solo era un estúpido sabelotodo —responde Fernando—. Lo de los nombres de las empresas en los vagones lo sabía, de acuerdo, lo debía de haber visto en alguna parte, pero aparte de eso, no tenía ni idea, os lo digo yo.

Ahora se nota que el tren va cada vez más deprisa. Va atravesando la zona industrial, por la rendija que deja el saco de cemento se ven pasar fábricas y almacenes, con una confusa red de cables eléctricos por encima, hasta que los límites de la ciudad van quedando atrás. El tren vuelve a acelerar, ahora va demasiado deprisa para que alguien pueda subir.

Fernando se ha quedado sentado junto a la puerta para vigilar que el saco no caiga o resbale hacia un lado. Me siento a su lado, y de paso tengo una buena vista hacia fuera. Estiramos las piernas y usamos los sacos para apoyar la espalda. Muy cómodo no es, pero en cualquier caso aquí el mal tiempo no nos afecta ni podemos caer del tren ni recibir el azote de alguna rama... y esto es, en buena medida, tranquilizador.

El tren toma una amplia curva. Fernando saca la cabeza y mira hacia todas partes.

—Ni un vigilante a la vista —dice cuando vuelve a entrar—, y el techo también parece vacío, lo cual es bueno ya que aumenta las posibilidades de que no nos paren.

—Seguramente el hombre ha avisado a todos que no suban arriba —supone Jaz—. Por cierto: ¿alguien le ha visto? ¿Está aquí en el tren?

Me encojo de hombros: no me he vuelto a fijar en él, solo tenía ojos para los vagones y las puertas. Los demás tampoco saben qué ha sido de él.

—Da igual —dice Fernando—, en cualquier caso parece que todos le han hecho caso, las puertas están casi todas cerradas. Espero que la gente tenga agua suficiente, si no será muy duro despertarse... si es que lo hacen.

Jaz echa un vistazo a la bolsa de las provisiones, después me mira y sonríe débilmente. No nos queda nada de comer pero al menos tenemos dos botellas de plástico grandes llenas de agua. Las consiguió Ángel y desde entonces las vamos rellenando en fuentes o pozos que encontramos por el camino. Si la racionamos, quizás nos llegará para un día y una noche.

El tren va echando humo, mientras atravesamos un inmenso paisaje ondulado con campos de maíz y vacas. Los jinetes de los prados parecen vaqueros de películas del oeste y de vez en cuando aparecen cactus de formas fantásticas y pueblos blancos. Intentamos calcular a qué velocidad vamos y cuánto debe quedar hasta llegar a la frontera, pero no nos ponemos de acuerdo.

Así van pasando las horas. Dos veces nos hemos llevado un buen susto, porque Fernando había visto vigilantes debajo de un árbol y en ambos casos inmediatamente ha metido para adentro el saco que bloqueaba la puerta y la ha cerrado de forma que solo con la mano aseguraba una rendija abierta. Al cabo de un rato, cuando hemos estado seguros de que no había vigilantes a la vista, la ha vuelto a abrir.

Ahora empieza a oscurecer. Mientras atravesamos campos y campos, tengo la sensación de que aquí el crepúsculo dura mucho más que en el sur. Para matar el tiempo y olvidar el hambre, hablamos de cualquier cosa, de lo que nos pasa por la cabeza. Sobre Emilio y los campesinos, el párroco, la frontera, cada cual explica alguna vivencia del viaje como si los otros no supieran de qué habla. Yo recuerdo al hombre del tren que me dijo que nos volveríamos a ver y que él siempre pagaba sus deudas.

Ha anochecido y en el cielo brillan las estrellas, nos gustaría saltar, buscar un campo, mejor si fuera de maíz, como uno que hemos visto en la última puesta de sol, para llenar el estómago y dormir tranquilamente entre la cosecha mientras el aire nos acaricia, susurrando entre las hojas. Pero el tren va demasiado deprisa y además no podemos olvidar lo que nos ha dicho el hombre de Lechería: aquí en el norte no es fácil volver a subir.

—Imaginaos que los sacos son almohadas —dice Fernando—, no son grises sino estampados de colores bonitos y que dentro no hay cemento sino delicadas plumas, sería como dormir en una cama con dosel.

—¡Sí, y antes de dormirnos hacemos una guerra de cojines —añade Jaz—, me gustaría ver quién sobrevive!

Nos instalamos tan bien como podemos, pero nos parece demasiado arriesgado dormir todos a la vez. El vagón va y viene a menudo y traquetea y si alguien no vigila continuamente corremos el peligro de que el saco que bloquea la puerta caiga hacia fuera y al final quedemos atrapados. De modo que decidimos hacer turnos de guardia.

Sorteamos el orden y me toca a mí el primero. Mientras todos se echan a dormir, monto guardia junto a la puerta y además, por seguridad, la bloqueo con el pie. Durante un rato me entretengo abriéndola de una fuerte patada y esperando que vaya regresando, despacio. Pero entonces Jaz se queja, porque con el ruido es imposible dormir, de modo que lo dejo correr.

En el exterior está oscuro como la boca de un lobo, no se distingue nada. El viento me viene a la cara y de vez en cuando siento pasar los palos de telégrafo, torres de electricidad o qué sé yo. A parte de eso solo se oye el traqueteo monótono de las ruedas, de vez en cuando los ronquidos de Ángel y nada más.

A veces se ven pasar las luces de un pueblo en la lejanía o una pequeña ciudad. Intento retenerlos tanto rato como puedo, hasta que los pierdo de vista, hasta que me pesan los ojos y ya no los puedo mantener abiertos.

Estoy sentado en la ventana mirando afuera. El camino es solitario, solo se ven las nubes de polvo que levanta el viento. No aparece nada de lo que espero —su figura, sus ojos, su sonrisa, su voz—. Ni mi amigo, el viento, me trae nada de eso. No puedo contar ni con él.

Me siento a menudo aquí, cada día. Desde que se marchó, ahora hace unos meses. Me siento y me imagino que, de repente, vuelve a estar aquí, que sube por el camino, me abraza y me explica que todo ha sido un error. Un error enorme y triste.

Lo último que recuerdo es la expresión de su cara cuando se fue, cuando se despidió de Juana y de mí. Tenía lágrimas en los ojos. Como siempre que estaba triste y no quería que lo notara, me hizo mil advertencias: que cuidara de Juana, que fuera a la iglesia, que no hiciese enfadar al tío y la tía...

«Tienes que tener paciencia y esperar», me dijo. «Si haces esto, todo irá bien. Cuando me instale, os vendré a buscar, es lo primero que haré». Y entonces se fue. Al día siguiente me senté aquí a mirar por la ventana, y desde entonces lo hago cada día.

Al cabo de unas semanas, la primera carta. «He llegado al norte. Estoy bien, he encontrado trabajo de niñera en casa de una gente rica. Son buena gente, pronto podré venir a buscaros. Por tu aniversario, Miguel, cuando tengas nueve años volveremos a estar juntos».

El día de mi cumpleaños llegó un paquete con una chaqueta cara y unas zapatillas de deporte, las que siempre había deseado. Fui la envidia de mis amigos. También había una felicitación, pero ni una palabra que explicara por qué no cumplía con lo prometido. Al día siguiente tiré la chaqueta y las zapatillas.

Y el dinero. Se acabó la época del vertedero. También la de los pies fríos que teníamos que calentar encima de neumáticos de coches humeantes. Ya no nos teníamos que pelear con cornejas ni águilas, ni teníamos el estómago vacío. Está bien, tener dinero, pero no explica cuentos al atardecer, ni responde cuando se le pregunta, ni tampoco consuela en la oscuridad.

Hace unos días, por primera vez, no pude recordar su cara. Al menos de una manera exacta. Intenté retenerla, pero se me desdibujó como cuando cae una gota en una imagen reflejada en el agua. Me dio miedo.

Por eso estoy aquí sentado mirando afuera cada día, preguntándome si pudo haber otro motivo por el cual decidió marcharse, si todo fueron excusas o si al final el motivo fui yo. Pero no se me ocurre qué pude haber hecho, qué hice mal.

¿Por qué dejó de quererme? ¿Qué valgo, si ella ya no me quiere? No me lo puedo sacar de la cabeza.

La bestia golpea el tambor. Tiene los ojos ardientes, redondos y rojos, y me miran fijamente. Viene directa hacia mí y a cada paso hace repicar las baquetas. El ritmo es monótono e implacable, no cambia y cada golpe es más fuerte que el anterior.

Al final el ruido resulta tan insoportable que me despierta. La bestia que iba golpeando el tambor es el tren que avanza estrepitosamente sobre las vías, justo debajo de mí siento el traqueteo de las ruedas y de repente, el susto me llega al cuerpo. He ido resbalando hacia fuera del vagón y ¡casi me caigo!

Me sujeto enseguida, me arrastro hacia adentro y con las piernas me doy impulso tan lejos de la puerta como puedo. En cuanto consigo retirarme a seguro, veo que la puerta corredera se cierra. Ahora lo entiendo: se ha caído el saco con el que la habíamos bloqueado y por eso casi me resbalo del vagón.

Doy un salto e intento volverla a abrir, pero ya es demasiado tarde. Se acaba de cerrar de golpe, estrepitosamente, y ahora el ruido del tren se oye como un eco lejano. ¡Nos hemos quedado atrapados!

Golpeo furioso contra la puerta y me maldigo a mí mismo. ¿Cómo he podido ser tan estúpido de dormirme estando de guardia? Y ahora, ¿cómo se lo digo a los demás?

No hay nada que hacer, de modo que me acerco a Fernando, le toco la espalda y le despierto.

—¿Qué pasa? —murmura medio dormido—. ¿Tengo guardia?

—No, ya no hay guardia que valga.

—¿Cómo? —se incorpora y me aparta hacia un lado, salta hacia la puerta para inspeccionarla de arriba a abajo—. Maldita sea, ¿cómo te ha podido ocurrir?

—No lo sé, estaba medio...

—¡Maldita puerta! —ahora la golpea exactamente como he hecho yo—. Si le hubiera ocurrido a otro, mira, tendría un pase, pero a ti... pensaba que...

No acaba la frase. Me duele más que si hubiera dicho el insulto más desagradable del mundo. Parece que hasta ahora creía que se podía confiar en mí, pero se ha ido todo a pique, he metido la pata hasta el fondo. Y su opinión para mí es la que más cuenta, exceptuando la de Jaz, claro.

Mientras tanto los demás se han ido despertando y han visto lo que ha pasado. Hemos examinado todos los ángulos de la puerta con la esperanza de encontrar escondida en algún sitio la posibilidad de abrir desde dentro, sin ningún resultado, como es lógico. Es como si la puerta estuviera soldada, imposible moverla ni un milímetro.

—Esto hubiera ocurrido en un momento u otro —dice Jaz cuando ya hemos renunciado a abrir y estamos sentados en un rincón, a ver si se nos ocurre algo—, ahora solo podemos esperar, pero... ¿a qué?

—No tengo ni idea —responde Fernando—, o llegamos así, a ciegas, hasta la frontera, o nos van a parar antes. En el primer caso, cuando pasemos por el desierto será más que insoportable, en el segundo quizás nos descubran. No tengo ni idea de lo que es peor.

Seguimos sentados esperando, de dormir ya ni nos acordamos. Dentro del vagón estamos completamente a oscuras y esto no nos anima mucho. Nadie dice nada. Cuanto más dura el silencio, más incómodo me encuentro, pues hace que me sienta culpable porque no he vigilado lo suficiente.

No sé cuanto rato llevamos así, pero de repente el tren va más lento. El vagón da un tirón y a continuación un ¡bum! nos asusta: un saco de cemento ha resbalado del montón y ha caído al suelo. El tren vuelve a frenar y finalmente se para. A través de la puerta nos llegan voces imprecisas, alguien da órdenes que no entiendo. Oímos abrir y cerrar de puertas, gritos y de repente un disparo.

El ruido se acerca, hay alguien merodeando por fuera. Se abre la puerta y entra una luz que nos deslumbra, se va moviendo por encima de la carga hasta que enfoca el rincón donde estamos acurrucados, oímos unos gritos que nos obligan a salir. Estoy tan impresionado que obedezco sin pensar. La luz me ha ofuscado la vista y al bajar pierdo el equilibrio, resbalo y me caigo. Alguien reniega y me levanta de un tirón, al instante me sujeta las muñecas con algo frío y metálico.

Ahora me doy cuenta de que el tren ha parado en mitad del trayecto y a lo largo de la vía hay vehículos todoterreno enfocando hacia el tren. Todos los vagones están abiertos y conducen a la gente hacia los coches, como un rebaño de corderos.

A mí también me dan un empujón por la espalda para que avance, los demás están algo más adelante. Muy lejos, casi no se distingue, cerca de la cabeza del tren, hay alguien de rodillas, debe ser el maquinista. Uno de los hombres que han parado el tren lo amenaza con un arma. Qué hacen con él, ya no puedo verlo, he recorrido el camino y nos obligan a subir a la parte trasera de un todoterreno. Dos hombres también suben, nos fuerzan a ponernos en cuclillas, cierran el capó de golpe y arrancan el coche.

Viajamos amontonados. Justo a mi lado tengo a Jaz, detrás están Ángel y Fernando, en cuclillas. El coche se pone en marcha, toma una curva y luego acelera. En cuanto me atrevo, levanto la cabeza para ver a los individuos que nos acaban de secuestrar. No son polis, es evidente, ni tampoco son de la Migra. Llevan uniformes negros de combate y la cara pintada de negro. No sé quiénes son, pero tienen un aspecto muy peligroso.

Miro de reojo a los demás, encogidos en el suelo del todoterreno. La mayoría ha puesto la cabeza sobre las rodillas y tiene la mirada fija, nadie se mueve ni dice nada. Fernando está en el rincón, parece pálido. Tan pálido como nunca le había visto antes.

Viajamos más de una hora en la oscuridad hasta que el vehículo se para y nos obligan a bajar. Nos conducen hasta una casa, completamente abandonada en medio de la selva, parece un rancho. Cuando estoy delante me da la sensación de que aquí no hay ni un alma en muchos kilómetros a la redonda.

Aparte del coche donde hemos viajado, han ido llegando otros más y también se han parado delante de la casa. A la luz de los faros reconozco al hombre con cara de conejo que vino a hablar con nosotros en Lechería. Uno de los uniformados de aspecto más siniestro le entrega un fajo de billetes y desaparece en la oscuridad.

Vamos hasta la puerta de la casa y nos empujan adentro. Una escalera baja hacia el sótano, apesta a moho y a humedad, a sudor y a algo más que no identifico. Nos conducen por un pasadizo hasta que llegamos delante de una puerta de acero.

Un hombre abre y nos empuja hacia dentro, una auténtica mazmorra: una sala vacía solo con una triste bombilla colgando del techo y unos tubos a lo largo de las paredes, en los cuales descubro a gente atada, una docena de personas o más. Están sentados en el suelo con posturas extrañas, pues deben mantener los brazos estirados hacia arriba porque tienen las muñecas encadenadas a los tubos. Nada más verlos se me corta la respiración. La mayoría están completamente famélicos, tienen señales de puñetazos o de patadas en la cara, algunos tienen un aspecto más de muertos que de vivos.

Nos obligan a sentarnos al lado de una pared donde quedan sitios libres. Un hombre me abre las esposas, las sujeta a uno de los tubos de la pared y vuelve a cerrarlas. Hace lo mismo con Jaz, Ángel y Fernando, todo en el silencio más absoluto, tan solo resuena el clic de las esposas y el eco de los tubos. Después desaparecen, cierran la puerta metálica y pasan la llave. Durante un rato seguimos oyendo el ruido de pasos, abrir y cerrar de puertas hasta que finalmente todo queda en silencio.

Algunos de los que ya estaban aquí atados, han levantado la cabeza cuando hemos entrado. También han salido de un tren, se les ve en la cara, pero son algo mayores que nosotros. Después de habernos examinado, han vuelto a bajar la cabeza. Hay otros que ni tan solo han mirado, se han dado cuenta pero se han quedado indiferentes.

A mi lado está Fernando, inmóvil. Sigo atento a lo que ocurre afuera, hasta que parece que no queda nadie y entonces me inclino hacia él.

—Fernando, ¿qué ha pasado?

Gira lentamente la cabeza hacia mí y murmura:

—Lo peor que nos podía pasar. La poli, ladrones, la Migra... todo hubiera sido mejor que esto.

—¿Por qué? ¿Quiénes son estos tipos?

—¿A ti qué te parece? *Zetas,* quien quieres que sean...

—¿Te refieres a... los narcos? Esa...

Iba a decir banda de asesinos, pero me callo. El pánico no me deja articular palabra. En mi país, aunque México esté bastante lejos, todo el mundo ha oído hablar de los *zetas*. De todos los indeseables que tratan con drogas, estos son los peores, no les asusta nada ni nadie.

—Pero... ¿para qué nos quieren? ¡No tenemos ninguna relación con las drogas!

Fernando suelta un gemido y se incorpora un poco. La cadena de las esposas se desliza por el tubo.

—La vez que conseguí llegar hasta la frontera, alguien me explicó que los *zetas* no solo están implicados en el negocio de la droga, sino que sus tentáculos llegan a todas partes. A todas partes de donde puedan sacar dinero, también en los trenes. Hasta hoy había pensado que solo era un rumor, pero... maldita sea, por lo que parece es verdad.

—Sin embargo, ¿cómo piensan sacar dinero de nosotros? ¡Si no tenemos!

—Esta gente es más maquiavélica de lo que puedas imaginar —replica Fernando—, porque no se conforman con el dinero que puedas llevar encima, quieren extorsionar, cobrar rescates. Primero tendremos que darles los números de teléfono de nuestros familiares, sobre todo de aquellos que dependan de nosotros. Entonces les llaman y les amenazan diciendo que nos van a matar si no les mandan un montón de pasta.

—Pero, ¿de dónde va a salir el dinero? —susurra Jaz, sentada al otro lado de Fernando y que, por lo que parece, lo ha oído todo. Se inclina hacia adelante, tanto como le permiten las cadenas—, no conocemos a nadie que pueda conseguir mucho dinero, ¿verdad? Al menos yo, no. Y vosotros seguramente tampoco.

—Maldita sea, eso no les importa —dice Fernando dando golpes, furioso, contra el tubo al que estamos atados—, no habéis entendido de qué va. Si se paga o no, a ellos les importa una mierda. Aunque alguien lo hiciera, no podremos salir nunca de este agujero. ¿O creéis que van a dejar que alguien les delate?

—Pero... eso significaría que no tenemos ninguna oportunidad de salir vivos de aquí, ¡tanto da lo que digamos! —exclama Jaz con la voz entrecortada.

Fernando no responde, al menos de momento. Mira hacia delante apretando los dientes.

—Vete a saber, quizás sí... no podemos utilizar las manos, pero sí la cabeza. Lo más seguro es que vuelvan pronto y nos acosen con preguntas. Entonces hay que poder ofrecer algo, tienen que creer que pueden sacar algo de nosotros, mientras lo crean, nos dejarán vivir. Y mientras sigamos vivos tendremos tiempo para pensar. No tengo ni idea de qué, pero de momento... es todo lo que podemos hacer.

—No sé si sabré colarles alguna historia —dice Jaz—, estoy muerta de miedo.

—Es normal. Quien no tenga miedo aquí, o es Superman o es idiota, pero tienes que conseguirlo... y lo vas a hacer. Todos vamos a conseguirlo —Fernando se mueve hacia delante y mira a Ángel, que está detrás de Jaz—, tú también, ¿me has oído?

Ángel, que atado al tubo tiene que estar de pie porque el culo no le llega al suelo, se queja.

—Me pican las muñecas —solo sabe decir. No sé por qué, pero me da la sensación de que no ha entendido qué está pasando.

—¡Ángel! —repite Fernando—. ¿Has oído lo que he dicho?

—Sí. Ya sé qué voy a hacer: les hablaré de Santiago y de su banda, así tendrán miedo.

—¡Oh no, chaval! —Fernando pone los ojos en blanco—. Esto no lo hagas, ¡sería lo peor! Esos tipos no van a tener miedo porque tú les amenaces con tu hermano mayor.

—Pues entonces, ¿qué les digo?

—Di que tu hermano está en Los Ángeles y que gana un montón de dinero. Y que te quiere y por eso hará lo que haga falta por ti. Con eso ya basta, ¿de acuerdo?

Continuamos sentados con los pensamientos más funestos en la cabeza. Miro a mi alrededor y pienso desesperadamente qué posibilidad hay de huir de este sótano. Pero el tubo donde estamos atados es demasiado estable y aunque consiguiéramos desprendernos de él, está la puerta de acero y arriba, en la casa, los hombres armados: es imposible.

Al cabo de un rato se abre la puerta y entran dos *zetas*. Miran primero alrededor y luego se dirigen hacia nosotros. Uno se queda de pie, el otro se agacha delante de mí y se queda mirándome. En seguida bajo la mirada, me da miedo y algo me dice que es mejor no llevarle la contraria.

Continúa mirándome fijamente, mi corazón palpita a mil por hora. En la sala hay un silencio absoluto y su mirada asesina me vuelve medio loco. ¿Por qué no dice nada? A lo mejor... ¿quiere que empiece yo?

—Espero... —finalmente oigo su voz, suena bastante enfadada—, pero no estaré así mucho tiempo.

—Mi... mi madre —me apresuro a decir—, le puedo dar el número de mi madre, vive en Los Ángeles y me está esperando. Hace... hace mucho tiempo que no nos vemos.

En realidad había preparado otra historia, pero no he sabido hacer otra cosa que balbucear. Levanto un momento la cabeza y me está mirando, burlón.

—Eso significa que te está echando mucho de menos.

—Sí, sí... creo que sí. Lo daría todo por volver a verme. Quiero decir que... no gana mucho, trabaja de niñera, pero ella...

Antes de que pueda continuar hablando, me golpea. No es una simple bofetada, me ha dado un puñetazo en la cara, tan rápido que no me he podido apartar. Me explota un dolor de cabeza como si me hubieran estallado dentro unos fuegos artificiales, todo me da vueltas.

—Eso nos lo va a explicar ella —oigo la voz como si estuviera muy lejos, como si hubiera una cortina entre él y yo—, dame su número.

—No... no lo sé de memoria, lo llevo...

Me vuelve a pegar. Esta vez doy con la cabeza contra la pared y por un momento lo veo todo negro, me silban los oídos, es insoportable.

—... en la planta del pie —consigo decir.

Me arranca los zapatos y los tira a un lado. Después de mirar un momento el tatuaje, me mira y sonríe.

—Qué lástima, hoy no es tu día, chico. No llevo nada para escribir —de pronto saca un cuchillo—, tendré que recortar el número.

El pánico me recorre el cuerpo como una descarga eléctrica. Pero antes de que pueda hacer realidad su propósito, el tipo que ha estado todo el rato detrás de él, le empuja a un lado y le dice:

—Ve a por el siguiente —saca una libreta del bolsillo y apunta el número.

—¿Tu nombre?

—Miguel.

Vuelve a guardar la libreta.

—Hasta ahora has cometido dos errores, amigo. No habrá un tercero.

Dicho esto, se da la vuelta. Fernando es el siguiente, no puedo ver muy bien qué hacen con él porque trabajo tengo conmigo mismo. Me explota la cabeza y me duele como si me hubieran dado con un martillo. Tan solo apoyándome contra la pared empiezo a encontrarme mejor, poco a poco. Además, me sangra la nariz. Como con las manos no llego a la cara, lamo la sangre con la lengua. Al notar el sabor descubro de qué era el mal olor que me ha llamado la atención cuando nos han traído: huele a sudor... y a sangre.

Los demás tampoco escapan de los golpes, ni Ángel. Por lo que parece, da igual lo que digas, pegan siempre. Seguramente para desmoralizar a la gente y extenuarla, para intimidarla y hacer que no tengan pensamientos inútiles.

Por fin se han ido. Y por suerte se han tragado las historias que hemos contado, parecían satisfechos. Ahora tenemos una tregua, pero, ¿hasta cuándo? ¿Y qué ocurrirá después? Intento no pensar en ello. Intento no pensar en nada.

Nos acercamos todo lo que podemos. Nuestras caras tienen un aspecto horrible. Jaz y Ángel no han recibido tantos golpes como Fernando y yo, pero lo que tienen también es grave. Sobre todo Jaz. Viendo cómo le baja la sangre por la cara, casi se me parte el corazón.

Estamos los cuatro así sentados y no puedo evitar acordarme de Emilio. Qué bien que al menos no tenga que sufrir esto, me pasa por la cabeza. Qué bien que haya entendido a qué país pertenece y que haya vuelto atrás. Quizás deberíamos haber hecho todos lo mismo, hace tiempo.

—No puede ser —dice Ángel—, no puedo, Fernando, me duele un montón.

—Vaya, qué tontería, si casi ya sale, ya lo tienes, vamos, ¡esfuérzate!

Ángel aprieta los dientes y vuelve a intentarlo. Gime, las muecas le desfiguran la cara y le sangra la muñeca, pero no puede sacarla. Al final deja de intentarlo y baja la cabeza.

—No puede ser —repite—, de ninguna manera, no puedo.

Llevamos una noche, un día y otra media noche encadenados en esta mazmorra. La primera noche estábamos tan desesperados que nadie pudo cerrar el ojo. A mí me ardía la cara por los golpes como si tuviera fuego, tenía un hambre de indigente y lo peor de todo era el miedo terrible y la incertidumbre de lo que nos podía ocurrir.

Al día siguiente entraron en el sótano los dos *zetas* que nos habían interrogado la tarde anterior. Nos desataron, uno detrás de otro y nos apalearon, a la vista de todos los demás. Luego nos volvieron a encadenar y nos obligaron a grabar diciendo que estábamos secuestrados y que nos iban a matar si en los próximos días no se pagaba el rescate.

Después se fueron, pero por lo que parece no quedaron satisfechos con lo que habíamos grabado porque al cabo de unas horas volvieron y tuvimos que empezar de nuevo. Esta vez las palizas fueron peores y cuando volvieron a atarnos a la pared nos chillaron a la cara y amenazaron con matarnos si no obedecíamos. Cuando hubieron conseguido que nuestro miedo fuera absoluto, volvieron a grabar. La segunda vez debimos acertar con el tono, porque entonces sí que nos dejaron en paz.

Lo peor fue lo que ocurrió por la tarde. Dos *zetas* que no habíamos visto nunca entraron en la sala y se llevaron a uno de los prisioneros. No habían pagado por él, dijeron, y no se iba a pagar nada. Se lo llevaron, su última mirada hacia nosotros no la olvidaré nunca. A través de la puerta pudimos oír sus ruegos, súplicas y llantos, después un disparo. Luego todo quedó en silencio.

Esto se repitió hasta tres veces. Entre tanto, espera, ansiedad, temor y al final solo miedo. Nos han dado comida y bebida dos veces, pero tan escaso que después hemos tenido más hambre que si no nos hubieran dado nada. Hace unas horas que finalmente vuelve a ser de noche. Continuamos atados a los tubos, con la luz fría de la bombilla encima, nos sentimos tan desgraciados y estamos tan desesperados como nunca nos hubiéramos podido imaginar.

Estoy mirando cómo Ángel hace fuerza para desprenderse de las esposas. Primero no le había dado importancia, pero después me he dado cuenta de que a lo mejor, como tiene las manos pequeñas, se podría liberar. Ahora estamos sentados y observamos cómo se está torturando, nos estamos volviendo medio locos porque no le podemos ayudar.

—No tiene sentido —dice al final—, si lo vuelvo a intentar, me romperé la mano.

—¿Y qué? ¡Se curará! —salta Fernando—. Qué prefieres: ¿estirar la mano o estirar la pata?

—Ay, Fernando, déjate de frases graciosas, no ayudan en nada —dice Jaz y luego se acerca a Ángel—. Mira, eres el único que lo puede conseguir. *Tienes* que volver a intentarlo, ¿de acuerdo?, si no, moriremos aquí.

Ángel cierra los ojos y baja la cabeza. Se está un rato así, sin moverse, luego respira profundamente y hace fuerza, de un tirón, contra las esposas. No soporto mirarle y vuelvo la cabeza hacia otro lado. Se hace eterno, oírle gemir y quejarse... hasta que de repente, un terrible ¡crac! y el ruido de la cadena deslizándose por el tubo.

Cuando vuelvo a mirarle está retorciéndose por el suelo, todo el cuerpo le tiembla de dolor, pero ¡ha conseguido liberarse! No puedo ver exactamente qué le ha pasado en la mano, está de espaldas y la tiene sujeta por delante.

—¡Ángel! —grita Jaz moviéndose como si quisiera arrastrarse hacia él, pero las cadenas la retienen—. ¿Qué te pasa?

Ángel ha dejado de gemir, se incorpora con dificultad y se da la vuelta. Ahora solo le cuelgan las esposas de la mano derecha, la izquierda ha quedado libre, pero con un aspecto espantoso, lleno de sangre y a punto de perder los nervios. Va hacia Jaz y empieza a sacudir la cadena con la mano derecha.

—No te esfuerces, Ángel —dice Fernando—, así no podrás, tienes que salir a pedir socorro, es la única posibilidad que tenemos.

Ángel duda un momento, va hacia la puerta, intenta abrirla pero está cerrada, como era de esperar.

—Chico, por ahí no —dice de repente uno de los que también está atrapado, sentado al lado de la puerta y que hacía tanto tiempo que no se movía que pensaba que ya estaba en el otro mundo—, está cerrada como si fuera de cemento y detrás te espera la muerte —señala encima nuestro—, inténtalo por ahí arriba.

Encima de mí y de Fernando, tocando al techo, hay una ventana minúscula que da a una obertura estrecha cerrada con una reja, por donde entra, durante el día, un poco de luz al sótano. No me había fijado, porque es muy pequeña para una persona de tamaño normal, pero el chico de la puerta quizás lleve razón, para Ángel no lo es tanto.

Fernando me da un golpecito con el pie y me señala hacia arriba. Entiendo qué quiere decir e intentamos erguirnos, tanto como nos lo permiten las cadenas.

—Sube aquí encima, Ángel —dice Fernando—, mira si así puedes llegar hasta la ventana.

Ángel obedece: sube sobre nuestras rodillas, trepa sobre nuestros hombros y finalmente se agarra al tubo donde estamos encadenados. Con un esfuerzo más, alcanza el segundo tubo que pasa por encima y así llega a la ventana.

Puede abrirla sin ningún problema, pero ahora viene la parte difícil. Tiene que encaramarse e introducirse en la obertura, que está llena de polvo y arañas, y con una sola mano porque la izquierda la tiene tan herida que no puede hacer fuerza con ella. Después de unos intentos lo consigue, entra en el agujero apartando los bichos y levanta la reja, continúa hacia arriba y grita algo con una voz apagada que no llego a entender... hasta que desaparece.

—Que tengas suerte, chico —murmura Fernando desplomándose en el suelo.

Yo también me dejo caer.

—¿Has entendido qué ha dicho?

—No.

—¿Qué crees que hará?

—Ya ves, ¿qué harías tú? Piernas para qué os quiero, lejos de aquí, tan lejos como pudiera. Y después... ni idea.

—Le has dicho que fuera a buscar ayuda —recuerda Jaz.

—Sí, claro, lo he dicho, pero era más un deseo piadoso. Quiero decir que... ¿a dónde puede ir? ¿A la poli? Ya sabéis cómo funciona. Aquí no hay ayuda posible.

Prestamos oído hacia la obertura, pero no se oye nada, lo cual es, sin embargo, una buena señal, significa que los *zetas* no se han percatado de la fuga de Ángel. Quizás ya esté suficientemente lejos de la casa. Me imagino como debe de estar corriendo de noche por los campos y colinas, con una mano herida y las esposas colgando de la otra, como debe de estar sintiendo la hierba en los pies y el aire en la cara. Un montón de cosas agradables que nosotros quizás no volvamos a experimentar jamás...

Al cabo de unos minutos de que Ángel haya desaparecido, oímos que alguien, de repente, está hurgando en el cerrojo de la puerta. De entrada tengo un susto de muerte, me temo que los *zetas* le hayan descubierto y detenido, y ahora lo devuelvan apaleado y medio inconsciente. Pero entonces se abre la puerta... y es Ángel, que asoma la cabeza.

Fernando se enfada al verle.

—Ya te vale, te he dicho que te fueras —le recrimina en voz baja—, no volverás a tener nunca más la oportunidad —luego se sorprende—, pero..., ¿de dónde has sacado la llave?

Ángel pasa por la puerta entreabierta.

—Estaba colgada aquí al lado. Y esto también —levanta un manojo de llaves.

—¡No me lo puedo creer! Son de las esposas —exclama Fernando—, rápido, ¡tráelas!

Ángel va probando las llaves una detrás de otra, le tiemblan los dedos, hasta que Jaz descubre que llevan unos números grabados que se corresponden con los de las esposas. A partir de aquí vamos deprisa, nos desprendemos enseguida de esas miserables ataduras. Fernando libera al hombre que está al lado de la puerta y le da las llaves para que haga lo mismo con los demás; nosotros, sin perder más tiempo, huimos de esa cueva de la muerte.

Por suerte, los *zetas* no cuentan con que unos secuestrados puedan salir del sótano, porque ni la escalera ni la entrada están vigiladas. Hacen ruido en el piso de arriba de la casa y por eso no nos oyen. Salimos a escondidas y una vez fuera, echamos a correr, tan de prisa como podemos.

No nos preocupa en qué dirección vamos: solo queremos escapar de esa casa maldita, de ese infierno en la tierra.

Huimos a la desesperada. Brillan algunas estrellas pero la noche es oscura, casi no podemos distinguir dónde ponemos los pies. Tropezamos continuamente, caemos en agujeros o nos damos contra vallas, pero no nos detenemos, no paramos de correr hasta que perdemos de vista la casa y la luz que sale del piso superior.

—¡Fernando! —grita Jaz resoplando—. ¡Espera! ¿A dónde vamos?

—¿Cómo quieres que lo sepa? —responde y se para, respirando con dificultad—. No sabemos dónde estamos, pero no podemos parar, cuando los *zetas* se den cuenta de que nos hemos fugado, nos perseguirán como posesos. Cuando amanezca, a más tardar, los tendremos pisándonos los talones, por entonces tenemos que estar tan lejos como sea posible.

—De acuerdo, pero... ¿en qué dirección vamos?

—Da igual —mira alrededor y luego señala hacia unas estrellas que forman un triángulo muy vistoso—, pongámoslas como referencia, así estaremos seguros de que no vamos dando vueltas al mismo sitio.

Volvemos al trote. Fernando va el primero e intenta esquivar madrigueras de conejos y otras trampas, detrás va Ángel con la mano herida delante. De vez en cuando se le escapa algún gemido silencioso, pero aguanta como un valiente. Delante tengo a Jaz, cuando la miro pienso en lo que prometí al padre. Estoy más que contento, que no le haya pasado nada grave, pues habría sido por culpa mía y no me lo habría perdonado nunca.

Ahora avanzamos más despacio, las estrellas nos sirven de guía. A veces el terreno nos obliga a dar una vuelta y a desviarnos, pero no dejamos que transcurra mucho tiempo hasta que volvemos a tener las tres estrellas brillantes delante. Es una zona solitaria, no hay ningún pueblo ni nada semejante. Hemos tardado más de una hora, quizás más, para encontrar una pequeña casa de campo.

Fernando se para.

—Será mejor que pasemos de largo —propone—, lo más lejos posible, para que no nos vea nadie.

—Pero..., ¿no queréis intentar pedir ayuda? —pregunta Jaz—. Alguien tendría que curar la mano de Ángel.

Fernando niega con la cabeza.

—Es demasiado peligroso. No sabemos quién vive ahí, quizás también pertenezcan a los *zetas* o estén conjurados con ellos, o quizás quieran ganar dinero devolviéndonos al rancho.

Jaz suspira.

—Necesitamos comer y beber algo, y alguien que nos diga por dónde pasa el tren.

Ángel también prefiere ir hasta la casa, se le ve débil y agotado. Miro hacia la pequeña granja, rodeada de tranquilidad, en una hondonada bajo las estrellas, sale humo de la chimenea.

—Vayamos, Fernando —propongo—, realmente necesitamos ayuda. Si no, no aguantaremos toda la noche.

Duda, pero se da por vencido.

—De acuerdo, pero mantened los ojos abiertos, preparados por si hay que huir en cualquier momento.

Bajamos hasta la hondonada y nos dirigimos hacia la granja. Todo está tranquilo, mantenemos el corazón en un puño y llamamos a la puerta. No responde nadie. Insistimos, más fuerte. Al cabo de un rato se oyen pasos.

—¿Quién llama? —grita una voz desagradable desde dentro.

—Necesitamos... necesitamos ayuda —dice Jaz, vacilante—, nos han robado.

Primero continúa el silencio, después se oye como alguien mueve el cerrojo. Se abre la puerta y aparece la embocadura de un arma, detrás hay un hombre, viejo y con barba, que nos mira desconfiado afinando la mirada.

—¡Fuera de aquí! —ordena después de habernos examinado un rato, y vuelve a apuntarnos con el fusil—. ¡Lárguense y no vuelvan a aparecer por aquí nunca más!

Nos quedamos sin saber qué hacer. A pesar de los gritos y el arma, el hombre me mira con más miedo que amenazador. Nos apunta a la cabeza, pero el fusil le tiembla.

—Por el amor de Dios, Felipe —de repente se oye otra voz. Una mujer se ha puesto a su lado—, vienen de la casa.

—Ya lo sé, de donde vienen —refunfuña—, por eso tienen que largarse. No quiero problemas con esa gente.

—Pero... ¡si son críos! —exclama la mujer.

—Da igual, si les encuentran aquí nos van a matar a todos... tanto da si son críos como si no —carga el arma—, fuera, ¡lárguense he dicho!

Fernando lo mira a la cara, preocupado. Se da la vuelta, sin decir nada, y empuja a Ángel hacia delante.

Al verlo, la mujer se lleva la mano a la boca.

—Les voy a traer algo de comer —murmura—, y unas vendas —y se mete dentro.

El hombre baja la cabeza, finalmente también baja el arma y la deja apoyada en el marco de la puerta. Casi no se atreve a mirarnos a los ojos.

—¿Por qué lo hacen, esto? —dice con una mirada furtiva—. ¿Por qué no se quedaron allí de donde son? ¿Por qué nos complican la vida?

—No queremos complicar la vida a nadie —responde Fernando—, creo que ya lo sabe.

El hombre mueve los párpados nervioso.

—Este sitio está maldito —susurra—, antes se vivía bien aquí, pero ahora está maldito.

—Solo queremos algo de comer —dice Jaz— y ayuda para Ángel, nada más, nos iremos enseguida.

Sin mirarnos siquiera, retira el arma y se va hacia dentro. Al cabo de poco rato la mujer regresa y le cura la mano a Ángel.

—Está rota, chiquillo, tienes que ir al médico lo más pronto posible.

Le pone una venda y le ata un pañuelo al cuello para que pueda llevar el brazo en cabestrillo y luego le da a Fernando una bolsa con provisiones.

—Ahora márchense, no podemos hacer nada más. Corran, tan rápido y lejos como puedan y no vuelvan jamás por aquí.

Nos despide con un movimiento de cabeza, entra en la casa y se encierra a cal y canto. Al momento la veo que mira por la ventana, con su marido, nos observan desde detrás de una cortina.

—Venga, vámonos, larguémonos de aquí —dice Fernando—, están muertos de miedo.

—Tú también lo estarías en su lugar —replica Jaz—. Imagínate que vivieras aquí, cerca de aquella casa, tuvieras su edad y sin otro sitio adonde ir. También tendrías miedo, cada día, desde la mañana hasta la noche.

Fernando se encoge de hombros.

—Podría ser. En cualquier caso, esto nos va a pasar en todas las granjas de esta zona, o sea que, es mejor que nos vayamos.

Volvemos a caminar y Fernando inspecciona la bolsa que nos han dado. Hay tortillas, mangos, mazorcas y otros víveres que la mujer ha puesto a toda prisa. Le damos la vuelta para vaciarla y luego la tiramos. Da gusto poner algo en el estómago, aunque no sea mucho. Sin esto no hubiéramos aguantado: en mis adentros dirijo un agradecimiento al cielo, por la ayuda de la mujer.

Cuando ya llevamos un rato siguiendo nuestro triángulo de estrellas, amanece por el este. El día va avanzando lentamente, cada minuto que pasa distingo mejor el paisaje que estamos atravesando. La claridad nos hace, de alguna manera, más valientes, caminamos mejor y más seguros, pero también comporta una amenaza: si los *zetas* se despliegan ahora, con la luz del día nos van a encontrar más fácilmente que por la noche.

El sol ya ha salido y vemos otra granja. Volvemos a parar y a pensar qué debemos hacer. Esta vez nos hemos puesto de acuerdo enseguida, tenemos que ir porque al fin y al cabo no podemos estar dando vueltas eternamente por estos parajes. Necesitamos saber dónde estamos y cuál es la mejor manera de volver a encontrar la vía del tren.

La granja es más grande y parece más bien dispuesta que la pequeña del matrimonio mayor, se ve a simple vista. Las construcciones son bastante nuevas y en los campos que la rodean hay unas vacas pastando. Entre la casa y los establos hay un chico, de la edad de Fernando más o menos, talando leña. Cuando nos ve, baja el hacha que tenía por encima de la cabeza y duda. Se la carga al hombro y se dirige hacia nosotros, se queda a unos metros de distancia, nos mira y finalmente se dirige a Fernando.

—Vienen... de la casa, ¿verdad? —habla en voz baja, como si tuviera miedo de que le oyera alguien.

Fernando le mira a la cara, vuelve la cabeza a un lado y escupe.

—¿A ti qué te parece? —responde.

El chico lanza una mirada al cabestrillo de Ángel. Tengo la sensación de que con eso ya tiene suficiente para saber qué nos ha pasado.

—¿Os siguen?

—No —responde Fernando—, aún no. Pero pronto podría ser que sí.

—Pues no nos quedemos aquí fuera, es mejor que entréis en casa.

Pasamos por delante de los establos y al entrar en la casa, el hombre que está sentado en la mesa, rodeado de papeles, levanta la cabeza. Primero nos mira, fijando la vista, después mira al chico y le hace un pequeño gesto en la dirección de donde venimos. El chico se limita a asentir.

—¡Malditos cerdos! —murmura el hombre entre dientes mientras se levanta—. Ramón, prepara el coche —le dice al chico—, carga comida delante y estira el toldo.

Cuando el chico se ha ido, se dirige a nosotros.

—No os podéis quedar aquí, seguramente ya os están buscando. Si os encuentran, nadie de nosotros va a sobrevivir —piensa por un instante—, lo mejor será que os lleve hasta San

Luis Potosí, a la Casa del Migrante, en ese albergue os atenderán y estaréis seguros.

—¿Desde allí podremos volver al tren? —pregunto.

—Sí —responde Fernando, antes de que lo haga el hombre—, así lo haremos. Conozco el albergue, Miguel.

Estamos decididos a marchar, pero a Jaz le entra una duda.

—En la casa —dice en voz baja— aún hay más secuestrados, no deberíamos...

El hombre la interrumpe haciendo un gesto enérgico con la mano.

—No, no podemos hacer nada, en contra de los narcos, nada. Así que, ¡vámonos!

Al salir, vemos que el chico ha cargado y ha puesto a punto una vieja camioneta descubierta. Nos acercamos y el hombre nos indica la parte trasera, la de la carga, tenemos que escondernos debajo del toldo, que ahora está tendido. Al verlo, Fernando duda y mira alrededor, desconfiado.

—¿Qué pasa? ¿Piensas que os voy a devolver? ¿Crees que os llevaré otra vez con esos cerdos a cambio de dinero?

Fernando no responde. Se le acerca y le pone la mano en el hombro.

—¿Crees que seríamos capaces? ¿Mi hijo y yo?

Fernando le mira a los ojos, durante un largo rato, hasta que responde:

—No. Está bien así.

Nos hace una señal con la cabeza y se sube en la parte de la carga. Los demás hacemos lo mismo, nos arrastramos debajo del toldo y nos apretujamos tanto como podemos. Oigo que el hombre sube al coche, arranca y nos ponemos en marcha.

El trayecto tiene muchos baches, vamos por algún camino particular o pista forestal, parece que el vehículo no lleve amortiguadores porque los golpes no paran. Aún me duele todo el cuerpo por culpa de las palizas que he recibido en la mazmorra de los *zetas*, podría chillar de dolor cada vez que pasamos por encima de una piedra o de una raíz. A pesar de todo, estoy muy contento de estar debajo de este toldo y no tener que estar corriendo por fuera, desprotegidos y a la vista de todo el mundo.

El viaje se hace largo. Hasta que el sol no está bien alto y el aire de debajo del toldo se ha vuelto caliente y sofocante, el hombre no para. Entonces baja del coche y viene hacia atrás.

—Ahora ya estamos lo suficientemente lejos —nos dice mientras retira el toldo—, aquí ya no puede pasar nada, pasad delante.

No dejamos que nos lo repita. Bajamos de la parte trasera, subimos a la cabina del conductor y nos sentamos apretándonos unos contra otros. Mientras el hombre conduce, devoramos las provisiones que ha preparado el hijo. No es como ayer por la noche, cuando solo tuvimos cuatro cosas para un hambre terrible. Ahora, por primera vez en muchos días, podemos saciar el apetito.

—Gracias por todo —dice Jaz cuando hemos terminado—, nunca podremos devolverle lo que está haciendo por nosotros.

—No tiene importancia —hace un gesto con la mano—, solo debéis prometerme una cosa. Tanto da con quien habléis: nunca habéis estado en nuestra granja, nunca habéis viajado en este coche y nunca nos conocísteis, ni a mí ni a mi hijo.

Porque si se enteran de que os hemos ayudado quienes no han de saberlo, será fatal.

—Por nuestra parte no lo sabrá nadie —promete Fernando—, puede estar seguro.

—Muy bien, pues. Otra cosa más: no digáis nada en el albergue, ni de la casa ni de los *zetas*. He oído decir que son buena gente y seguro que querrán hacer algo y eso sí que podría tener consecuencias nefastas para ellos, no les déis ideas, ¿entendido?

—Pero entonces... ¿cómo explicaremos quién nos ha traído hasta aquí o cómo se rompió Ángel el brazo? —pregunta Jaz.

—Ya se os ocurrirá algo, sabréis hacerlo. Si no, no hubierais llegado tan lejos.

Al cabo de poco llegamos a San Luis Potosí. Es bastante grande, con fábricas, supermercados, iglesias y todo lo que debe tener una ciudad así. Cruzamos por un barrio periférico y luego se detiene.

—Desde aquí podéis llegar a pie. Vigilad y no caigáis en manos de la policía, se ve a la legua que habéis salido de un tren.

Bajamos y nos despedimos. Quiere darnos más indicaciones sobre cómo llegar al albergue, pero Fernando gesticula y le dice que no hace falta, ya estuvo antes ahí. El hombre asiente con la cabeza, vuelve al coche, se despide y desaparece enseguida detrás de una nube de polvo.

—Espero que no le causemos ninguna desgracia —murmura Jaz, mientras vemos cómo se aleja.

—No, si no decimos ni pío. Ya le has oído —dice Fernando.

Delante, al otro lado de la calle, hay mercado. Hay muchos tenderetes con las cubiertas de color amarillo y rojo, vistas desde aquí parecen un mar de flores. Observo y me pregunto si lo que hemos vivido las dos últimas noches era verdad. Me queda tan lejos como una pesadilla, tan exagerada y terrible que es imposible que tenga relación con el mundo real.

Vuelvo a mirar en la dirección hacia donde se ha ido el hombre. Un todoterreno aparece por la esquina y me atraganto solo con verlo. Delante van unos hombres de cara oscura. Nos ven y se dirigen hacia nosotros, los tengo delante... y se van hacia el mercado. Son campesinos, van cargados con melones y tomates. Y tienen el rostro moreno por culpa del sol.

Un escalofrío me recorre la espalda y me horrorizo.

—Vámonos —digo a los demás—, tenemos que desaparecer de aquí.

Querida Juanita:

Finalmente puedo volver a escribirte, antes, me ha sido imposible. Los últimos días tuvimos que desviarnos del camino y dar una vuelta para volver a encontrar la vía del tren. Por suerte nos ayudaron y ahora ya nos hemos recuperado, yo y también los demás, de quienes te hablé la última vez.

A pesar de eso, hemos llegado al norte, las altas montañas quedaron atrás y estamos muy contentos porque allí a ratos hacía un frío horrible y era realmente difícil soportarlo. Lo conseguimos y ahora ya no estamos tan lejos de la frontera.

La ciudad donde nos encontramos ahora se llama San Luis Potosí. Aquí hay un albergue para gente como nosotros, donde podemos dormir tranquilos durante unas noches y comer decentemente. Incluso nos dan chocolate caliente, ¡tanto cuanto nos apetece! Te aseguro que casi había olvidado qué es dormir en una cama normal y la comida caliente. Como si estuvieras cruzando el desierto, medio muerto de sed y finalmente llegaras a un oasis con agua, sombra, árboles... así nos sentimos ahora, más o menos.

La señora que hace de madre en el albergue es la persona más dulce que he conocido jamás. Nos cuida casi como si fué-

ramos sus hijos. *Tiene una manera de ser que le puedes contar cosas que nunca explicarías a nadie, después te das cuenta de que todo lo llevabas dentro y que necesitabas expresarlo. Ella me ha dado el papel y el bolígrafo para escribir esta carta, porque el bloc lo perdí por las montañas. Cuando nos hayamos ido, se encargará de llevarla a correos para que la recibas.*

No puedes imaginar qué agradecidos le estamos, ¡incluso Fernando! Siempre le cuesta mucho confiar en alguien, pero él también le ha dado un abrazo cuando pensaba que nadie le veía.

Nos quedaremos aquí uno o dos días más, entonces continuaremos. El albergue está a unos centenares de metros de la estación, continuamente se oyen trenes que resoplan y silban, sobre todo de noche. Solo nos falta otro trayecto, si todo va bien. Un tramo más y llegaremos a Nuevo Laredo, allí está la frontera y detrás, los Estados Unidos.

Ya no falta mucho, Juanita. Pronto llegaré a destino y entonces recibirás otra carta mía. O de mamá y mía, juntos. No te muevas de Tajumulco y espera, pronto volveremos a vernos.

Un abrazo.

Miguel

—¿Puedes sacar tus zapatos sucios de aquí? —me pide Jaz dándome un codazo.

—¿Qué dices? No están sucios, solo están un poco gastados.

—Sí, pero, como te puedes imaginar, no me gusta tener unos zapatos gastados encima de mi cama.

Le hago el favor y retiro los zapatos, aunque en realidad no estén especialmente sucios, en cualquier caso no tanto para que los tenga que sacar por eso.

—Ya está, fuera. ¿Satisfecha?

—Sí, así está mucho mejor. Se está bien en mi cama, ¿verdad? ¿Hasta cuándo te piensas quedar?

—Hasta mañana, me parece.

—¿Hasta mañana? —se ríe y se toca la frente con el índice—. Este es el dormitorio de chicas, ¿lo has olvidado?

—Ay, Jaz, ¡cómo quieres que no lo recuerde! Pero es que he pensado: hasta ahora has tenido que hacer tú siempre como si fueras un chico, por lo tanto ahora haré yo de chica, es justo, ¿no?

Nos llega una carcajada de la cama de al lado. Está Alicia tumbada, en estos días Jaz se ha hecho amiga suya. Lleva la cabeza rapada como un soldado, a pesar de todo, tiene un aspecto muy dulce. Ella y Jaz son las únicas chicas aquí, en el otro dormitorio, el de los chicos, estamos unos veinte o treinta.

—Si *tú* quieres pasar por una chica, tienes que saber defenderte aún más.

—Ya lo hago, fíjate: estoy en el dormitorio de chicas. Es una manera de empezar, ¿no crees?

Alicia se ríe.

—Jaz, hay que reconocer que tu amigo es un poco especial.

—Ay, no le hagas caso, así en algún momento parará de decir tonterías —Jaz se vuelve hacia mí y me sonríe irónicamente—. ¿Has oído?

Tiene razón, digo tonterías, pero ahora me apetece. Llevamos dos días y dos noches en el albergue de San Luis Potosí. Hemos hecho lo que prometimos y no hemos explicado nada de la casa ni de los *zetas*. Pero a la responsable del centro, a la Santa, como le llama la gente de aquí, no se le escapa nada. Cuando te mira a los ojos tienes la sensación de que sabe exactamente qué te ha pasado. No le hace falta preguntar, simplemente lo sabe.

Mientras tanto se nos han ido curando las heridas de las palizas y las cicatrices de las muñecas, nos quedan algunos morados, rascadas y costras. Un médico examinó la mano a Ángel, le ajustó el hueso y le puso una férula. Con la buena comida nos hemos recuperado, pero todo esto es solo por fuera. Por dentro, en la cabeza, es diferente, sobre todo por la noche. Y esta es la razón por la que me he pasado a la habitación de las chicas, para estar un rato con Jaz... aunque no esté permitido.

—¿Pudiste dormir, anteayer? —pregunto mirándole a los ojos.

—No mucho, en realidad, porque estuve hablando con Alicia. Estuvimos explicándonos cosas que nos han pasado en el viaje. ¿Y tú?

—Nada, por eso te lo pregunto. Solo pude descansar un poco y no sé qué hora era cuando me asusté. Estaba completamente sudado, por todo el cuerpo, como si me hubiera caído al agua. De repente me di cuenta de que no hubiéramos salido de allí si Ángel no hubiera conseguido librarse de las esposas. Entonces me pasó el sudor y empecé a temblar, no podía parar.

—¿Y qué hiciste?

—Me levanté y salí al patio, Fernando estaba ahí, sentado bajo un árbol, en algún sitio había conseguido cigarrillos de gorra y estaba fumando.

—¿Y Ángel?

—No le vi, no estaba en su cama.

—Seguramente estaría con la Santa.

—¿Tú crees?

—Sí, me dijo que había ido a hablar con ella.

—Bueno, da igual. El caso es que me senté con Fernando y estuvimos fumando.

—¿Y de qué hablasteis?

—De todo... y de nada.

—Venga, ¡cuenta!

—Nada interesante. Estuvimos imaginando cosas.

—Sí, pero, ¿sobre qué?

—Ah, empezó él, con algunas quimeras, nada en especial. Estuvimos imaginándonos qué haríamos si fuéramos más gente y tuviéramos armas. Cómo plantaríamos cara a los *zetas* y tal.

Jaz me mira sin entender nada.

—¿Qué quieres decir con plantar cara?

—Bueno, ¿no te pasa que tienes ganas de vengarte de esos asesinos?

—¿Cómo se te ha podido ocurrir? Yo estoy contenta de no tener que volver nunca más por ahí.

—De acuerdo, entonces para ti es diferente. En cualquier caso, nos lo estábamos imaginando, cómo iríamos, de noche, y cómo les sorprenderíamos. Cómo liberaríamos a la gente del sótano. Cómo haríamos arrodillar a los *zetas* ante nosotros y nos suplicarían por su vida, de cómo les haríamos lo mismo que nos hicieron a nosotros. Exactamente lo mismo, ¿sabes?... todo, y les dejaríamos atados allí, para que se fueran pudriendo lentamente.

Jaz se queda vacilante, me mira a los ojos y por un momento tiene una expresión en la cara como si no me hubiera visto nunca.

—¿Lo podrías hacer, esto?

—Tal como estaba la noche anterior, sí... creo que sí.

—No —mueve la cabeza negando, convencida—, no podrías. Yo te conozco mejor.

—Ah, ¿sí? Bueno, si tú lo dices... En cualquier caso, nos sentó bien, ayer por la noche, imaginarnos esto. Dejé de temblar y después incluso pude dormir unas horas.

Jaz se queda un largo rato en silencio. Luego se me acerca un poco más.

—¿Sabes qué me da más miedo de todo, a mí? —pregunta en voz baja.

—No. ¿Qué?

—Que algún día ya no recuerde a dónde quiero ir ni por qué. Casi lo he olvidado. Solo quiero conseguir superar los obstáculos como sea, eso es todo. Pero, ¿para qué?

—Sí, a mí también. A veces me pasa por la cabeza, de repente, que el motivo de todo está aquí, pero luego intento volver a olvidarlo tan rápido como me ha llegado.

—¿Por qué? —me mira frunciendo el ceño—. Puedes estar contento, ¡al menos lo sabes!

—No lo sé, y ese es el problema. No sé si realmente busco a mi madre o la imagen que me hice de ella en los últimos años. Ya no lo sé, ni tan solo si ella es mi madre.

—¿Quién va ser, si no?

—Pues una mujer, quien sea, que conocí y que ya no me quiso más. Y que no lo hizo antes ni ahora. Quizás nos estemos engañando a nosotros mismos, quizás deberíamos olvidar esta historia tan estúpida y empezar a construir nuestro propio mundo, en lugar de perseguir una quimera sin sentido.

—¿Eso dijo Fernando?

—No, lo digo yo. Ya ves, a veces también tengo momentos lúcidos.

Jaz baja la mirada y se queda pensativa.

—Para saber si estamos equivocados, primero hay que llegar —dice.

—Sí, parece lógico. Quizás eso sea lo que dé sentido a todo: saber si estamos algo chiflados.

—Ni idea. Quizás lo que dé sentido a todo sea también habernos conocido. Y haber pasado unos cuantos momentos agradables juntos. ¿Quién sabe? Quizás, al final, lo que nos quedará será lo que vivamos durante el camino.

Al día siguiente vamos al pequeño despacho de la Santa para despedirnos. Han pasado las tres noches que nos podíamos quedar y hay otros esperando que nuestras camas queden libres.

El despacho es muy sencillo. No tiene muchas cosas y las pocas que hay están cuidadosamente ordenadas. De la pared cuelga un crucifijo con unas imágenes al lado, es como un espacio de tranquilidad y serenidad en medio del caos que reina en las calles y en la ruta del tren.

Estamos sentados en el sofá de las visitas los cuatro, apretujados, y tenemos a la Santa enfrente. Físicamente es pequeña y discreta, pero este aspecto engaña, lo hemos podido comprobar estos días aquí. Para despedirnos nos ha preparado algo de comer y ahora nos está explicando cuál es la mejor manera para salir de la ciudad y continuar hacia el norte.

—La estación de aquí es una de las más vigiladas de todo el país, por eso recomiendo a mi gente, la mayor parte de las veces, que lo intente más al norte, en Bocas. Allí hay una de secundaria y tranquila, donde paran casi todos los trenes porque la línea a partir de allí es vía única y tienen que esperar a que llegue el que viene en dirección opuesta. No hay vigilantes y se tarda un día en llegar a pie, pero, ya lo sabéis, es mejor ir seguros que rápidos.

—¿Por qué ha dicho «la mayor parte de las veces»? —pregunta Fernando—. ¿Lo aconseja a la gente «la mayor parte de las veces»?

La Santa sonríe.

—Porque hoy es diferente. Precisamente porque tuve una visita, la de un hombre que... —duda—, bueno, cómo se llama y a qué se dedica, ahora no tiene ninguna importancia, sea como sea, se siente muy ligado a la Iglesia y a mi albergue y de vez en cuando le gusta hacer el bien sin que el mundo se entere. Estuvimos tomando un café y cuando salí por un momento, él siguió hablando más de la cuenta, de manera que pude oír, digamos que por casualidad —nos hace un guiño—, y por eso sé que hoy, alrededor de mediodía saldrá de la estación un tren de mercancías enorme en dirección a Nuevo Laredo, de la vía ocho, si lo queréis saber exactamente. Y el señor que me visitó procurará que ese tren no esté controlado.

Fernando quiere añadir algo, pero ella no le deja.

—Es todo lo que podéis saber por mi parte, de lo demás me lavo las manos. Vosotros ya sabéis qué tenéis que hacer.

Es su estilo. Tal como he conocido a la Santa, y también por las historias que otra gente explica de ella, para ayudarnos incumpliría todas las normas y leyes que existen. Y no porque tenga nada en contra de las normas, al contrario, en el albergue hay un montón. Pero ella reflexiona rigurosamente qué leyes son dignas de respeto. Y si cree que no lo son, se las salta.

Nos da más consejos y aún seguimos charlando un rato más, hasta que nos levantamos. Pero cuando estamos a punto de irnos, nos retiene.

—Esperad un momento. Ángel quiere deciros algo.

Justamente ahora nos damos cuenta de que Ángel sigue en el sofá. Cuando nos volvemos a sentar y le miramos, se sonroja y se mueve, incómodo. Entonces se levanta y se sienta en la silla que hay al lado de la Santa, delante de nosotros.

—Yo no voy —murmura flojito sin mirarnos.

Primero creo que me falla el oído. Jaz y Fernando también se han quedado atónitos. Pero parece que Ángel habla en serio, está sentado mirando al suelo sin decir nada más.

—¡Ángel! —Jaz reacciona al instante—. ¿Qué estás diciendo?

Durante unos segundos permanecemos en silencio, entonces Fernando también pide una explicación y al final hablamos los tres a la vez intentando hacerle cambiar de opinión. Tiene los ojos llenos de lágrimas y se ha quedado paralizado.

La Santa levanta la mano.

—¡Basta! No intentéis cambiar su decisión. Hemos estado hablando mucho y estamos de acuerdo, lo mejor que puede hacer es regresar.

—¿Pero por qué? —pregunta Jaz—. ¿Y por qué precisamente ahora, cuando casi lo hemos conseguido?

—Mirad, hay más razones —responde la Santa—. En primer lugar, lo que habéis sufrido. Ángel no quería hablar porque se lo habíais prometido al hombre que os trajo hasta aquí, pero llegó un momento en que no se lo podía guardar más. Sé lo que habéis pasado.

Fernando se levanta, se pone las manos en los bolsillos de los pantalones y empieza a dar vueltas por la sala, hasta que se planta delante de la Santa.

—Bueno, pues, así que lo sabe todo. ¿Y qué? Ya pasó, lo hemos superado. No hay ninguna razón para renunciar, ahora.

—Para vosotros puede que sea así —responde la Santa—, tenéis unos años más que Ángel. Habéis vivido más y quizás podáis salir más bien parados, lo podéis superar y encontrar, de alguna manera, la fuerza interior para seguir adelante. Pero Ángel no.

Fernando se aparta para mirar a Ángel. Entonces mueve la cabeza, se va hacia la puerta y se apoya, dándonos la espalda.

—Le cuidaremos, le ayudaremos en todo lo que haga falta —dice Jaz.

—Sí, estoy segura de que lo haríais, pero aún hay otro motivo, mucho más importante. Queréis ir con vuestros padres, pero Ángel solo tiene un hermano en los Estados Unidos y pertenece a una banda callejera, ya sabéis qué significa eso. Seguramente no debe ser mejor que los maras o los *zetas* u otras que hay aquí, ya las habéis conocido —levanta la voz—. ¡Fernando! Lo sabes mejor que nadie.

Fernando gira la cabeza un momento para mirarla, después vuelve a apartar la vista.

—Esa gente no tiene nada que ver con ideales románticos, no son ningún modelo a seguir, no son amigos, son unos seres crueles e indeseables. Ahora Ángel lo tiene claro, ¿verdad que sí?

Ángel continúa con la mirada en el suelo y asintiendo sin decir nada. Cuando le miro, me da mucha pena, sentado allí como un pobre desgraciado que ha tenido que enterrar las esperanzas y los sueños más bonitos. Sobre esto debía hablar con la Santa por las noches. Y por lo que parece, le ha convencido.

—Por lo tanto, ¿qué le espera junto a su hermano? Está claro cómo iba a acabar. No se lo pongáis más difícil y dejad que se vaya.

Nos quedamos en silencio un buen rato. No sé qué pensar. Ángel está aquí sentado y la idea de continuar sin él y dejarle es terrible, pero al mismo tiempo entiendo a la Santa, tiene razón, aunque me gustaría que no la tuviera.

Al cabo de unos minutos, Fernando vuelve y se sienta.

—¿Y qué piensas hacer? —pregunta a Ángel.

—Conozco al jefe de la Migra de San Luis Potosí —responde la Santa antes de que Ángel pueda decir algo—, su gente le llevará hasta la frontera con Guatemala. Podéis estar tranquilos, no le pasará nada.

Estamos todos bastante desconcertados. Finalmente Ángel levanta la cabeza y rompe el silencio.

—Regreso con mis abuelos. Seguramente se van a alegrar, de volver a tenerme, conmigo no tenían ningún problema, solo era con Santiago. Y quizás... lo vuelva a intentar dentro de unos años, cuando sea un poco mayor —mira a Fernando—. Teníais razón, tú, el Negro y todos los que dijisteis que era demasiado joven para el trayecto. Todos llevabais razón.

Fernando le corta moviendo la mano con fuerza.

—Eso lo pensaba antes, al principio. Ahora lo tengo claro: nos has salvado la vida, sin ti ninguno de nosotros estaría vivo. Después de lo que has hecho por nosotros, soy capaz de llevarte hasta la frontera descalzo y a cuestas... si tú quisieras.

Antes de que pueda continuar hablando, interviene la Santa.

—La decisión está tomada. Y creo que es la correcta. Los tres queréis continuar el camino y lo vais a conseguir, pero Ángel acaba aquí el suyo.

Se levanta, se despide y nos desea que todo vaya bien. No nos queda más remedio que decirle adiós. Fernando el primero. Está de pie, un poco inclinado y con las manos en los bolsillos. Veo cómo se le hace un nudo en la garganta, quiere decir algo pero no le sale nada... una situación que aún no había vivido nunca. Da media vuelta y sale precipitadamente hacia fuera.

Jaz se abraza a Ángel, como si no quisiera separarse nunca de él, le caen las lágrimas. Soy el último en darle un abrazo y tengo el corazón en un puño. Hemos confiado tanto tiempo el uno en el otro, lo hemos compartido todo, hemos superado juntos las peores situaciones... y ahora, en un instante, todo se ha acabado.

No puedo mirarle a los ojos, doy media vuelta y sigo los pasos de Fernando y de Jaz, que ya han salido a la calle. Quizás esto sea lo peor de todo lo que nos ha pasado. Conoces a gente, haces amigos, forman parte de tu corazón y luego los pierdes de vista o tienes que despedirte sabiendo que seguramente no volverás a verlos nunca más.

Es brutal, injusto y duele. Es uno de los momentos en los cuales desearía no haber empezado nunca este maldito viaje.

Parece que hayamos salido de un horno para meternos en una nevera. Hace unas horas, cuando el sol aún estaba alto, hacía un calor tan insoportable que nos arrastrábamos de sombra en sombra y solo deseábamos un poco de aire. Ahora que ya ha oscurecido, de repente hace un frío de mil diablos. Estamos agachados al lado de la vía y tan solo llevamos puesta una camiseta, nos apretujamos entre nosotros envueltos en una manta del albergue, deseando que regrese el calor del sol.

Hemos viajado todo el día hacia el norte en el tren que nos dijo la Santa. El paisaje se ha vuelto más seco a medida que íbamos avanzando. Primero se han acabado los árboles, después solo había matorrales y arbustos; más tarde, ni eso. La hierba es ahora de color marrón y está descolorida, el suelo está cubierto de arena y piedras, y han empezado a aparecer ríos secos. Junto a la vía hemos visto algún pueblo solitario, con su pequeña iglesia, pero aparte de eso, nada.

En algún momento hemos llegado al corazón del desierto, con tan solo piedras, guijarros y arena hasta el horizonte. De vez en cuando, un montículo yermo y la vía del tren atravesándolo en una línea completamente recta. Lo único de color verde que se veía eran los cactus con los pinchos apuntando al cielo. Hemos pasado por alguna ciudad fantasma abandonada que parecía el decorado de una película antigua del oeste.

En el vagón hacía tanto calor que el sudor nos bajaba por la cara sin que pudiéramos hacer nada. Se nos han terminado las reservas de agua y enseguida nos hemos quedado completamente deshidratados, la idea era continuar, pero por la tarde ya no hemos aguantado más, cuando el tren ha parado para dar paso a otro, hemos aprovechado para bajar y así ir a buscar algo potable.

Hemos caminado más de una hora hasta que hemos encontrado una hondonada con un poco de pasto y unas vacas flacas. El agua del abrevadero tenía aspecto de estancada, pero estábamos tan terriblemente sedientos que ni nos ha molestado. Nos hemos precipitado en él hasta calmar la sed y al acabar hemos rellenado las botellas.

Al regresar a la vía, el tren ya estaba muy lejos. Con la puesta de sol ha empezado a refrescar, finalmente ha oscurecido del todo y hace frío. Y ahora estamos aquí, encogidos bajo la manta e intentando mantener el calor, de alguna manera.

—Por ahí viene otro —observa Fernando.

Esta vez ni hemos reaccionado. Hace más o menos una hora que ha pasado un tren, hemos ido corriendo hasta las vías, pero iba demasiado rápido para conseguir subir a un vagón. Este de ahora tampoco para, se acerca haciendo un ruido ensordecedor. No hay ningún motivo para sacrificar el calor de la manta por él.

—Quizás hubiera sido mejor quedarnos en nuestro tren —dice Jaz, cuando el ruido de las ruedas ya resuena en la lejanía.

—Nunca se sabe —responde Fernando—, si el calor hubiera continuado hasta la frontera, hubiésemos llegado deshidratados como higos secos.

Jaz estira la manta por encima del cuello.

—Sí, y aquí nos vamos a quedar tiesos como cactus. Quién sabe cuándo podremos continuar.

—En algún momento tendrá que parar otro —apunta Fernando—, por eso está la vía de intercambio justamente aquí, se trata de no perderlo.

Mientras tanto se ha hecho completamente de noche. Acurrucados de esta manera, no puedo evitar acordarme de la noche en la montaña, cuando habíamos perdido a Emilio y le estábamos buscando e hicimos la tortuga, la táctica de Fernando. Recuerdo sobre todo que entonces aún éramos cuatro... cinco en realidad.

—¿Cómo debe estar ahora Ángel, qué creéis? —pregunto—. ¿Ya debe de haber llegado a la frontera del sur?

—No, está demasiado lejos, necesitan al menos dos días para carretearlo hasta ahí abajo, puede que sean incluso tres —explica Fernando.

—Espero que no vaya en el autobús que dijiste.

—¿El bus de las lágrimas? No creo. La Santa dijo que le tratarían bien.

—A pesar de eso —opina Jaz—, por la cara que ponía, debe de estar al menos tan triste como nosotros. Y está solo, sin nadie con quien hablar.

—No, ni tampoco tiene esto —dice Fernando dándome un codazo para que tome la bolsa del pegamento. Hace un rato que nos la vamos pasando, está muy bien. Me la pongo en los labios e inhalo tan fuerte como puedo. Después se la paso a Jaz, que hace lo mismo.

—En el fondo era nuestra obligación —dice, con una voz que suena diferente, traspuesta por la fuerte inhalación que ha hecho.

—¿Qué era nuestra obligación? —pregunta Fernando.

—Pues decírselo. ¿Es que no os acordáis cuando nos habló de su hermano? Estábamos cruzando las montañas. Nos dimos cuenta de que se estaba engañando a sí mismo, pero nadie se lo dijo. Seguimos sentados y nos mordimos la lengua.

Fernando vuelve a tener la bolsa. Oigo cómo la dobla y la guarda.

—Pase lo que pase, *a mí* quiero que me lo digáis, tenéis que prometérmelo —continua Jaz—, si tenéis la sensación de que también me engaño a mí misma y que en el fondo nada tiene sentido. ¡Quiero que me lo digáis a la cara!

Al final hemos conseguido apretujarnos tanto que la manta nos tapa por todas partes y no deja ni el más mínimo agujero por donde pueda entrar el frío. El pegamento también va haciendo su efecto. Tengo el calor dentro del cuerpo y cuanto más se esparce, más débiles se vuelven los pensamientos y menos miedo tengo de todo lo que nos rodea. Todas las preocupaciones se van diluyendo como el chocolate en una fuente caliente y luego se van dispersando en un caldo dulce y pegajoso, por el que me dejo llevar.

En algún momento me he quedado medio dormido. Me he asustado algunas veces pero no sé exactamente si me he despertado realmente o solo estaba soñando. La primera vez ha pasado un tren, pero todo estaba tranquilo y parecía suspendido sobre las vías como una ilusión óptica. La segunda, había salido la luna y en la luz tenue he visto, a pocos metros, un perro salvaje. Sacaba la lengua por la boca y nos miraba con curiosidad. La tercera, el perro había desaparecido, pero exactamente en el mismo sitio veo al hombre que me encontré en el trayecto de Ixtepec a Veracruz. Al verme, sonríe.

—Hola, chico, ¿te acuerdas? Te dije que volveríamos a vernos.

La repentina aparición me ha dejado completamente atónito.

—De dónde... ¿de dónde sale usted?

—Ay... es difícil explicarlo —responde—, ¿y tú?

—Pensaba que no había sobrevivido, cuando saltó del tren, la noche... de la emboscada.

Se ríe, se acerca y se sienta a mi lado. Jaz y Fernando no se enteran de nada, duermen profundamente.

—La noche, ¿de qué? Realmente estábamos atrapados, pero todo continúa siempre, pase lo que pase. De una manera o de otra, al menos.

—¿Cómo lo sabía, que volveríamos a encontrarnos? ¿Quién es usted?

—Oh, soy tu acompañante, siempre a tu lado... ¡pase lo que pase!

Entonces dobla el índice indicando que me acerque y me inclino hacia él.

—¿Sabes una cosa? He cambiado de opinión —susurra—, pensaba que tan solo eras un idealista más. Ahora sé que eres un chico tenaz, quizás consigas lo que te has propuesto. Te lo deseo, pase lo que pase.

Me pone la mano en el hombro.

—¿Recuerdas lo que te dije entonces, cuando nos despedimos?

—No lo sé exactamente... que usted siempre pagaba las deudas o algo así.

—¡Exacto! Sabes, eso no me ha dejado vivir tranquilo y precisamente por esta razón estoy aquí ahora: para pagar mi deuda.

Señala hacia la vía.

—Allí está vuestro tren. No lo podéis perder, es el último que va a parar aquí en mucho tiempo.

Me doy la vuelta. Es verdad, hay un tren parado en la vía de espera, debe de haber llegado sin hacer ruido. Lo veo perfectamente, está empezando a amanecer.

—Venga, despierta —oigo que me dice. Cuando me vuelvo de nuevo, se ha levantado y se ha puesto a caminar, en medio del desierto, pero aún se para un momento.

—Esta vez ya no nos volveremos a encontrar. ¡Que tengas suerte, chico!

Quiero responder algo, pero en el mismo instante oigo un silbido muy fuerte. Me asusto, abro los ojos y de repente lo tengo claro: en el intercambiador hay un tren y el silbido solo puede proceder de la locomotora que está llegando. Pasará enseguida, el de aquí arrancará y habremos perdido una oportunidad de oro.

Despierto a los demás a toda prisa. Fernando lo capta a la primera, se levanta dando un salto y recoge sus cosas. Jaz necesita un poco más de tiempo, tengo que agitarla para sacarle el sueño de encima. Los vagones ya van desfilando por la vía del otro lado, corremos hacia el tren que espera, abrimos un vagón detrás de otro hasta que encontramos uno con espacio suficiente y subimos. Al instante, el tren da un tirón y se pone en marcha.

Mientras Jaz y yo nos dejamos caer entre las cajas y los sacos que lleva el vagón, Fernando se ha sentado en la puerta y la bloquea con el pie.

—¡Caramba Miguel —exclama cuando el tren ya está en marcha—, qué buena suerte que te hayas despertado! Creo que habría continuado durmiendo horas y horas si no me hubieras llamado.

—Sí, realmente... hemos tenido suerte —no me puedo sacar de la cabeza mi extraña visión.

Fuera ya clarea bastante el día, a través de la puerta que Fernando mantiene abierta con el pie, se puede ver bien toda la zona. A lo lejos hay una colina y ahí está sentado el perro que he visto en la oscuridad, mirándonos. Al verlo, me siento traspuesto: lo que he vivido esta noche, ¿era sueño o realidad? Un escalofrío me recorre la espalda.

—Sea como sea, estoy muy contento de dejar el desierto atrás.

—Sí, ni que lo digas —replica Fernando—, la gente dice que si uno pasa demasiado tiempo en el desierto acaba enloqueciendo —mueve el dedo dibujando pequeños círculos en el aire, sobre la sien—, completamente tocado del ala, no sé si me entiendes.

Me apoyo en la pared del vagón y espero que el perro quede fuera del alcance de la vista. Pienso si tengo que contar mi extraña experiencia, pero antes de que me pueda decidir, Jaz interrumpe de repente mis reflexiones.

—¡Eh, mirad! —grita desde atrás.

Nos damos la vuelta y vemos que se ha dedicado a revisar la carga, sin encomendarse a nadie ha abierto algunas cajas y levanta triunfante una lata de melocotón en almíbar.

—¡Y aquí hay más!

Se me hace la boca agua, Fernando suspira profundamente, busca en el bolsillo de los pantalones, saca una navaja y la tira a Jaz.

—Venga, ¡ábrela!

Jaz atrapa la navaja, la clava en la tapa de la lata y la perfora. Luego se lleva la obertura a la boca y da unos tragos. Nos quedamos, literalmente, pendientes de sus labios.

Cuando acaba, tiene una sonrisa radiante en la cara.

—Ah, ¡qué rico! —dice alcanzándome la lata—. ¡Por fin me he sacado el mal sabor del agua de vacas!

Bebo unos sorbos, saco un trozo de melocotón con los dedos y me lo llevo entero a la boca. ¡Esto es el paraíso!

Cuando le toca a Fernando, abre un poco más la puerta para poder incorporarse, levanta la lata por encima de la cabeza y deja caer el zumo en la boca, a chorro.

—¡Ah! —exclama lamiéndose los labios con placer—, así podemos resistir hasta la frontera. Abre otra, Jaz, o mejor, dos. ¿Hay más variedades?

—Piña, mango, pera... voy a bajar unas cuantas y así no tendremos que estar moviéndonos tanto.

Viene hacia la puerta, descarga las latas y las va abriendo. Al cabo de un rato estamos sentados en círculo alrededor de las conservas saqueadas y las vamos vaciando, una detrás de otra, mientras en el exterior se pone el sol.

—¿Cuánto falta hasta la frontera? —pregunta Jaz metiéndose en la boca un pedazo de piña.

—Bueno, no llevo navegador… —dice Fernando lanzando dos latas vacías hacia fuera por encima de los hombros—, pero diría que si tenemos suerte y el tren no para, podríamos llegar hoy mismo, por la tarde.

Jaz me sonríe, tiene un aspecto gracioso. Le brillan los ojos y el zumo que le ha caído de la boca le ha dejado unas líneas brillantes en la barbilla.

—La ciudad adonde vamos —le digo a Fernando—, tú la conoces, ¿cómo es?

—¿Nuevo Laredo? —ríe, moviendo la cabeza—. Ya se sabe que las ciudades fronterizas están siempre más abandonadas que las demás, pero Nuevo Laredo es un verdadero infierno. Está completamente apestada de traficantes de droga, un nido de perdición. Pasan mercancía a los Estados Unidos y sacan una pasta increíble, los narcos lo controlan todo.

—Pero con esos no tenemos nada que ver, ¿verdad? —pregunta Jaz.

—Quien llega ahí, ya tiene automáticamente alguna cosa que ver con ellos. Están por todas partes, tienen la ciudad ocupada. Hace unos años se descubrió que habían sobornado a la policía y entonces el ejército tuvo que asumir el control, hoy en día aún sigue así. Los soldados patrullan continuamente por las calles, con vehículos blindados y armas automáticas, pero ni así ha cambiado la situación, la mitad del ejército ahora también está en la nómina de los narcos. Contra ellos no crece ni la hierba. Quien se enfrenta a ellos es hombre muerto.

—Eso significa que cuando lleguemos ahí hay que vigilar dónde nos metemos, ¿verdad? —pregunto.

—Sí, y en el sentido más literal de la expresión —añade Fernando—, lo peor es que hay diferentes cárteles de la droga enfrentados. A menudo hay tiroteos en medio de la calle, la gente no se atreve ni a salir, la ciudad es una auténtica pesadilla. Tenemos que cruzar la frontera tan pronto como sea posible.

—El programa suena realmente tranquilizador —observa Jaz—, ¿y nos llevas precisamente allí?

—No creas, en otros puntos de la frontera no es mucho mejor, y además donde hay más caos la gente como nosotros pasa más desapercibida. Ahí está nuestra oportunidad.

Continuamos hacia el norte a través de un territorio yermo, con cactus y ríos secos. Al cabo de un rato Fernando me pasa el turno de guardia de la puerta y observo el paisaje. La diferencia con la selva verde y frondosa del sur no podía ser mayor, ahora ese me parece el mundo de un pasado lejano.

«¡Qué lejos hemos llegado!» pienso. Nos han atracado y apaleado, medio muertos de hambre, medio congelados, pero siempre en camino, sin desfallecer y sí, finalmente hemos llegado a la última etapa. Recuerdo el primer tramo, entre Ciudad Hidalgo y Tapachula. Qué nuevo era todo entonces y cómo temblábamos de miedo por cada tirón que daba el tren, al menos Jaz y yo. Ahora casi parecemos liebres astutas, no nos asusta nada.

También recuerdo el río, el Suchiate, agachados entre los matorrales mirábamos hacia la otra orilla, esperanzados y temerosos a la vez. Me parece oír aún la voz de Fernando. «De cada cien personas que cruzan el río», dijo entonces, «unas diez superan Chiapas, tres llegan a la frontera y solo una consigue atravesarla».

Si pienso en ello, está claro que de momento, de alguna manera, tenía razón. «Tres llegan a la frontera...». Exacto, estamos tres: Fernando, Jaz y yo. Como si lo hubiera previsto.

«... y solo una consigue atravesarla». Espero que la última parte de la profecía no se cumpla.

Los arbustos están vivos. Tienen ojos y orejas, con los que vigilan y escuchan en todas direcciones, y también boca, con la que susurran mensajes sin aliento en la oscuridad. Tienen temores y esperanzas. Y continuamente se desprenden de ellos sombras que se escurren, furtivas, hacia el río.

Lo tenemos a nuestros pies y fluye ancho y plácido: el Río Bravo. El río en el que se decide el destino de todos los que han conseguido llegar hasta aquí. La mayor parte de las veces no es lo que esperaban, pero algunas sí. Y todos se agarran a las historias de los pocos afortunados.

Hemos llegado, efectivamente, a Nuevo Laredo. Poco antes de entrar en la estación hemos bajado del tren, en pleno crepúsculo y a través de unas callejuelas oscuras nos hemos dirigido, sin perder tiempo, al albergue de emigrantes. Hemos podido disfrutar de una cena caliente y enseguida hemos querido acercarnos al río, para ver, ni que sea desde lejos, el país adonde queremos ir.

El panorama no es especialmente motivador. Las vallas fronterizas del otro lado son impresionantes, hay unas torres con potentes faros situadas a distancias regulares, los focos van rastreando el río y van moviéndose constantemente, supongo que no paran en toda la noche. De las torres sale un camino, por el cual patrulla la policía fronteriza, algunos en todoterreno, otros a pie y con perros rastreadores. Y por si todo eso no fuera suficiente, de vez en cuando aparece un helicóptero que sobrevuela el río tan de cerca que encrespa el agua.

Además, un único rumor resuena por el río: las consignas de los altavoces, que se van repitiendo sin cesar. Todo resulta amenazador y tenebroso, y no me puedo ni imaginar cómo es posible llegar al otro lado sano y salvo.

Estamos sentados encima de un muro, detrás tenemos una vía rápida de la cual nos llega el ruido del tráfico. Bajo nuestros pies está el vacío, unos metros más allá empieza el camino de arbustos donde se esconde la gente que quiere intentarlo esta noche.

Fernando señala hacia abajo y me dice:

—La línea de la muerte.

Miro el terreno que tenemos delante, pero no puedo distinguir mucho. Todo está tranquilo y a oscuras, al menos a simple vista.

—¿A qué te refieres? Si me lo preguntas, parece que el peligro esté más al otro lado, aquí todo se ve bastante inofensivo.

—No te equivoques, entre los matorrales se esconde mucha chusma, como en La Arrocera. Si ahora, por ejemplo, fuéramos tan estúpidos de saltar, no tardarían ni tres segundos en atracarnos.

—¡Jolines! ¿Eso significa que desde aquí hasta la orilla te tratan a machete?

—Sí, más o menos.

—¿Y después? ¿Cómo cruzas?

—Bueno, el Río Bravo no es el Suchiate. No solo es más ancho y más profundo, también tiene muchos remolinos, y si te pillan, estás perdido. Además hay unas serpientes pequeñas de color verde, parecen inofensivas, pero en realidad son venenosas, son una plaga —Fernando mueve la cabeza haciendo ascos y señala río abajo—. Oí decir que ahí normalmente llegan los cadáveres de los que no lo consiguen.

Jaz suspira.

—Suena como si no tuviéramos ninguna posibilidad —murmura.

—No es ningún paseo —afirma Fernando—, pero tampoco es un motivo para desistir. Solo hace falta encontrar el coyote adecuado.

—¿Coyote? —de entrada pienso en el animal, pero está claro que no se refiere a eso—. ¿Qué es?

—Así se llaman los que aquí llevan a la gente de un lado al otro de la frontera, hay centenares de ellos, la mayoría están organizados en bandas, muchos pertenecen a los cárteles y aprovechan para pasar droga de contrabando.

—¿Eso significa que nadie intenta pasar por su cuenta?

Fernando se inclina hacia adelante para escupir hacia el suelo.

—Sí, claro que los hay, algunos lo intentan por su cuenta. Sobre todo los que no tienen pasta para pagar a un coyote. Pero nadie vuelve a verlos jamás: o acaban aquí debajo o se ahogan en el río. O les pillan y les hacen retroceder, ¡ya veis la fortaleza! Solo puedes superarla si tienes a alguien que conozca los pasos clandestinos.

Cuando Fernando acaba de hablar, vuelve a aparecer el helicóptero. Sobrevuela el río y lo va rastreando con el foco. Se queda suspendido en el aire en un punto y baja tan cerca del agua que la levanta y encresta. En medio del río se distinguen unas islas, entre ellas y la orilla de nuestro lado hay algo que se mueve en el agua, pero enseguida se sumerge. El helicóptero se levanta y desaparece.

—Fernando, tú estuviste aquí, dime —Jaz se pone a hablar cuando ya no se oye el ruido de la hélice—, ¿Intentaste pasar al otro lado?

Se queda serio y con la mirada fija. Al cabo de un rato solo niega con la cabeza.

—¿Qué pasó? ¿No fuiste con uno de esos acompañantes?

—Sí —murmura—, pero me tomó el pelo.

Al oír esto me invade la sospecha.

—¿Quizás es esa la cuenta que tienes pendiente aquí?

Resopla.

—¡Maldita sea! No es tan fácil saber si te engañan o no. Fui ingenuo: el tipo me cobró y desapareció al llegar al otro lado. Los polis me pillaron y me encerraron en una mazmorra asquerosa con unos tipos bestiales, te partían la cara si los mirabas demasiado. Por suerte no me detuvieron durante mucho tiempo, enseguida me echaron.

—¿Y ahora qué? ¿Quieres vengarte?

—Ay, vengarse... sería demasiado honor para aquel cerdo. Quiero que me devuelva lo que me debe. Ya tengo ganas de verle la cara.

Jaz no para de moverse encima del muro, está intranquila.

—No tengo buenos presentimientos, Fernando.

—Tampoco me hace falta, mi problema no tiene nada que ver con tus extraños presentimientos.

—Me da igual. No tengo ganas de jugármelo todo a una carta, cuando casi ya hemos llegado a la meta, solo porque tú tengas que acabar tu guerra particular con no sé quién.

—Joder, todavía no lo has pillado! —golpea el muro, enfadado—. No es por mí, es por los tres. Necesitamos mucha pasta para cruzar la frontera y ese cretino me debe un montón, ¿lo entiendes ahora?

—¿De cuánto se trata? —pregunto—. ¿Cuánto tuviste que darle para que te pasara?

—1.200 dólares.

—¿1.200 dólares? —no sé exactamente cuánto es, pero es una cifra impresionante—. ¿Y de dónde lo sacaste, tanto dinero?

—Bueno, me lo había ganado.

—¿Ah sí? ¿Aquí?

—Pues claro, en el desierto seguro que no.

—¿Y cómo?

—Lo sabrás más pronto de lo que te imaginas. Hay muchas maneras de ganar dinero por la calle. Quién no tiene nada mejor que hacer, limpia zapatos, revende chuches, lava coches o cualquier otra tontería.

—¿Y el que tiene algo mejor?

Fernando sonríe.

—Sobre eso, ahora no es el momento de hablar.

—Uh, da igual de qué se trate—opina Jaz—, no me lo creo. ¿Cómo podremos conseguir tanto dinero como para poder pagar el *tour* para tres? ¡Necesitaremos años!

Fernando, sin decir nada, mira al río y hacia las torres de vigilancia de la otra orilla, entonces empieza a silbar una canción, sin inmutarse.

—Lo conseguiremos —dice finalmente, cuando acaba—, esta ciudad es un asqueroso pueblo de mala muerte, pero hay que reconocerle una cosa: el dinero circula por la calle. Y nosotros no somos estúpidos, ¿verdad?

—No, pero estamos sin blanca, tenemos hambre y además no conocemos a nadie —responde Jaz—, y suponiendo que lo consiguiéramos, ¿cómo podremos estar seguros, de que no nos pasará lo mismo que a ti?

Fernando se queda mirando a Jaz con la mano en alto.

—Oye, te consiento que ahora hayas dicho esto, pero no vuelvas a repetirlo nunca más, ¿entendido? He cometido muchos errores en la vida, pero una cosa está clara: no vuelvo a tropezar nunca con la misma piedra, eso solo les ocurre a los idiotas. Esta vez confiaremos en un coyote cuando estemos seguros que es de fiar, no vamos a caer en las garras de ningún estafador, ya te lo puedes meter en la cabeza.

Intentamos averiguar más sobre él, sobre todo qué le pasó la primera vez que estuvo aquí y sobre las posibilidades «reales» de ganar dinero, pero no quiere revelar nada más. Continuamos sentados y mirando qué pasa en la otra orilla.

—Bueno, yo ya he visto suficiente —dice finalmente Jaz—, aún voy a desanimarme más si continúo mirando. Además, estoy cansada, volvamos al albergue.

—Sí, vámonos —decide Fernando—, no quiero que me eches la culpa de que no puedes conciliar el sueño.

Damos media vuelta, saltamos del muro y echamos a andar. Cuando cruzamos al otro lado de la calle, Fernando se gira y mira hacia el río.

—Cuídate. Nos volveremos a ver. Será cuando anochezca, como muy pronto.

Las tres primeras noches hemos dormido en el albergue. Durante el día hemos estado merodeando por la ciudad, intentando averiguar cómo lo hacen los demás para conseguir dinero.

Por suerte no hace falta tener demasiado miedo a la pasma, eso lo hemos detectado enseguida. En realidad, parece que en esta ciudad solo haya cuatro tipos de personas: primero, los narcos, que van por la calle con unos vehículos ostentosos y con cadenas de oro. Hay algunos que no son mucho mayores que Fernando. Segundo, los soldados, que en principio tendrían que luchar contra los narcos, pero prefieren no encontrárselos y tan solo se preocupan de que la vida en la ciudad continúe como pueda. En tercer lugar, la gente de los trenes que quiere pasar la frontera, y cuarto, los gringos, americanos de los Estados Unidos que vienen aquí a pasárselo bien en los prostíbulos, bares y antros de la droga. De gente normal casi no se ve, parece que haya huido.

El primer día salimos los tres juntos, pero el segundo Fernando se levantó y dejó que rondáramos solos. Por la noche estuvimos esperándole, en balde, y esta mañana aún no había vuelto. Después del desayuno estábamos obligados a dejar el albergue, un poco desorientados porque no sabíamos ni por dónde empezar, pero cuando hemos salido a la calle, enseguida le hemos visto, apoyado a la sombra de la casa de enfrente.

Cuando nos ha visto salir, nos ha hecho una señal para que le siguiéramos. Hemos ido hasta un parque donde no nos molestara nadie, yo ya le he notado en la cara que había pasado algo fuera de lo corriente, tenía una mirada triunfante e inquieta a la vez. Sin decir nada, nos ha tenido en vilo hasta llegar a un sitio apartado, donde nadie pudiera vernos y allí nos ha revelado el secreto.

—A veces hay noches que merecen la pena —nos enseña un fajo de billetes que lleva en el bolsillo de los pantalones y vuelve a esconderlos enseguida.

Jaz y yo nos quedamos boquiabiertos. Nos miramos medio incrédulos y medio desconcertados. Tengo claro lo que ha pasado.

—¿Encontraste al estafador?

—Efectivamente. Sabía dónde tenía que buscar. Solo he tenido que esperar el momento oportuno y entonces se lo he hecho pagar caro.

—¿Qué le has hecho?

Se apoya en un árbol y desvía la mirada.

—No lo adivinarías jamás.

Nos quedamos en silencio un rato. Jaz está de pie con los hombros levantados porque tiene las manos en los bolsillos de los pantalones.

—No lo habrás... —empieza.

—No, no lo hice. Pero le he dejado claro que lo iba a hacer si no me devolvía la pasta que me birló. Se lo he dejado tan claro, que no lo va a olvidar nunca, un pequeño recuerdo para toda la vida...

—Mejor que no me lo digas —murmura Jaz—, no quiero saber los detalles.

—No, tampoco os interesan, ahora. En cualquier caso, ha cumplido.

—¿Y el dinero? —pregunto—. Porque todo lo que te debía no lo llevaba encima, supongo.

—No, pero estuve esperándole delante de su casa, un auténtico nido de ratas. Los tenía escondidos por todas partes, no quiero saber a cuánta gente ha estafado, me da igual, lo importante es que he recuperado lo que era mío.

—¿Los 1.200?

—Sí, y además, muy amablemente, le he convencido de que era mejor si añadía unos más... intereses de demora e indemnización, por decirlo de alguna manera. Es justo, ¿no creéis?

—¿No tienes miedo de que en cualquier momento te encuentre, con unos cuantos de los suyos? —pregunta Jaz.

Fernando se encoge de hombros.

—No sabe dónde me puede encontrar. Alguna ventaja hay, en no tener casa, ¿verdad? —sonríe y enseguida se vuelve a poner serio—. Por suerte no tiene nada que ver con los cárteles, si no, pronto sería hombre muerto. Claro que en ese caso ya no me hubiera metido con él.

—A pesar de ello, no creo que se resigne fácilmente.

—No, pero el riesgo me sale a cuenta. Tengo claro que reunirá a cuatro muertos de hambre e intentarán perseguirme, pero primero tienen que localizarme. A partir de ahora tendré ojos en la nuca, os lo aseguro. Una razón más para no entretenernos.

Va dando golpes al bolsillo de los pantalones.

—Sea como sea, ya hemos empezado, ahora hay que conseguir el resto... y luego encontrar a alguien que nos pase.

—Podrías irte tú solo, ahora —propongo—, el dinero ya alcanza para ti.

—Sí, tienes razón —asiente—, lo podría hacer. Pero me siento incapaz de abandonar aquí, solos, a dos mocosos... sería omisión de socorro, y eso sí que está penalizado.

—Lo he pensado por lo que dijiste en Chiapas.

—¿Ah sí? ¿Qué dije?

—Que al final cada uno solo depende de sí mismo y no tiene que esperar a que nadie le ayude.

—¡Ah, eso! Y ahora no entiendes por qué no lo cumplo, ¿verdad?

—Pues no.

—Vaya, pues… —se encoge de hombros—, quizás el problema esté en que tú aún no puedes entenderlo.

—Bueno, da igual —Jaz nos interrumpe—, cada uno explica cosas que no quería decir. A mí me interesa saber dónde vamos a dormir a partir de ahora.

Fernando suspira.

—¿Lo ves? Ya estamos otra vez igual. No podéis estar solos, os equivocaríais diez veces de día y veinte de noche si no hubiera alguien que os dijera por dónde van los tiros.

—Venga, no te enrolles —le corta Jaz—, seguro que ya has pensado algo, te conozco.

—No, ¡fallaste! No he tenido que pensar porque ya lo sabía de antes. Por lo tanto, allá voy y lo resuelvo.

Se dispone a marchar y hace como si se fuera solo. Pero entonces da media vuelta y grita:

—Venga, perezosos, levantad el culo y mirad de dónde podéis sacar algo de pasta y, si puede ser, hoy mismo. ¡No tengo ganas de tener que hacerlo *todo* yo solo!

Algunos son más jóvenes que yo, como Ángel quizás, pero la mayoría tiene mi edad. Están en la calle y esperan, unos más adelantados, en el bordillo, provocadores, con las piernas abiertas y las manos en los bolsillos de manera que solo se vean los pulgares. Otros se apoyan en la sombra del muro, protegiéndose con los brazos cruzados, como animalillos asustados, ariscos, que no se atreven ni a levantar la cabeza. Cada uno interpreta su papel, y la mayoría lo hace bastante bien.

De vez en cuando pasa un coche. Fernando nos ha explicado que muchos gringos buscan chicos mexicanos. Sobre todo si son pobres... y van sucios. Algunos coches pasan de largo, sin que cambie nada. Otros se detienen, se abre la puerta del copiloto tan solo un instante, un chico entra y el coche continúa.

Hay otros que llegan a pie y se plantan en la acera de enfrente. Algunos se deciden rápido, otros invierten una eternidad. Repasan a los chicos de arriba abajo hasta que clavan la mirada en uno. Entonces el escogido echa a andar, el gringo le sigue por el otro lado de la calle hasta que se pierden en la oscuridad.

—Tú les volverías locos —susurra Fernando mientras estamos observando a una pareja—, les conozco, eres ideal para su gusto, un bomboncito.

Estamos sentados a una cierta distancia, en una entrada oscura, observando el movimiento de la calle. Llevamos una hora así y ya he entendido de qué va el asunto.

—Estos comentarios estúpidos te los podrías ahorrar —replico en voz baja. No tengo ganas de meterme y, a decir verdad, tengo la sensación de que me toca la peor parte.

—Bueno, pues, manos a la obra —dice Fernando—. ¿Te acordarás del camino?

—¿A ti qué te parece? ¿Crees que estaría aquí si no lo supiera? No tengo ganas de que uno de estos cerdos pervertidos abuse de mí.

—Muy bien, entonces, todo controlado, me voy. Ocupa mi sitio y no lo olvides: tienes que conseguir que se vuelva de manera que me dé la espalda.

—Sí, claro, entendido. Venga, haz ver que te largas.

Me da un golpecito en el hombro para animarme y desaparece. Me quedo solo con un mal presentimiento en el estómago, hace días que no me lo saco de encima. ¿Actúo correctamente, implicándome en esto? No lo sé. En cualquier caso ahora ya es demasiado tarde para replanteármelo y, además, lo he querido yo.

Llevamos diez días en Nuevo Laredo. Fernando nos ha encontrado un alojamiento en un campamento de emigrantes en la entrada de la ciudad, donde malviven centenares de personas que quieren cruzar la frontera. En realidad, «alojamiento» no es la palabra más adecuada. Es un refugio minúsculo de cartón y chapa, con colchones manchados y viejos, en medio de un centenar de otros refugios igual de miserables. No es digno, pero al menos tenemos un techo.

Jaz y yo no queremos volver a oír ningún reproche de Fernando, de manera que, desde el día que abandonamos el albergue, hemos empezado a ganar dinero. Primero encontré un trabajo mal pagado en un almacén y después, con el dinero que conseguí, compré utensilios para limpiar los cristales de los coches mientras se esperan en los cruces. Así gano más, pero también es más peligroso, tengo que vigilar que no me atropellen. Y si los soldados me pillasen en un descuido, en un segundo lo perdería todo.

Jaz ha empezado a vender chuches y chicles por la calle. Se los proporciona un chico piojoso del campo que controla a un montón de gente y a cambio tienen que pagarle la mitad de los ingresos, a veces incluso más, si así lo decide. De manera que al final no le queda mucho, contando que también tenemos que pagar la comida y el refugio.

A Fernando casi no le vemos. La mayor parte de las noches no está y duerme de día. Tampoco nos explica mucho qué hace, pero por lo que da a entender, deducimos que intenta saquear a gringos despistados, llevándoselos por callejuelas estrechas cuando empieza a oscurecer. Me gustaría saber hasta dónde llega con ellos, pero prefiero no preguntárselo.

En cualquier caso, le resulta rentable. Cuando ayer por la noche juntamos todo lo que habíamos ganado, mi parte, comparada con la de Fernando, era tan ridícula que me dio vergüenza. Jaz también se puso triste, sentada en un rincón. Fernando me miró a los ojos y entonces fue cuando soltó la propuesta, diciendo que él y yo podríamos organizarnos. Exactamente lo que estamos haciendo ahora.

Salgo de la entrada hacia la calle. Los chicos del bordillo me miran desconfiados. Me sitúo en un lugar que acaba de quedar libre y me apoyo contra el muro.

—Eh, tú, ¿qué haces? —me echa la bronca uno de ellos—. Este es el sitio de Marcos.

—Sí, ¿y qué? Él no está.

—Pero volverá, ¡estúpido!

—Cuando lo haga, yo ya no estaré.

Se acerca amenazador.

—Parece que no lo has pillado. Alguien te tendrá que explicar que no se te ha perdido nada por aquí.

—Venga, cálmate y date la vuelta, creo que aquel saco de grasa de ahí te quiere para algo.

Al otro lado de la calle hay un individuo con camisa hawaiana mirándonos. Tengo la sensación de que le interesa el malas pulgas, me dedica una mirada asesina y luego se da la vuelta. Al rato desaparecen juntos.

En unos minutos los demás se han acostumbrado a mi presencia. Nadie me mira de manera especialmente amable, pero al menos me dejan en paz. Por precaución, primero me he mantenido atrás, pero me adelanto y empiezo a concentrarme en los gringos que pasan.

Sus miradas son asquerosas. Cuantas más percibo, peor me siento. Solo aguanto si pienso que no estoy aquí para que se aprovechen de mí, sino para aprovecharme yo de ellos.

El primero que se fija en mí está sentado dentro de un coche con cristales oscuros. Va circulando a lo largo de la calle, se para delante de mí y baja la ventana. Pero a mí no me sirve, hago que no con la cabeza y también con la mano. Me dedica una mirada furiosa, saca el dedo anular por la ventana y se va.

El siguiente es uno del otro lado de la calle. Me mira, yo le devuelvo la mirada y asiente. Intento calcular cuánta pasta lleva encima. Fernando es un experto en el tema, lo huele enseguida y no se equivoca nunca de mucho. Yo no sé, no tengo ni idea, de cuánto puedo sacarle. Hago un esfuerzo y me decido, al fin y al cabo tanto da uno como otro. Y no tengo ganas de pasar media vida aquí.

Veo de reojo que me va siguiendo por la otra acera hasta que estamos lo bastante lejos, entonces cruza la calle y me viene detrás como un perro. Voy más despacio y así lo tengo más cerca, me mira sonriente y me esfuerzo para devolverle la sonrisa.

Doblo por una calle tal como Fernando ha planeado, no ha pasado ni una hora desde que hemos estudiado el camino juntos. Ahora no me puedo equivocar. Si no, irá pisándome los talones y tendré que espabilarme yo solito. Bueno, en caso de emergencia siempre puedo huir por piernas, seguro que soy más rápido que él.

Después de la calle lateral entro en un callejón, luego doblo un par de esquinas y finalmente llego a uno aún más oscuro y estrecho. Ya no estoy muy lejos del sitio donde está Fernando esperando. Continúo caminando pero sospecho que ya no me sigue. Me doy la vuelta y lo tengo detrás mirando desconfiado hacia el callejón oscuro, donde no hay ni un alma.

—*Where are you going?* —pregunta.

—*To my room* —chapurreo un poco el inglés que he pillado estos días aquí—. *My room is small. And dirty* —y con la mano derecha hago el gesto obsceno de sujetarme las partes.

Sonríe como un idiota, ahora ya ha caído en la trampa. Cuando vuelvo a andar, no se lo plantea y me sigue. Está justo detrás, siento el olor y el aliento. Voy más deprisa sin querer, mirando a todas partes hasta que… ¡hemos llegado! Delante tengo los contenedores, detrás de ellos está Fernando, esperando.

Me planto delante y señalo hacia una ventana de la casa que hay al otro lado del callejón, una ruina vieja y abandonada.

—*My room.*

Mira hacia arriba. Lo tengo tan cerca que a pesar de la oscuridad le puedo distinguir la cara por primera vez. Parece una persona normal, en ningún caso un pervertido, pero antes de que pueda continuar pensando, Fernando sale por detrás de los contenedores, silencioso como una sombra con algo que levanta por encima de la cabeza, una especie de garrote, que utiliza como arma.

Pero antes de que le pueda golpear, el hombre se da la vuelta. Quizás mi mirada le ha hecho descubrir que algo estaba pasando detrás. Levanta el brazo y por eso el golpe de Fernando se desvía y no le da en la cabeza sino en el hombro. Por un momento ha quedado atontado y tambaleando, pero enseguida puede mantener el equilibrio y dar un puñetazo a Fernando con una fuerza de la que nunca le hubiera creído capaz.

Fernando cae de espaldas y se da contra los contenedores, el gringo se abalanza contra él, pero yo le ataco por detrás y le sujeto tan fuerte como puedo. Por suerte Fernando se recupera, le clava una mirada asesina y le da un golpe en el estómago.

El gringo suelta un grito, se dobla hacia delante y empieza a devolver. Vacía el buche en el suelo, seguramente iba bastante bebido. Le suelto y cae sobre las rodillas. Fernando le vuelve a golpear y cae hacia delante, queda tumbado en el suelo, inmóvil.

Fernando suelta el garrote, le cuesta respirar y se toca la cara.

—¡Mierda! ¿Por qué me has mirado? La próxima vez, me señalas directamente con el dedo.

—Tranquilo, no ha pasado nada.

—No, claro, a tus dientes no les ha pasado nada.

Acaba de hablar y unas voces se acercan por el final del callejón. Un poco más abajo, se enciende una luz en una ventana. El ruido que ha hecho Fernando al chocar contra los contenedores no ha pasado desapercibido.

—Va, apresúrate —le susurro—, tenemos que irnos de aquí.

Fernando se arrodilla al lado del hombre y le extrae la cartera de los pantalones. La registra, saca los billetes y la tira.

—¿Cuánto hay?

—No lo sé. Unos ciento cincuenta —se levanta y sonríe—, no está mal, por ser la primera vez. Eres un auténtico bribón… has movido bien el culito, ¿eh?

—Ya te he dicho que no me gustan este tipo de comentarios, venga, ¡vámonos!

Nos vamos del callejón con mucho cuidado, atravesando unas calles solitarias. No hace falta que nos pongamos de acuerdo, los dos sabemos que por hoy ya vale. Fernando camina a mi lado y va contando el dinero que hemos quitado al gringo.

—Es una locura, ¿no crees? —le pregunto.

—¿El qué? —pregunta, intentando no perder la cuenta.

—Todo lo que hacemos por unos papeles con unos dibujos extraños.

Se ríe.

—El mundo está loco, ¿por qué íbamos a ser nosotros la excepción?

—¿Qué nos está haciendo esta ciudad infecta, Fernando?

Esconde el dinero y se lleva las manos a los bolsillos de los pantalones.

—¿Es que te da pena, el gringo?

—No lo sé. A lo mejor solo es un pobre desgraciado que no sabe ser de otra manera.

Fernando abre y cierra varias veces la boca, como si estuviera comprobando que no le ha pasado nada en la mandíbula.

—Oye, solo sé una cosa: para nosotros, la pasta que le hemos quitado es un billete hacia la libertad, y en cambio para él no es nada. Cuando se recupere del dolor de cabeza, volverá a cruzar la frontera, parará en el primer banco que encuentre y sacará el triple. No hace falta que te preocupes demasiado, te lo digo de verdad.

Puede que tenga razón, no le replico. Solo estoy seguro de una cosa: no podemos dejar que transcurra mucho tiempo más hasta que crucemos la frontera. Esta ciudad tan solo nos está enseñando lo peor, y no tengo ganas de seguir viéndolo.

En realidad no quiero volver a las andadas, pero es como una fuerza, una adicción, después de que la primera vez nos saliera bien. Todo en esta ciudad es como una adicción. A la noche siguiente volví a salir con Fernando, y así cada día. Primero nos funcionó, pero ahora cada vez que volvemos, los demás se están volviendo más agresivos y me intentan perseguir y amenazar, aunque hasta ahora no ha sido grave.

Poco a poco se han ido enterando de lo que hacemos con los gringos y temen que les fastidiemos el negocio. Por eso, la última vez que me he dejado caer por allí, han aparecido, de repente, dos tipos y antes de entender qué querían de mí, me han agarrado, me han llevado hasta una esquina oscura y me han molido a palos. Como despedida me han dado varias patadas y me han amenazado diciendo que si me volvía a presentar por ahí no sobreviviría.

Me he quedado un rato en el suelo, después me he incorporado como he podido para ir a buscar a Fernando. Me estaba esperando, como siempre, en la callejuela detrás de los contenedores y cuando me ha visto ya no me ha preguntado nada, ha sabido qué había pasado. No hacía falta hablar, está claro que se nos ha acabado el negocio.

Fernando se ha ido hacia no sé dónde para continuar con sus trapicheos y yo he vuelto al campo casi arrastrándome. A pesar de todo, volvía con la ilusión de ver a Jaz, pero cuando he llegado a nuestro refugio no estaba. He estado esperando, pero no ha aparecido. Se ha ido haciendo tarde y poco a poco me ha ido entrando el miedo, temo que no le haya pasado algo.

Al final decido ir a buscarla, primero por el campamento, luego por la ciudad, caminando por las calles miro en todos los sitios posibles e imposibles, donde hemos estado y en otros donde creo que podría estar.

Parece que se la haya tragado la tierra. He dado vueltas sin parar y me estoy poniendo medio enfermo por la angustia, ya no sé dónde buscar y decido regresar. En el refugio tampoco está, me imagino qué le ha podido pasar y estoy completamente asustado.

De repente, aparece: entra agachada por la puerta y se asusta al verme.

—Jaz, ¡gracias a Dios! ¿Dónde estabas?

—Por ahí fuera, ¿dónde si no? ¿Y tú? ¿Qué haces aquí? Pensaba que estabas con Fernando.

—No, se acabó. Nos han liquidado el negocio.

Se sienta a mi lado. No hay luz eléctrica, pero con el reflejo de la luna puede ver lo que esos desgraciados me han hecho en la cara.

—¡Miguel! —me toca el moflete inflamado—. ¿Quién te ha hecho esto?

—No importa ya —le aparto la mano—. ¿Qué quieres decir con «por ahí fuera»? ¿Dónde estabas?

—Tenía que... sí, tenía que conseguir más mercancía para mañana...

No sabe mentir. Cuando lo intenta, enseguida se sonroja y habla balbuceando. Me encanta, es muy dulce y una de las muchas cosas que me gustan de ella. Pero ahora está intentando mentir y no sé por qué. Le busco la mirada y me evita. De repente me doy cuenta, está claro, ya sé dónde ha estado y qué ha hecho.

—¡Jaz! —se me retuerce el estómago—. ¡Dime que no es cierto!

No reacciona.

—¡Dime ahora mismo que no es cierto!

Refunfuña, nerviosa, se saca los zapatos y se acurruca en el rincón.

—Tú empezaste con esto —me reprocha—, tú y Fernando.

—¡Jaz! Nosotros no nos liamos con ellos, ¡solo les birlamos la pasta!

—¿Y qué? No es mucho mejor.

—Oh, ¡no compares! Esos desgraciados no se merecen otra cosa, pero venderse a sí mismo...

Jaz junta las rodillas junto al cuerpo y las rodea con los brazos. Se la ve tan frágil y desprotegida que duele mirarla.

—No lo hice —susurra.

—¿Cómo, que no lo hiciste? ¿Qué estás diciendo?

—Quería hacerlo, pero cuando... va, da igual. Sea como sea, no he podido.

Ahora no sé qué pensar. Me quedo un rato mirándola.

—¿Cómo se te ha ocurrido una idea tan insensata?

—¿Cómo dices? Está claro, ¿no crees? No tengo ganas de ser una carga, sin haber aportado nada.

—¡Pero no de esta manera! Por favor, Jaz, ¿crees que quiero pasar la frontera así? Prefiero volver atrás, esta noche, no, qué digo, ¡ahora mismo!

—No lo harás.

—¡Pues claro que lo voy a hacer! Si no me prometes ahora mismo y aquí que nunca más volverás a intentarlo, me voy, ¡te lo aseguro!

Jaz mira hacia otro lado, después a mí y finalmente al suelo. Le tiemblan las manos.

—Por favor, ¿qué pasa? ¿Me lo prometes?

Primero duda, pero después asiente con la cabeza lentamente. Le miro a la cara, sentada de esta manera, con los brazos envolviéndole las piernas, verla tan obstinada y a la vez tan desamparada me pone infinitamente triste... y también furioso.

—¿Qué pedazo de imbécil te metió esa idea en la cabeza? Quiero decir, quién te ha dicho dónde...

No me responde y además se aparta.

—No tiene ninguna importancia.

—Claro que la tiene. Incluso tiene una maldita gran importancia —de repente me entra una sospecha—. No me digas que ha sido Fernando.

—Va, olvídalo. Te he prometido lo que querías, ¿no? Por lo tanto, déjalo.

—¡No me lo puedo creer! —ahora no solo estoy furioso, me levanto de un brinco—. ¡Me las pagará!

—¡Miguel! —me llama por detrás cuando ya estoy saliendo—. ¡Vuelve aquí!

No la oigo. Ya estoy fuera corriendo a través del campamento hasta la ciudad. De repente me ha entrado un odio irrefrenable hacia Fernando. ¿Cómo ha podido hacer esto a Jaz? Todo lo que hemos compartido juntos, todo lo que hemos superado, todo lo que ha hecho por nosotros... nada de eso tiene valor ahora.

Sé dónde le puedo encontrar, me ha enseñado los sitios y le busco, uno detrás de otro. Si pienso que hemos sido nosotros los que hemos dado a Jaz la idea de conseguir dinero para los coyotes de esta manera tan repugnante, me entran náuseas. Pero las indicaciones de dónde y cómo lo podía hacer, solo se las ha podido dar él. Y esta me la va a pagar.

Al final le encuentro. Delante de un bar donde van gringos a pasarlo bien, está en el otro lado de la calle, donde la luz de las farolas ya no alcanza. Está en la penumbra esperando a que pase algún borracho tambaleándose. A alguno que aún le falten unas esquinas para llegar al coche. Paso por delante y le empujo.

—¡Ven conmigo!

—Eh, ¿qué pasa? —pregunta arqueando las cejas—. ¿No has tenido suficiente follón, esta noche?

—¡Ven, te digo!

Continúo hacia delante. Suelta una breve sonrisa pero hace lo que le digo y me sigue. Avanzamos sin decirnos nada, uno detrás del otro, doblamos unas calles hasta un pasaje oscuro que comunica con un patio interior. Hay un cubo metálico en medio y lo aparto con una patada. Entonces me detengo y me doy la vuelta.

—¿Le dijiste *tú*, a Jaz, dónde podía ir a hacer la calle?

Me mira y suelta un resoplido, vuelve la cabeza hacia un lado y se pone las manos en la cintura.

—Sí, pero...

Me abalanzo sobre él y casi le doy un bofetón, pero no lo hago, no sirvo para eso, le empujo de manera que pierde el equilibrio, tropieza con los pies y cae de espalda. Me quedo plantado delante, con los puños cerrados. Noto que me caen las lágrimas.

Se sulfura por un momento, como si prefiriera defenderse, pero se queda en el suelo tal y como ha caído y se apoya sobre los codos.

—Vino a preguntármelo, Miguel —dice con voz cansada—, como hiciste tú. Igual que tú viniste y me dijiste que querías participar en esta mierda.

—No es verdad. Me lo propusiste tú.

—Sabes que no es así. Tenías remordimientos y me preguntaste si había otra manera para poder ganar más dinero. Fue entonces cuando te lo expliqué y tú quisiste hacerlo.

—Sí, ¿y qué? —quizás tenga razón, no lo sé—. Eso no tiene nada que ver con Jaz.

—Es posible, pero es lo mismo. Fue idea suya. Intenté disuadirla, pero no sirvió de nada, quería hacerlo. Es tozuda cuando se le mete una cosa en la cabeza, ya lo sabes. De manera que hace unos días le dije dónde podía ir, o sea que —se incorpora y se levanta— si aún crees que me lo merezco, puedes darme un puñetazo, no lo devolveré.

No lo hago, está claro. Toda la rabia que había acumulado se me ha ido de golpe. Me siento vacío y sin fuerzas.

—De aquí no sale nadie sin sufrir daños —reflexiona, al cabo de un rato—, aunque seas un santo. Si preferías continuar siendo el mequetrefe que quizás aún eras allí abajo, en el río Suchiate, mejor que te hubieras quedado en casa.

Me pone la mano en el hombro.

—Eres mejor persona que la mayoría de los que están aquí... incluyéndome a mí. Y Jaz también lo es, da igual lo que haya hecho las últimas noches.

Le miro de pasada e intento volver a razonar de una manera medianamente coherente.

—Ya vale, Fernando —digo finalmente—, vayámonos de aquí. Antes de que la ciudad acabe con nosotros.

Piensa un momento y luego asiente.

—De acuerdo, quizás ya nos alcance el dinero. Vuelve al campo y vigila que Jaz no haga ninguna tontería. Es mejor que estéis tranquilos y me esperéis.

—¿Qué vas a hacer?

—¿A ti qué te parece? —sonríe—. Ha llegado la hora de aullar con los coyotes.

Las rutas son estrechas líneas blancas en la inmensidad, como ríos de leche. Transcurren desde el sur hasta aquí, se van juntando hasta que acaban en Nuevo Laredo. En el norte ya no hay más, solo son puntos blancos, minúsculos... y terriblemente lejos unos de otros.

—Aquí es donde arrojaron a Emilio del tren —observa Jaz señalando un punto en el mapa. Estamos en la iglesia de San José, donde reparten comida a determinadas horas para gente como nosotros, delante del plano que hay en la entrada de la sala de la parroquia. Miles de personas deben de haber reseguido con el dedo el camino que les ha traído hasta aquí, porque la línea del tren está completamente descolorida. Otras deben haber tocado las ciudades del norte, como si de esta manera se pudieran familiarizar con ellas, y donde la gente ha ido señalando con el tiempo ha quedado marcado en blanco.

—Sí, y aquí Tierra Blanca, por algún sitio está el padre y aquí, en San Luis Potosí, la Santa —voy señalando.

Llevamos un rato delante del mapa recordando las peripecias del viaje. A nuestro lado la gente empuja hacia dentro, tienen prisa por llegar al mostrador donde se reparte la comida.

—Hemos llegado muy lejos —dice Jaz mientras arrastra el dedo hacia arriba, buscando Chicago y Los Ángeles. La distancia entre ellas es tan grande como la ruta que atraviesa México. Después de haberla reseguido, baja la cabeza, desanimada.

—Lo conseguiremos —le pongo la mano en el hombro y hago que se gire hacia mí—, no nos separaremos, volveremos a vernos allá arriba, de verdad.

—Sí, espero que sí. Venga, ¡vamos! A ver si Fernando ya está ahí.

Desde la noche que tuvimos esa desagradable discusión y casi me pego con Fernando, Jaz y yo no hemos salido del campamento porque preferimos no volver a tener nada que ver con la ciudad. Por eso hemos visto la miseria que hay en los refugios. Hasta entonces solo íbamos a dormir y no nos habíamos fijado, ahora lo tenemos muy claro. Es un agujero asqueroso y maloliente a rebosar de gente sin casa que ya no sabe adónde ir. Muchos están enganchados a la droga que se vende en cada esquina y ya no tienen ánimos para cruzar el río, pero tampoco quieren volver atrás, de manera que se han quedado atrapados en el campo, van como sonámbulos y cada vez se asemejan más a fantasmas, más muertos que vivos. Algunos están tan destrozados que parecen almas en pena.

Al ver todo esto, nos ha quedado definitivamente claro que tenemos que irnos de aquí tan pronto como sea posible, no vaya a ser que acabemos de la misma manera. Fernando empezó a buscar un coyote fiable y hoy a mediodía hemos quedado aquí, en la iglesia, para que nos explique a quien ha encontrado.

Entramos en la sala y está a rebosar, con prácticamente todos los sitios ocupados. Con el ruido de los cubiertos y las voces se oye un murmullo que parece un panel de abejas. Ahí está Fernando, comiendo en un rincón. Dan sopa y cada uno puede tomar tanto pan como quiera.

Recogemos nuestras raciones y vamos empujando hasta llegar donde está Fernando. Al vernos, levanta la vista y nos hace una señal con la cuchara, luego continúa comiendo. Por lo que parece, su noche ha sido larga.

—¡Ah, qué rico! —exclama cuando ya ha vaciado el plato. Lo aparta y saluda hacia la pared que tiene delante, hay una imagen enorme de Jesús con los brazos extendidos como si bendijera a toda la gente de la sala—. ¡Gracias, buen hombre!

—Pareces cansado —dice Jaz—. No has dormido, ¿verdad?

—¿A ti qué te parece?

—¿Y cómo ha ido?

Parece que aún no se ha saciado del todo porque arranca un trozo de mi pan, lo remoja en la sopa de Jaz y se lo lleva a la boca.

—Soy el mejor experto del mundo en coyotes —dice con la boca llena.

—¿Qué has descubierto? —le pregunto.

Traga el pan, se inclina hacia delante y baja el tono de voz.

—Escuchadme: hay entre diez y quince bandas de coyotes en la ciudad, cada una con unas cuantas docenas de miembros. Sobornan a la policía para saber cuándo y dónde es mejor actuar y además pagan una cuota a los ladrones del río, para que no sean un peligro añadido. Los coyotes que pertenecen a una banda en principio son seguros, sacan provecho, pero al menos te llevan al otro lado sin estafar, como me pasó la otra vez.

—¿Y cómo podremos contactar con uno?

—Ya lo he hecho, tenemos uno, se llama Anfibio.

—¿Un anfibio? ¡Caramba! ¡Realmente inspira confianza! —opina Jaz.

—Venga, déjate de bromas y sigue con la sopa —replica Fernando—. Como iba diciendo, lo controlan todo. He quedado esta noche con él para negociar el precio.

—¿Y cuál es el límite?

—Uh, muy alto. Como es lógico, primero intentan sacar tanta pasta como pueden, eso es precisamente lo que no se puede permitir.

—¿A qué te refieres, a lo que pasó con el gordo del río Suchiate? —pregunto.

—Sí, algo por el estilo, aunque aquí se trata de más dinero y son más sofisticados. Hay que conseguir bajar el precio, tanto como sea posible, pero sin que se enfade, al fin y al cabo le necesitamos.

—¿Crees que lo vas a conseguir?

Fernando sonríe.

—Afortunadamente, ahora tengo una cierta fama en la ciudad. Ha corrido la voz de lo que le hice al coyote que me tomó el pelo la otra vez. Eso va a ayudar, calculo.

Se echa atrás, con las manos detrás de la cabeza, y se estira, relajándose. Después vuelve a inclinarse hacia delante y pone la mano encima de la mesa con la palma hacia arriba.

—Lo conseguiremos —dice mirándonos y animándonos a que juntemos las manos.

Dudo por un instante y pienso en lo que ha pasado en los últimos días. Pero cuando le miro a los ojos, medio burlones y medio en serio como siempre, lo olvido todo.

—Lo conseguiremos —repito y le doy la mano.

Jaz se ríe.

—Oh, Dios mío, estáis muy locos —dice, colocando su mano encima—, pero bueno, si os parece que esto ayuda: ¡lo conseguiremos!

Por la noche estamos mucho rato despiertos, tumbados dentro del refugio, Jaz y yo. Fernando se ha ido, tenía que encontrarse con el anfibio misterioso y nos estamos imaginando que quizás ahora estén sentados en alguna esquina inmersos en un aprieta y afloja. Estamos demasiado tensos para dormir.

—Fernando lo va a conseguir así —le doy un apretón, aprovechando que se ha puesto debajo de mi manta, y se ríe.

—Sí, seguramente. En realidad tendría que dedicarse al negocio de la banca o a algo parecido cuando esté con su padre, haría una carrera fulminante.

—Por cierto, ¿sabes en qué ciudad vive, su padre? A mí solo me dijo que estaba en Texas.

—No, tampoco lo sé. Me habló de sus padres una sola vez.

—¿Ah sí?

—Ay... —suspira—, una historia bastante triste. La madre murió en el parto.

—*Shit*.

—Sí, por esto creció con su padre, hasta que se fue a los Estados Unidos. No sé exactamente por qué, me pareció que se había visto obligado a huir por algo. Sea como fuere, Fernando se crió en un orfanato, aunque ahora ya hace mucho tiempo que va por el mundo.

Pienso en el trayecto, en las horas que he pasado sentado escuchando las historias de Fernando. A veces la noche entera, con centenares de relatos que no acababan nunca. En cambio, sobre sí mismo no me ha contado nunca nada.

Jaz se incorpora sobre los codos, con el cuerpo hacia el suelo, apoya la barbilla en las manos y se queda mirándome.

—¿Sabes una cosa? Es raro, pero a veces tengo la sensación de que Fernando dice que quiere ir con su padre pero, en realidad, en el fondo, no tiene ningún interés.

—¿Pero cómo se te puede ocurrir esto? —me incorporo yo también—. ¿Por qué querría volver a empezar de nuevo?

—No lo sé, es una sensación, tan solo… quizás quiera estar siempre viajando, ¿entiendes? Porque así siempre puede creer que hacia donde va es mejor que de donde viene. Porque cuando llegas, el viaje se ha acabado y entonces te das cuenta de que no había nada mejor. En realidad no existen sitios mejores, en cambio, mientras estás haciendo el trayecto, estás continuamente aprendiendo.

—Jaz, eso no es verdad. Vaya tontería, ¡pues claro que hay sitios mejores! ¿Por qué estás tan pesimista? Deberías alegrarte de que pronto nos vayamos de aquí.

—No estoy pesimista, tan solo que estos últimos días me han pasado muchas cosas por la cabeza —me mira, abstraída—, por ejemplo, ¿sabes qué he pensado hoy a la hora de comer, cuando os he visto a los dos, a Fernando y a ti?

—No, ¿qué?

—Que cada vez te pareces más a él. Hablas como él, te haces el chulo como él, como si nada te asustara... vaya, que te estás *fernandizando*.

—Eso no es verdad.

—¡Claro que lo es! Cuando nos conocimos en el río Suchiate aún mirabas el mundo con unos ojos como platos, llenos de curiosidad. Realmente encantadores. Luego vinieron las heridas que te han vuelto desconfiado, como Fernando.

—Basta ya, ¿estás hablando en broma o qué?

—¿Ves? —me mira triste—. En Chiapas no habrías hablado nunca así.

—¡Ay, Jaz! Si alguien no cambia en este trayecto es que es un robot, no una persona. Y cuando todo esto acabe, seguramente volveremos a cambiar. Quizás volvamos a ser como antes, o quizás seamos diferentes.

Duda y se acerca aún más a mí.

—¿Crees que volverás a recuperar la mirada de antes?

—¡Pues claro que sí! Será lo primero que recupere. Mira, fíjate, ya estoy en ello.

—Venga, para, no me tomes el pelo. Estoy hablando en serio.

—Yo también. No sé qué será de nosotros, pero estoy seguro de una cosa: tan solo por ti, este viaje ha valido la pena. Me da igual lo que pase a partir de ahora.

Me mira, se deja caer sobre el colchón y cierra los ojos.

—Está bien que lo digas. Significa que todo va bien.

Me doy la vuelta y miro el techo. ¿Y si es verdad, lo que ha dicho? A mí no me lo parece, que haya cambiado, soy el mismo de antes. Pienso igual, siento lo mismo... a pesar de todo...

Sea como sea, pasamos el bosque de La Arrocera, los polis que nos robaron, los ladrones del tren, los *zetas* en aquella casa maldita y ahora esta ciudad. Son muchas cosas que jamás hubiera podido imaginar, y ninguna fácil de olvidar. A lo mejor Jaz tiene razón. Pero no es grave, parecerse un poco a Fernando, ¿no? No me molesta que diga eso. Un poco como él... no está nada mal.

Me pregunto dónde se habrá metido. Hace rato que no está y no puede ser que negociar con esos tipos se alargue tanto. Además, lleva todo el dinero encima. Si le pasa algo —podría caer en manos de cualquier soldado, que le atracaran en un callejón oscuro o que el coyote le engañara—, estaríamos los tres perdidos. Entonces sí que se habría acabado todo.

Jaz suspira suavemente, se da la vuelta hacia mí, pone la cabeza sobre mi hombro y pasa el brazo por encima. Siento su respiración regular, diría que se acaba de dormir. No me atrevo a moverme para no despertarla, la abrazo con mucho cuidado. Es bonito, sentirla así, y gratificante, después de todo lo que hemos pasado juntos.

Me pregunto si aún quiero cruzar la frontera porque una vez allí, al otro lado, nos tendremos que separar. Iremos hacia dos ciudades que están tan terriblemente lejos que quién sabe si volveremos a vernos alguna vez. Me da pánico solo pensarlo.

Por un instante me imagino cómo sería si nos quedáramos aquí, no en esta ciudad, sino en algún lugar de México e intentáramos salir adelante juntos. Tendríamos que desarrollar todas las habilidades que hemos aprendido en este viaje. Naturalmente, no tiene ningún sentido y está claro qué no puede ser.

Me llegan voces de algún sitio, como un murmullo sordo. Primero son dos, después se incorpora una tercera. Creo que sé de quién son: los chicos del refugio de al lado, por su aspecto parece que hace una eternidad que malviven aquí. No les conozco casi nada, les he visto alguna vez tambaleándose por el campo yendo a buscar droga. El camino desde la cabaña hasta su camello es seguramente el único que consiguen acabar.

Les oigo de fondo y el cansancio se va apoderando de mí, poco a poco. De vez en cuando se levanta una voz, se oye más nítida y puedo entender algunas palabras, pero no tienen ningún sentido, al menos para mí. Me llegan un montón de disparates, uno detrás de otro, una habladuría confusa, como alucinaciones en el desierto. Parece que no estén muy lejos, en algún sitio de su mundo particular, multicolor y sin fronteras.

Hay alguna cosa extraña en las imágenes multicolores. ¡Son tan maravillosas, tan atractivas cuando las descubres! Pero en cuanto confías en ellas se vuelven inquietantes y cuando te atrapan, entonces muestran su verdadero rostro terrorífico.

Las conozco bastante bien. Desde la época en que mi malestar por la tristeza de la separación se transformó en rabia y menosprecio por la traición. Desde entonces nunca más me he vuelto a alegrar por los regalos que manda mi madre, ni tampoco por el dinero. Me suenan a una disculpa insuficiente, como un soborno para que no piense en los verdaderos motivos que la han llevado a abandonarnos, a Juana y a mí.

Empecé a hacer tonterías con el dinero. Era mi manera de vengarme por su traición. Me daba buenos consejos, me decía qué tenía que hacer, pero no tenía ningún derecho a ello... ya no. Y yo tampoco tenía la obligación de obedecer.

Primero tiraba el dinero por la ventana, por cualquier cosa y tan deprisa como podía, para hacerlo desaparecer y así no me la recordara. Compraba chuches, cigarrillos, cualquier tontería. Si no me lo podía gastar todo de golpe, se lo daba a Juana, y no me importaba qué hacía con él.

He conocido a gente nueva y me he hecho amigo suyo porque sé que mi madre no soportaría verme con ella. Deambulamos todo el día por la calle, desde la mañana hasta la noche, a veces hasta la madrugada. Como nos aburrimos, hacemos una tontería tras otra, sobre todo cuando disponemos de dinero caliente.

Compramos droga y la inhalamos. Tampoco tenemos nada mejor que hacer. Cuando hace su efecto, los colores son más relucientes, el sol calienta más y los chistes tienen más gracia. Molestamos a la gente y nos encanta cuando alguien se empieza a enfadar de verdad con nosotros, lo pasamos genial. Les hacemos pagar por cosas y no saben por qué.

Recibo una carta de mi madre. Promete solemnemente que este verano nos vendrá a buscar, por fin, no habrá nada que la detenga. Pero enseguida vuelve a escribir, y ya van tres veces, que alguien la ha estafado. Siempre con las mismas frases: «no perdáis la esperanza», «tened un poco más de paciencia y pronto vendréis conmigo». Y al final: «lo haré, Miguel, algún día, tienes que creerme. Algún día lo haré».

Ahora todo me da igual. Al día siguiente vuelvo a esnifar sin parar, hasta que alucino tanto que no me puedo desenganchar de las imágenes multicolores. Por la mañana me despierto, tirado en la calle, encima de mis vómitos. Unos metros más adelante un hombre se arrastra como un perro a través del polvo, medio ciego y cojo. Siento asco de mí mismo.

Al final me acabo despertando, no de esta noche sino de todas las semanas anteriores. Y me doy cuenta de que no la puedo odiar, por mucho que lo intente. No la puedo menospreciar ni olvidar y depende de mí hacer lo que es debido.

Ya me había pasado otras veces por la cabeza la locura de irme hacia el norte. Si ella no consigue nuestro reencuentro, tendré que hacerlo yo. Es mi obligación, nadie va a conseguir que renuncie a ello. Durante mucho tiempo lo he ido posponiendo y no he tenido el valor suficiente.

Pero ahora se acabaron las excusas. Mañana por la noche me iré.

—¡Miguel! ¡Jaz!

Una mano me sacude y me asusto. Fernando está agachado delante de nosotros y nos intenta despertar, desesperadamente.

—¡Va, arriba, maldita sea! ¡No me sobra el tiempo!

Jaz levanta la cabeza de mi hombro y se refriega los ojos de sueño.

—¿Qué pasa? —protesta.

—Llegó el momento —dice Fernando—, nos vamos mañana por la noche, al otro lado, por tres mil dólares.

—¿Los tenemos? —pregunta Jaz, con voz de dormida.

—Sí, los tenemos, incluso un poco más, pero lo necesitaremos cuando lleguemos.

—¿Cómo lo has conseguido? Va, ¡cuenta! —me incorporo, pero hace que no con la mano.

—No tengo tiempo para explicaciones, tengo que irme, aún me quedan temas por resolver. Os lo digo para que mañana... bueno, haced lo que tengáis que hacer, vendré a buscaros.

Se levanta, cerca de la puerta. Al agacharse para salir, vuelve a mirarnos y sonríe.

—Os dije que lo íbamos a conseguir —y se va.

Nos hemos quedado atónitos, sentados encima del colchón. De repente todo transcurre muy deprisa. No sé si alegrarme por la noticia o más pronto debo tener miedo por lo que nos espera mañana por la noche.

Miro a Jaz. Tiene la misma duda en los ojos. La abrazo muy fuerte contra mí.

—Una noche y un día solo, Jaz, y nos vamos.

—¿Miguel?

—Fernando tiene razón. Vamos a ver, qué hay que preparar para mañana, porque...

—¡Miguel!

Afino el oído, su voz suena muy rara, no la había percibido nunca así.

—¿Dime?

En lugar de decir algo, se saca la camiseta por la cabeza y estira la manta por encima.

—Pero... pero, ¿qué haces?

—Quién sabe cuándo volveremos a vernos —susurra y se me acerca dulcemente—, o si volveremos a hacerlo.

Éste chico no me gusta. Me ha caído antipático desde el primer momento: es pegajoso, delgado y enclenque, lleva una barba sucia y mueve continuamente los ojos, astutos, sin mirar nunca directamente. No tengo ni idea de cuántos años debe tener, quizás acabe de cumplir treinta o ya tiene los cincuenta. Apesta a pescado y si un anfibio se transformara en humano, seguramente tendría su aspecto. Es él: el Anfibio, el coyote de quien nos habló Fernando.

—¡Qué jóvenes son! —exclama cuando nos tiene delante, con una voz ronca pero aduladora, parece que susurre aunque hable en un tono normal—. ¡Pues sí que han llegado lejos! ¡Y consiguieron el dinero, que abre todas las puertas!

Ríe entre dientes y repite:

—¡Qué jóvenes y cuánta experiencia! —dirige una mirada lujuriosa a Jaz, solo con eso ya tendría un motivo para propinarle un buen bofetón.

—¿Lo tienes todo a punto? —le pregunta Fernando, impaciente. Parece que el comentario también le ha puesto nervioso.

—El Anfibio siempre lo tiene todo a punto —responde y sonríe complaciente—, con él estarán tan seguros como en el regazo de sus madres. Quién esté bajo la protección del Anfibio no tiene que temer nada ni a nadie.

—Muy bien, de acuerdo —le interrumpe Fernando—, pero ahora vamos. No tengo ganas de perder el tiempo con tus habladurías.

—Tus palabras son órdenes para mí —dice el Anfibio—, pero quizás tendríamos que solucionar ahora el tema económico. Así ya nos lo quitamos de encima.

Fernando duda por un instante, y luego le mira amenazador.

—Haremos como teníamos acordado: una mitad cuando estemos en el río y la otra cuando hayamos cruzado la frontera y estemos a seguro. No me vale ningún cambio.

El Anfibio se encoge de espaldas suspirando.

—Como quieras —replica—, tú eres el jefe y yo tan solo soy un pobre e insignificante anfibio.

—Exacto, no te olvides. Y no intentes tomarnos el pelo, ya sabes qué le ocurrió al último que lo hizo.

El Anfibio le mira ofendido.

—Quizás sea mejor que lo dejemos, si me van a tratar así. Si mis servicios no son deseados...

Fernando se está poniendo nervioso, pero antes de que diga algo en contra, interviene Jaz:

—Estoy segura de que harás bien tu trabajo. Confío en ti.

No la conozco lo suficiente para saber si lo que acaba de expresar lo ha dicho con sinceridad, pero por lo que parece al Anfibio le ha gustado.

—Este es el idioma que entiende el Anfibio —le dedica una sonrisa—, ¡muchas gracias, señorita!

Dirige una mirada malévola a Fernando, da media vuelta y empieza a caminar.

Jaz y yo hemos estado todo el día muy excitados. Vaciamos el refugio y nos despedimos de la gente que durante este tiempo hemos conocido en el campamento, no nos ha costado mucho. Por la tarde fuimos a la ciudad por última vez y por la noche ha venido Fernando a buscarnos. Nos hemos encontrado donde había acordado con el Anfibio, a medio camino entre el campo de emigrantes y el río. Ahora le vamos siguiendo los pasos y nos preguntamos si nos podemos fiar de él.

Nos hace pasar por un arrabal de la ciudad prácticamente sin vida: un par de tenderetes de tacos, un gimnasio y un establecimiento de pollos asados. De repente aparece un coche de policía que se dirige hacia nosotros desde el otro lado de la calle. Fernando, Jaz y yo no necesitamos ni tres segundos para desaparecer. Pero el Anfibio sigue caminando como si nada, saluda a los polis cuando pasan por su lado y le devuelven amablemente el gesto.

Cuando el coche desaparece al doblar la esquina, corremos hasta alcanzarle, entonces nos mira y pregunta, en un tono de reproche:

—¿Por qué se escondieron? ¿Acaso no me pagaron?

Sigue caminando dando cabezazos. Miro a Fernando, arquea las cejas y asiente, dándole la razón. Jaz sonríe y le da un codazo. Le siguen y yo voy detrás.

Unos minutos más tarde, después de haber cruzado algunas calles, saltado una valla y resbalado por un desnivel, estamos al lado del muro donde estuvimos sentados la noche del primer día. Tal como nos propusimos, desde entonces no habíamos vuelto aquí, ni tan solo cerca del río. Ahora hemos vuelto y la tenemos delante: «la línea de la muerte», como Fernando llamó entonces a la orilla.

En realidad, la noche es deliciosa. No hace ni frío ni calor y después de tanto tiempo en la ciudad y en el campamento, volvemos a respirar el agradable olor de los árboles y matorrales que crecen en los márgenes del río. Todo parece tranquilo y pacífico, con la luna que brilla en el cielo.

Pero todo esto es apariencia, la realidad es otra: unos ladrones surgen de la oscuridad, se plantan delante y nos amenazan. El Anfibio les hace una señal, parece que se conocen. Algunos desaparecen inmediatamente, otros se quedan esperando sin estar muy seguros de qué hacer.

El Anfibio sonríe.

—Si ahora hubieran ido solos, se hubieran tenido que enfrentar a ellos —dice y esta vez susurra de verdad—, no hubieran llegado ni a la orilla —se mira a Fernando de pies a cabeza—, tú quizás sí, pero no habrías salido tan campante, no... ¡para nada!

Fernando entiende la indirecta. Saca del bolsillo la mitad del pago pactado y se lo da, disimuladamente y a escondidas, de manera que los ladrones que nos vigilan no se dan cuenta. El Anfibio toma el dinero y lo hace desaparecer con un hábil movimiento.

—Este sitio está especialmente solicitado —dice señalando hacia el río—, ¿lo ven?

Casi en medio del río distingo un islote alargado y estrecho; es como una sombra oscura que emerge del agua. Con la luz de los focos que la va iluminando regularmente, se perfilan algunos arbustos.

Antes de que podamos preguntar qué hay allí, se oye un ruido. El helicóptero que vimos la primera noche sube por el río, se queda un rato sobre la isla y después se va.

—Pasa cada diez minutos —murmura el Anfibio mientras se aleja el martilleo de los rotores—. Ahora, ¡vamos!

Le seguimos y bajamos hasta el río agachados. Al llegar a la orilla, el Anfibio se queda quieto, mira a todas partes buscando algo y entonces aparta unas ramas que quedan un poco más alejadas, como si estuvieran ahí por casualidad, pero debajo de ellas hay cuatro neumáticos de coche.

—Uno para cada uno —ordena— y en el agua manténganse cerca de mí, si aprecian la vida, ¡solo el Anfibio sabe dónde están los remolinos! —ríe entre dientes mientras levanta su neumático, lo arrastra hasta la orilla y lo tira al agua.

Hacemos todo lo que hace él. Nos hace entrar en el río un poco más arriba, por encima de la altura de la isla para que podamos derivar mejor hacia ella. El agua está bastante fría, nos adentramos, subimos a los neumáticos y avanzamos. Al cabo de poco ya estamos navegando.

—¡Remen! —grita el Anfibio desde delante—. Siempre en dirección a la otra orilla, y golpeen el agua, ¡hay que asustar a las serpientes!

Justo cuando acaba de decir esto, baja una ráfaga de viento por el río y una ola me salpica en la cara. Me quedo un instante sin aire y empiezo a remar hacia adelante con las manos y los pies. A mi izquierda, Jaz y Fernando hacen lo mismo, río arriba, al otro lado, el agua se levanta por algún motivo que prefiero no saber.

Cruzar el río así es agotador. Hay que luchar contra corriente y sortear los remolinos, voy rezando para que mi neumático aguante y no se deshinche de repente. Cuando finalmente alcanzamos la isla, estoy completamente destrozado y muerto de frío.

Acabamos de esconder los neumáticos debajo de unos matorrales más altos cuando volvemos a oír el ruido del helicóptero. Aún es débil, pero se va haciendo más fuerte muy deprisa.

—¡Sumérjanse! —grita el Anfibio con su voz ronca—. ¡Todo el rato que puedan!

Doy un tirón a Jaz hacia mí y ya tenemos el helicóptero encima. Tomamos aire, nos sumergimos y en ese instante nos enfoca, la hélice levanta el agua y la oímos burbujear. Con una mano sujeto a Jaz, con la otra me aguanto fijo a una raíz, sin soltarla, para que no me arrastre la corriente.

Estamos tanto rato debajo del agua que casi nos explotan los pulmones. Finalmente la luz del foco se va y el agua deja de barbotear. Salgo a la superficie jadeando y buscando aire, al lado tengo a Jaz, que también saca la cabeza. El helicóptero da media vuelta y se aleja, río arriba.

—¡Vamos, deprisa! —exclama Fernando jadeando desde no sé dónde—. Tenemos que cruzar antes de que vuelva.

Recuperamos los neumáticos de debajo de los matorrales y cruzamos la isla, que en realidad es un banco de arena. Cuando estamos al otro lado, parece que la orilla de enfrente se pueda tocar. Cada vez siento más respeto por el Anfibio: ha escogido un sitio estratégico, situado exactamente entre dos de las enormes torres de vigilancia. Una está a unos centenares de metros río arriba, la otra igual, pero río abajo. La luz de los focos no para de pasar por encima del agua, pero a nosotros apenas nos llega.

El Anfibio señala un sitio de la orilla de enfrente, un poco más abajo. No distingo nada, al menos desde donde estamos ahora.

—Tenemos que ir hasta allí —dice en voz baja. A diferencia de nosotros, no le falta aire, realmente da la sensación que dentro del agua se encuentra como en su casa.

—¿Por qué allí, justamente? —pregunta Fernando.

—Ya lo verán. Vamos, ¡al agua! Vigilen con la corriente, aquí es más fuerte que al otro lado. Tienen que remar en contra, si no, les empujará.

Entra en el río, tira el neumático sobre el agua y sube en él. Jaz hace lo mismo, pero resbala en el primer intento y se hunde. Vuelve a salir enseguida, recupera el neumático y sube.

—Mantente a su lado —me pide Fernando flojito—, así la podrás ayudar si le fallan las fuerzas —sonríe un instante—, pero no te chives que lo he dicho yo, si se entera, ¡me mata!

—¡De acuerdo! ¡Suerte!

Entramos en el río y nos subimos a los neumáticos. Tan pronto como abandonamos la orilla, noto lo que ha dicho el Anfibio, la corriente baja con más fuerza en este lado. Entro en un remolino tan potente que casi me arrastra y empiezo a remar como un loco. Jaz, que va tan solo unos metros delante, hace lo mismo, le oigo gemir, parece que no tiene fuerza suficiente para luchar contra la corriente.

Todo el rato he intentado olvidar, con más o menos éxito, que no sé nadar. Ahora, en medio del río, con el agua dominándome por todos lados, no puedo más. Por un momento me quedo paralizado pensando qué pasaría si cayera del neumático. Ninguno de ellos me podría ayudar, cada uno tiene suficiente consigo mismo. Fernando me chilla y como un autómata vuelvo a mover los brazos.

Finalmente, cuando alcanzo la orilla, tengo todo el cuerpo entumecido. Consigo salir del agua sacando fuerzas de flaqueza, noto que me fallan las piernas y me desmayo. Unos metros más allá veo a Jaz, sentada. Lo ha conseguido, ¡gracias a Dios! Tose porque seguramente ha tragado agua. El Anfibio y Fernando también están ahí, suben los neumáticos a la orilla y luego los esconden.

—Hemos quedado demasiado abajo —dice el Anfibio flojito, cuando han acabado la operación—. Vamos, deprisa, antes de que vuelva el mosquito —supongo que se refiere al helicóptero—, ¡y no hagan ruido!

Fernando cuida de Jaz y la ayuda a levantarse. No sé cómo, pero yo también consigo ponerme de pie. Avanzamos por la orilla río arriba. Por suerte está a oscuras porque nos movemos en el ángulo muerto de los focos. Y los soldados que patrullan por el camino que tenemos justo encima tampoco pueden vernos.

El Anfibio se para al cabo de poco. En la oscuridad se puede distinguir un conducto de aguas residuales que vierte un líquido sucio y apestoso al río. La boca está protegida con una verja, cerrada con un candado. Antes de entender qué está pasando, el Anfibio saca una llave y abre: tenemos vía libre.

—Eh, no lo dirás en serio, que hay que entrar aquí —advierte Fernando.

—No tienen más remedio —replica el Anfibio. Tengo la sensación de que esta parte le divierte especialmente—, si no lo hacen, les pillará el mosquito o los polis de ahí arriba, y entonces sí que estarán listos.

Nos miramos. Hemos llegado hasta aquí y no podemos dar marcha atrás, pero por el tubo asqueroso no quiere meterse nadie. Fernando se lo piensa un poco, entonces agarra al Anfibio por la camisa, completamente mojada, con las dos manos.

—¡Pero tú también entras! —le dice, amenazador.

Parece que la sacudida no le afecta.

—Pues claro que voy con ustedes. El Anfibio les acompaña a todas partes. El Anfibio no les deja nunca solos.

Nos quedamos en silencio. Solo se oye el rumor del río, pero poco a poco lo va sustituyendo el ruido del helicóptero, que resuena desde lejos.

Jaz agarra a Fernando por el brazo.

—Déjale, saldrá bien. ¿Te acuerdas cuando nos sentamos al otro lado y estuvimos pensando cómo pasaríamos la frontera? Aquí tienes la respuesta. Seguro que aquí dentro no hay ningún policía esperando.

Fernando se queda dudando. Primero mira el tubo, luego en dirección al helicóptero que cada vez se oye más fuerte y no hay quien lo detenga. Finalmente, acaba cediendo.

—De acuerdo —le dice al Anfibio—, pero tú delante y no intentes tomarnos el pelo, porque te acordarás de mí.

El Anfibio se agacha y se introduce en el conducto: en un instante ha desaparecido. Fernando me hace una señal.

—Vamos, pasa tú, ¡deprisa! Y controla que no intente engañarnos. Yo iré el último.

Mientras tanto el helicóptero ha llegado prácticamente a nuestra altura. Respiro hondo, agacho primero la cabeza y entro en el tubo a gatas. Al cabo de pocos metros choco con el Anfibio, nos está esperando. Me siguen Jaz y Fernando, que han conseguido entrar en la conducción justo cuando ha llegado el helicóptero. Se queda suspendido sobre la isla y el martilleo de los rotores resuena tan fuerte dentro del tubo estrecho que casi me perfora los tímpanos.

Finalmente se va, el ruido se va alejando hasta que todo queda en silencio. Diría que no nos ha visto nadie.

—¡Adelante! —croa el Anfibio, con una voz fantasmagórica.

Va avanzando despacio y le seguimos. La oscuridad es absoluta y la peste, bestial. El conducto es tan estrecho que tenemos que arrastrarnos a cuatro patas y mantener la cabeza hacia abajo. Tenemos las manos, las rodillas y los pies hundidos en una especie de líquido indefinido. En parte estoy contento de no verlo. El mal olor es una mezcla de agua residual, petróleo y meados. Los laterales están recubiertos con una sustancia viscosa y resbaladiza, si la tocas parece el pelo húmedo de un animal.

Tengo ganas de devolver. Parece que al Anfibio no le afecta, ya no le veo, solo le oigo. Va silbando, mientras nosotros intentamos que el agua sucia no nos maree, parece que él se encuentre en su medio natural. No me extrañaría que durmiera en un sitio como este, ¡o que hubiera nacido aquí dentro!

El tramo no se acaba nunca. Al cabo de un rato, el Anfibio ralentiza la marcha hasta que se para. A una cierta distancia, justo delante, se ve un tenue rayo de luz que se filtra por una rendija. Nos acercamos, unos travesaños de hierro permiten trepar hacia arriba, donde hay un círculo por donde entra la claridad. Ahí está la salida y, al final, ¡la luz!

En un segundo nos olvidamos del mal olor y de los peligros. Nos hemos amontonado, con las cabezas juntas, para poder ver la luz al final del túnel.

—¿No se lo dije? —anuncia el Anfibio, flojito, señalando hacia arriba—. Aquí lo tienen.

—¿El qué? —pregunta Jaz.

—El país —responde el Anfibio—, ¡el país a donde quieren ir!

El Anfibio se dispone a subir pero Fernando le retiene y le aparta a un lado. Creo que aún no se fía del todo.

—No, tú te quedas aquí. Yo iré primero.

El Anfibio pone mala cara, ofendido.

—Te vas a arrepentir, jefe. Y mucho. Harás un mal negocio, si vas solo.

Fernando indica que no con la mano y con un gesto nos da a entender que le esperemos. Aguantamos la respiración mientras trepa y va subiendo los peldaños. Cuando llega arriba, saca la cabeza, con mucho cuidado, y enseguida la vuelve a esconder, se agacha y baja como un rayo. Agarra al Anfibio, le empuja atrás y le hace caer en el agua apestosa.

—Cabrón —le propina—, ¡hijo de la gran…! ¡Quieres estafarnos!

Está tan desconcertado que ni se defiende.

—Pero qué… ¿qué me estás diciendo? El Anfibio nunca...

—¡El Anfibio, el Anfibio! ¡Me saca de quicio tu manera de hablar! Ahí arriba está la poli, al lado de la salida, como si nos estuvieran esperando.

Fernando está a punto de sumergirle la cabeza en el agua.

—¡Te prometo que no tengo ni idea! Mira, toma, ¡para ti!

Saca los billetes que le dio al otro lado del río y se los ofrece. Fernando duda y le continúa sujetando.

—Hasta ayer era un camino seguro —se lamenta—, habrán sorprendido a alguien y se habrá chivado. Déjame subir, jefe, quiero ver.

Fernando no se decide, pero luego lo suelta, en el mismo momento que le estira el dinero de la mano.

—De acuerdo, sube. Pero la pasta la guardo yo aquí.

Se aparta de Fernando y avanza hacia nosotros, se sacude el agua y trepa hacia arriba. No transcurre mucho tiempo y vuelve a bajar. Cuando llega parece bastante deprimido.

—Les juro que no tengo nada que ver —dice con voz llorosa.

—¿Qué pasa? ¿Nos lo podéis explicar, por favor? —pregunta Jaz.

—El conducto sale al exterior, pero hay unos polis vigilando la salida, plantados al lado de un coche, un poco alejados, ahora no nos pueden oír, pero en cuanto salgamos caeremos como moscas.

Mira hacia arriba agobiado y luego se dirige al Anfibio.

—¿Los puedes sobornar?

—¿Cómo se te ocurre, jefe? No funciona así, no son polis mexicanos. Ganan tanto que no necesitan ingresos complementarios.

—¿Al menos habrá otra salida, aquí?

—No, ninguna que sea practicable, a no ser que... —señala en la dirección de donde hemos llegado.

—Ni pensarlo, no queremos volver atrás por este tubo de mierda.

Nos quedamos agachados, durante un buen rato, en el último tramo de esta cloaca, estrujándonos los sesos pensado qué podemos hacer. Pero a nadie se le ocurre nada. Estamos atrapados en tierra de nadie, sin poder ir ni adelante ni atrás. A un lado está la poli, en el otro, el río con los remolinos, las serpientes y el helicóptero. No tenemos por dónde salir.

Finalmente, salta Fernando.

—Bueno, pues tendrá que ser así —se lo dice más a sí mismo que a nosotros.

Se pone la mano en el bolsillo, saca las dos partes de la suma pactada y se las ofrece al Anfibio.

—Toma —le dice, señalando con la cabeza a Jaz y a mí—, llévales lejos del coche. Si me entero de que les ha pasado algo, te acabaré encontrando cuando menos te lo esperes. Y ya sabes qué pasará.

Acepta el dinero y se lo guarda.

—Puedes confiar en mí, jefe. El Anfibio quiere seguir viviendo. Llevará a tus amigos a salvo.

—¡Eh, un momento! —exclama Jaz mirando a Fernando sin entender nada—. ¿Qué significa esto? ¿Cómo, que nos va a llevar a salvo? ¿Y qué pasa contigo?

—Distraeré a los polis. Si todo sale bien, tendréis vía libre.

Jaz quiere protestar pero le interrumpo.

—Eso ya te lo puedes sacar de la cabeza. Dependemos los unos de los otros y vamos juntos. Sin ti, ni Jaz ni yo nunca habríamos llegado tan lejos, sin ti no habríamos llegado ni a Chiapas.

—Precisamente. Y sin mí quizás tampoco lo consigáis ahora. Pensadlo bien, incluso si me pillan y me devuelven, ¿y qué? En unas semanas, como muy tarde, volveré a estar aquí, pero vosotros quizás no tengáis nunca más la oportunidad. Hacedme caso: es la única posibilidad que tenemos. Juntos no lo conseguiremos.

—Pues busquemos otro camino. Y si ahora no puede ser, mañana por la noche. O pasado mañana —le sujeto por el hombro—, ¡Fernando! ¡Ahí fuera está Texas, allí está tu padre! ¡No lo estropees todo, ahora!

Me mira pensativo. Me aparta la mano y señala hacia arriba.

—¡Ven!

Se encarama por los hierros. Capto una mirada de sorpresa de Jaz y le sigo. A medio camino para y espera que me ponga a su lado. Estamos muy pegados, juntos, casi no hay espacio para dos.

Fernando mantiene la cabeza bajada, de momento no dice nada pero algo le agobia. Al final, acaba levantando la mirada.

—No es exactamente como os dije. Mi padre no está en Texas.

—¿No? ¿Dónde está, entonces?

—En ninguna parte. No está en ninguna parte.

Le miro a los ojos. Ahora entiendo qué me está diciendo.

—No me estarás diciendo que...

Asiente.

—Quería ir a Texas, pero nunca llegó. El tren le... —señala en dirección a México—, bueno, ya sabes.

«¿Atropelló?» iba a decir, pero no pronuncio la palabra.

—¿Cuándo? ¿Cuándo pasó eso?

—No importa.

—Pero... —no lo puedo entender—, entonces, ¿por qué lo haces todo esto? ¡No tiene ningún sentido!

—¿Sentido? —sonríe amargamente—. ¡Como si algo de aquí lo tuviera! Mira a tu alrededor, lo verás a simple vista.

Tiene razón. Da igual hacia donde mires o te vuelvas: no hay nada que tenga sentido. Ni tampoco lo que hacemos Jaz y yo, lo he comprobado estos últimos días. Todo lo que pasa aquí es, de alguna manera, una locura monumental.

—Y lo que tu padre no pudo conseguir, ¿ahora quieres conseguirlo tú, verdad? Volviendo al principio, una y otra vez.

—Ay, no lo sé. No pienso mucho en ello, lo hago, simplemente, y ya está. Me imagino que algún día habrá un montón de historias que hablarán de mí. Al fin y al cabo eso es lo más bonito a lo que podemos aspirar, ¿no crees?

—No tengo ni idea. Quizás haya más cosas, en algún otro sitio, Fernando.

Va negando con la cabeza.

—No para gente como nosotros —parece que se acuerda de algo y se le ilumina la cara, lo veo a pesar de la oscuridad—, ¿te acuerdas de la puesta de sol de Chiapas?

—Pues claro.

—Y... ¿cuando la gente de la iglesia se levantó y se colocó delante nuestro?

—No lo olvidaré jamás.

—Y... ¿cómo tomé el pelo al gordo del río Suchiate?

—Me acordaré toda la vida.

Asiente.

—Sí, yo también —reconoce y sonríe. En este momento parece completamente feliz. No lo puedo explicar, pero es así.

—No nos volveremos a ver, ¿verdad?

—Da igual, ahora llámales. Y cuida de Jaz. Se lo merece, se lo merece todo. Incluso a ti.

Acaba aquí y trepa hacia arriba. No quiero que se vaya, estoy completamente en contra, pero, ¿cómo puedo parar a una persona así? Nadie puede detener a los que son como él.

Desciendo hasta donde están los demás. Jaz quiere saber de qué hemos hablado, pero me invento una excusa. Ya se lo explicaré cuando tengamos tiempo.

—¿Realmente lo va a intentar?

—Ay, déjale, Jaz, sabe lo que se hace.

—Sí, pero... ¿crees que lo conseguirá?

—Si hay alguien que lo pueda conseguir es él —no lo he dicho de verdad, claro, ahora ya sé que no quiere conseguirlo.

Subimos hasta la altura de Fernando. Intercambia algunas palabras en voz baja con el Anfibio, como si le diera indicaciones. Luego se vuelve hacia nosotros.

—Afinad los oídos —dice sonriente—, cuando salga, se agitará el gallinero.

Durante unos instantes se mantiene aún todo en silencio, solo oímos sus pasos, pero enseguida empieza el alboroto: gritos, ruido de botas, órdenes enérgicas. Trepo hasta el último peldaño con mucho cuidado y saco la cabeza, lo justo para poder ver algo.

El tubo da a un terreno llano, como si fuera el aparcamiento de un supermercado o algo parecido, pero ahora por la noche hay muy pocos coches. Unas farolas lo iluminan, no directamente donde estamos nosotros, sino más hacia el centro. Unos metros más allá está la tapadera que normalmente debe cerrar la obertura.

Fernando cruza la plaza haciéndose ver tanto como puede y enseguida dos uniformados corren hacia él y un tercero intenta interceptarle. Al lado de las farolas aún hay dos polis más, uno se pone a hablar por radio control, el otro saca el arma y la levanta como si quisiera disparar al aire.

El Anfibio se asoma a mi lado.

—¡Ahora, salgan conmigo! —susurra.

Le sigo y Jaz va pisándome los talones. Corremos hasta un coche aparcado en la penumbra y nos tiramos detrás. Hemos tenido el tiempo justo, los policías están tan ocupados con la aparición de Fernando que no se les ocurre que pueda haber alguien más.

Me tumbo en el suelo y miro por debajo del coche. Un muro cierra el aparcamiento por tres lados, solo el de enfrente sale a la calle y justamente por allí es por donde Fernando intenta escapar. En realidad no tiene salida, porque enseguida cuatro polis le bloquean el paso. El quinto, que tiene el arma, grita y después dispara al aire.

Fernando no se intimida y sigue corriendo, debe de estar seguro de que aquí nadie le va a disparar. Esquiva los obstáculos, uno detrás de otro, como una liebre, se escurre entre los polis y metro a metro consigue avanzar en dirección a la calle. A pesar de todo, le van encerrando y en poco tiempo se queda sin escapatoria. En el último instante consigue dejar con un palmo de nariz a uno de los polis que lo iba a atrapar, serpentea ante un segundo y empuja a un lado un tercero: ¡ahora tiene camino libre hasta la calle!

Pero en ese mismo instante aparece otro coche patrulla, frena haciendo chirriar las ruedas, se abren las puertas y Fernando se queda inmóvil, mira a su alrededor agobiado y echa a correr hacia una de las paredes. Ahora hay siete persiguiéndole.

El Anfibio me tira del brazo.

—¡Vamos! —susurra—. ¡Ahora o nunca!

Salimos corriendo. Para llegar a la calle hay que cruzar una parte iluminada sin nada que nos cubra, pero Fernando ha conseguido atraer a los policías de manera que solo tienen ojos para él y además les ha llevado justamente en dirección contraria a nosotros. Llegamos a la calle sin que se den cuenta.

Ya estamos fuera y me doy la vuelta. Fernando está intentando subirse al muro. Es demasiado alto pero con un salto encuentra donde sujetarse y con las manos llega a la parte de arriba. En el momento de darse impulso un policía le agarra por el pie, intenta desprenderse de él dándole una patada a la cara. En seguida llegan los demás, tiran de él hacia el suelo y empiezan a golpearle con las porras.

Me sale el instinto de ir a ayudarle, pero el Anfibio me retiene.

—No puedes —me susurra al oído—, si ahora no desaparecemos de aquí, todo lo que ha hecho por vosotros habrá sido en vano.

No lo puedo soportar. Ya sé que tiene razón, pero no puedo abandonar a Fernando así, sin más. Estoy como paralizado y Jaz, que está a mi lado, también. Creo que aún estaríamos allí si el Anfibio no nos hubiera agarrado y arrastrado fuera de ahí.

No me he enterado mucho del camino que ha tomado, primero por unas callejuelas, después hemos saltado unas vallas, cruzado por debajo de un puente, en realidad no lo he retenido. Todo me resulta difuso, no lo puedo asumir. De repente es como si Fernando solo hubiera sido, durante todo este tiempo, un fantasma y ahora, cuando nos hemos mirado a los ojos por última vez, me hubiera mostrado quien es realmente.

Al final nos detenemos para descansar debajo de un puente. Le pregunto al Anfibio qué le pasará a Fernando.

—Le llevarán a la cárcel de Liberty, una chirona de mierda, sí, ¡asquerosa y maldita! Pero su amigo lo superará, conozco a los tipos como él. En unas semanas le volveré a ver y no me va a sorprender, para nada —ríe a carcajadas—, entonces el Anfibio le explicará que les ha acompañado, sanos y salvos, como dos bebés, porque, si no, su amigo se pondrá furioso, oh sí, ¡peligrosamente furioso! Pero ahora vamos, los coches están esperando.

Seguimos caminando. Ya hemos llegado prácticamente a las afueras de la ciudad de este lado del río. No sé ni cómo se llama y Fernando ya no está aquí para preguntárselo. No nos cruzamos con nadie y el Anfibio nos guía, se conoce todos los rincones. Miro a Jaz, tiene los ojos llorosos, no sé si es por Fernando o porque está pensando, como lo estoy haciendo yo, que este es el último tramo que hacemos juntos, y por mucho tiempo.

Finalmente hemos salido de la ciudad y llegamos a un descampado lúgubre y desalmado, parece una antigua cantera. A pesar de la oscuridad, veo dos coches aparcados. Al acercarnos, se abren las puertas y bajan dos hombres, pero solo distingo las siluetas.

El Anfibio se para.

—Aquí se separan nuestros caminos. Ellos les llevarán a Los Ángeles y a Chicago.

—¿Y dónde está el coche para Fernando? —pregunta Jaz.

—Oh, no quiso. Desde el principio me dijo que para él no hacía falta —el Anfibio hace una leve señal con la mano—. Esperen aquí.

Se dirige hacia los hombres y habla con ellos, a pesar de la penumbra veo que les entrega una parte del dinero que le ha dado Fernando.

Me doy la vuelta hacia Jaz. Duda y entonces ella también avanza hacia mí. Nos estrechamos en un abrazo, me sujeta fuerte, como si prefiriera no tener que separarnos nunca más.

—Este es el momento que más temía, desde hace días.

—Yo también, pero no puede ser de otra manera, Jaz. Tenemos que acabar aquí, si no, no nos lo perdonaríamos nunca.

—Sí, ya lo sé —se lamenta—. Te has vuelto terriblemente mayor, no sé cómo.

—¡No me digas! Ya se me pasará.

Levanta los ojos y me mira.

—¿Te va a durar mucho?

—No lo sé, espero que se me pase pronto. Mira, un día, cuando tu ya ni te acuerdes, un día de aquellos que tengas mal humor de verdad, que haga frío, llueva y todo sea una mierda, irás por la calle y de repente tendrás la sensación de que alguien te está observando. Te darás la vuelta y ahí estaré yo, plantado bajo la lluvia, al otro lado de la calle. ¿Me has entendido?

Se ríe.

—Espero que llueva mucho. Espero que llueva cada día, a cántaros.

Aún va a decirme más cosas pero el Anfibio regresa hacia nosotros y nos interrumpe.

—Deben irse —dice impaciente—, no pueden perder más tiempo.

Vamos hacia los coches. El Anfibio acompaña a Jaz y el hombre que va a llevarla abre el maletero. Se despide con la mano y sube, lo último que veo es cómo agacha la cabeza. El hombre cierra el capó enseguida, sube al volante y arranca.

Suspiro y me dirijo hacia el coche que me espera. El Anfibio está apoyado al lado del maletero abierto y con un gesto me invita a subir.

—Se saldrá con la suya —me dice—, no te preocupes por ella.

Casi me empieza a gustar, el Anfibio.

—¿Y tú? ¿Qué vas a hacer, ahora?

Sonríe.

—Me voy al río, regresaré con los neumáticos y dormiré a gusto hasta mañana. Hay unas ratas de cloaca que están esperando la ayuda del Anfibio. —Oigo por última vez cómo se ríe entre dientes y después desaparece en la oscuridad.

Subo al maletero, lo encuentro bastante grande, recubierto con una manta, con una botella de agua y algo de comer encima. Nada más entrar, se cierra el capó. El hombre que me va a llevar ni me ha dirigido la palabra, creo que ni tan solo se ha fijado en mí. Oigo como va hacia delante, sube y arranca de golpe.

Al principio hay muchos baches, me resbalo de aquí para allá y tengo que sujetarme para no darme un golpe en la cabeza. Pero pronto abandonamos la cantera y entramos en una carretera, quizás sea una de aquellas autopistas tan anchas que se ven por la tele. El coche hace ruido pero el movimiento casi ni se nota.

Pasa el rato y aún estoy temblando por la impresión de todas las cosas delirantes que nos han ocurrido. Me vuelve todo a la memoria: el río lleno de remolinos y de serpientes, el helicóptero que nos hizo sumergir, la peste del tubo asqueroso... y los policías que han pegado a Fernando, claro. Hasta ahora no soy consciente de que todo era peligroso y arriesgado, y que hubiéramos podido quedar todos atrapados.

Tengo un mal presentimiento dentro de este maletero oscuro y estrecho. ¿Y si ahora me pasara algo? Está claro que me podrían detener en un control policial o que podríamos tener un accidente. O que el hombre me dejara en cualquier sitio, vete a saber, con gente que podrían hacer conmigo lo que quisieran, sí, me podrían pasar mil cosas, pero ¿y qué? Es así desde hace semanas. Y no sirve de nada sufrir por ello, eso lo he aprendido de Fernando.

El rugido del motor y el balanceo del coche tienen un efecto tranquilizador. Estoy atento a los ruidos de fuera y mantengo la mirada en la oscuridad. Por primera vez veo claro que lo he conseguido. Si alguien en Tajumulco me hubiera dicho todo lo que me esperaba, seguramente no habría tenido el valor para emprender el viaje. Pero por suerte no me lo dijo nadie y ahora estoy aquí... contra todo pronóstico.

Dentro de unas horas, cuando sea, no lo sé, en algún momento de mañana por la mañana, todo habrá acabado. El hombre parará, me hará salir del maletero y se irá. Estaré en una ciudad que no conozco, iré hacia una casa extraña, llamaré a la puerta, subiré unas escaleras y llegará el momento, único y fugaz, del cual va a depender todo. Estaremos cara a cara, no me podrá rehuir y en sus ojos leeré si todo este viaje ha valido la pena... o no habrá servido para nada.

Prefiero no imaginarlo. Pienso en los demás y en cómo deben estar. Tanto tiempo superándolo todo, juntos, y ahora estamos separados, en direcciones diferentes. Emilio... nadie sabe dónde está. Se fue sin decir nada, como era su estilo. Ángel... espero que ya haya llegado a su país, con sus abuelos, quizás sea lo más parecido a su casa. Fernando... seguramente lo deben de estar llevando a la cárcel y ahí se recuperará de la paliza. Pronto van a devolverlo, cruzará México y como le conozco pescará a unos mocosos al otro lado del río Suchiate para poder explicarles historias y divertirse. Y Jaz... está viajando dentro de un maletero, como yo. Mientras voy hacia el oeste, ella va exactamente en dirección contraria. Cada minuto que pasa la distancia entre nosotros se hace mayor. A pesar de ello, es como si la tuviera aquí a mi lado. Creo que a partir de ahora siempre será así, como si estuviera a mi lado.

Pienso en cómo nos conocimos, desayunando en el albergue de Tecún Umán. Busqué una mesa libre y los demás fueron llegando. Lo recuerdo perfectamente: me fui a sentar hacia la izquierda de la sala, sin pensar. ¿Qué hubiera pasado si hubiera ido hacia el otro lado, si hubiera conocido a gente completamente diferente? ¿Ningún Fernando, ninguna Jaz? ¿Hubiera llegado hasta aquí?

Es curioso. El destino pende de unos hilos imperceptibles, tan finos y delgados que no se pueden ver. En realidad es como si no estuvieran.

Me doy la vuelta y me cubro con la manta. Es mejor no seguir pensando en ello. Si se piensa demasiado, casi da miedo.

Querida Juanita:

La última vez que te escribí estaba en México, en el albergue de la Santa. Aún teníamos el desierto por delante y lo más importante: la frontera. Cuando la vi, perdí casi todas las esperanzas. Está vigilada con soldados, torres y helicópteros. Tardamos mucho en encontrar un camino para pasar al otro lado y por desgracia no todos lo consiguieron. Solo Jaz y yo. Cómo lo hicimos... bueno, eso ya te lo explicaré en otra ocasión. El caso es que llegué a la ciudad donde vive mamá, hace unos días, a primera hora de la mañana, dentro del maletero de un coche. Los Ángeles es increíblemente grande, con rascacielos gigantes, no te lo puedes ni imaginar. La dirección que llevaba grabada en la planta del pie también era la de un edificio así. En el portal había centenares de timbres. Los fui recorriendo con el dedo, uno detrás de otro, hasta que encontré su nombre.

No sé cuánto rato me quedé allí plantado sin atreverme a pulsar el botón. De repente me dio un miedo terrible entrar en la casa. Miedo de encontrarme a alguien que ya no me reconociera. Miedo de mí mismo. Cada vez que ponía el dedo encima del timbre, lo retiraba después. Por un momento incluso estuve a punto de irme, pero pensé en todo lo que había hecho por llegar, en Jaz y Fernando... y sobre todo en ti. Entonces llamé.

El piso estaba en la sexta planta. Había ascensor, pero preferí subir por las escaleras, para tardar más. La escalera olía de una manera extraña y subiendo me encontré mal. No he vivido en edificios, me siento raro en ellos, como si me faltara espacio. Por suerte no me crucé con nadie, seguramente tenía muy mal aspecto, después de un viaje tan largo.

Cuando llegué al final de la escalera, ella estaba en la puerta. De entrada no me reconoció. ¡Tenía ocho años, la última vez que me había visto! Hizo el gesto de volver a entrar en el piso, seguramente pensó que era alguien que la iba a atracar. Pero entonces se quedó paralizada y se fue girando, poco a poco. Se puso las manos delante de la boca y cuando la miré a los ojos en el breve instante en que me reconoció, entonces supe que lo que había hecho estaba bien.

Estos días tenemos muchas cosas que explicar. Es una sensación extraña: a veces me parece que tenemos que conocernos de nuevo y luego vuelve a ser como si no nos hubiéramos separado nunca. Otras veces no nos entendemos y también nos peleamos, durante el viaje me he acostumbrado a cosas que ella no soporta, pero no me molesta si me riñe... entonces sé que al menos le importo. Y me he dado cuenta de una cosa: nunca nos ha olvidado. Sobre todo a ti. En todo este tiempo cada día ha pensado en ti, de eso puedes estar segura.

Ayer encontré trabajo. No es fácil, porque en realidad no tengo permiso, como tampoco lo tengo para estar aquí. Tengo que vigilar que no me pillen, pero lo llevo bastante bien, al fin y al cabo el trayecto me ha hecho más vivo, tuve un buen maestro. Ordeno estanterías en un supermercado, no es nada del otro mundo, pero para empezar ya está bien.

Todo lo que gane lo voy a ahorrar, Juanita, y cuando tenga suficiente, vendré a buscarte, pero no por el camino que hice yo, para eso eres demasiado pequeña. Encontraré otro más seguro. Pero antes tengo que resolver una cosa que es muy importante y significa mucho para mí. Cuando la haya resuelto y consiga el dinero suficiente, entonces vendré a buscarte y volveremos a estar juntos otra vez. Tardaré algún tiempo, no pierdas la paciencia. Pero algún día, Juanita, lo haré, tienes que creerme. Algún día lo haré.

Miguel

Epílogo

«No vayas ahí», me advierte Felipe señalando hacia un grupo de hombres. «No vayas, son peligrosos y roban». Estamos agachados debajo de un vagón de un tren de mercancías en la estación de Arriaga. Desde hace unos años, cuando el huracán Stan destruyó la mayoría de los puentes de la región, los trenes en dirección norte salen provisionalmente desde aquí. Centenares de emigrantes se esconden en esta estación. Felipe, Catarina, José y León son unos de ellos y de los más jóvenes. Les he comprado algo de comer y me están explicando aventuras que han vivido por el camino, y me avisan que vaya con cuidado con entablar conversación con gente «equivocada».

Se calcula que cada año entran por la frontera del sur de México 300.000 emigrantes de manera ilegal con el objetivo de llegar a los Estados Unidos atravesando el país. Emprenden un viaje que se considera, según Amnistía Internacional, uno de los «más peligrosos del mundo» y tan solo una parte lo podrá finalizar. Tienen que contar con que serán perseguidos, apaleados, atracados, violados o atropellados por el tren. Muchos no sobreviven.

¿Por qué lo hacen?

Los países de los que provienen (Guatemala, Honduras, El Salvador, Nicaragua) se encuentran entre los más pobres del mundo. Un reducido grupo de terratenientes, empresarios, políticos y militares se reparten los recursos entre ellos, mientras el resto de la población vive en la pobreza más extrema. En Guatemala, por ejemplo, más del 60% de la población se considera pobre, fuera de la capital llega hasta un 80%.

En un puesto de trabajo bien remunerado, la mayoría no puede ni soñar. Los hijos tienen que colaborar en la subsistencia de las familias y por eso muchos no van a la escuela o la abandonan muy pronto y, por lo tanto, el porcentaje de analfabetismo es muy alto. Y la falta de formación trae como consecuencia que las familias no tengan ninguna esperanza que la situación pueda cambiar jamás.

En la estación de Arriaga unos emigrantes están sentados debajo de un vagón esperando un tren que se dirija al norte.

Por lo tanto, no sorprende que muchos tomen la decisión de marcharse. No muy lejos están los Estados Unidos, uno de los países más ricos del mundo y separado de América Central solo por México. Se explican cosas maravillosas, como que ahí se puede ganar dinero rápidamente, para poder volver y a partir de entonces tener una vida sin preocupaciones, construir una casa, llevar los niños al colegio...

Al principio se van sobre todo los hombres. Abandonan a la familia y con el trabajo que hacen en el extranjero intentan enviar dinero regularmente. Eso provoca que en América Central cada vez haya más familias desestructuradas y para las madres solas la situación se vuelva especialmente dura. El poco trabajo que hay está tan mal pagado que lo que ganan no es suficiente ni para lo más básico. Incluso trabajando los niños, el dinero a menudo no llega para el alquiler y la comida.

Empieza el viaje: barqueros cruzando el río Suchiate
con emigrantes clandestinos en pateras de fabricación casera.

De esta manera, muchas madres se encuentran ante una decisión difícil: continuar viviendo como hasta ahora, al precio de transmitir la miseria y la pobreza a la generación siguiente, o intentar ganar dinero en otra parte, para hacer posible una vida mejor a sus hijos y que puedan acabar la formación. Pero para eso tienen que abandonarles.

Finalmente, muchas deciden marchar, porque en los Estados Unidos las mujeres sudamericanas están muy solicitadas para hacer de niñeras o como trabajadoras domésticas. Se considera que son esforzadas, que no tienen pretensiones y además no pueden luchar por sus derechos, porque normalmente son ilegales. La mayoría abandonan a sus hijos, convencidas que en uno o dos años en la «Tierra Prometida» habrán ganado lo suficiente para volver, pero eso casi nunca es así. En realidad se quedan muchos años.

Los hijos sufren la separación y mantienen el contacto con la madre solo con cartas o llamadas esporádicas. Se sienten rechazados, traicionados y desorientados. Esta es la razón por la cual muchos emprenden el largo camino, cuando son lo suficientemente mayores, de ir al encuentro de sus madres y preguntarles por qué les han abandonado durante tanto tiempo.

En México hay permanentemente unos 50.000 haciendo el viaje. Como que las carreteras están controladas, intentan, al igual que los emigrantes adultos, cruzar el país en trenes de mercancías. Al cabo del tiempo, la línea del tren es como su casa. Solo los más afortunados consiguen llegar a la frontera del norte a la primera, eso significa, más o menos, en un mes. La mayoría tiene que hacer muchos intentos, fracasan y vuelven a empezar de nuevo. Muchos de los que me he encontrado llevan más de un año viajando, ya lo han intentando doce o quince veces. Tantas como haga falta, hasta que lo consigan... o finalmente renuncien.

Les esperan muchos peligros y peores cuanto más jóvenes son. Los ladrones están al acecho para robarles porque lo llevan todo encima y en gran parte es el dinero que han ahorrado durante años para el viaje. En lugares especialmente peligrosos, como La Arrocera, a menudo hay incidentes que acaban con sangre e incluso muertos.

El crimen organizado ha descubierto que los emigrantes también son una fuente de ingresos. En el sur se aprovechan de ellos sobre todo las maras, bandas de jóvenes que controlan el «negocio del tren» y cobran cantidades considerables a cambio de protección. En el norte son los cárteles de la droga, entre los cuales están los *zetas*, los más violentos. Secuestran a las víctimas directamente en los trenes, con el fin de hacer chantajes pidiendo rescates y si no los obtienen los matan, como sucedió el 24 de agosto de 2010 cuando los *zetas* asesinaron a 72 emigrantes en una hacienda de Tamaulipas.

Tumbas en el cementerio de Tapachula, donde están enterrados emigrantes cuyo origen no se ha podido averiguar.

Por parte de las administraciones no se puede esperar nada. Al contrario, muchos policías se ofrecen para controlar trenes, así pueden mejorar el sueldo ínfimo apropiándose del dinero de los emigrantes, como una «compensación» por no detenerlos. Para intimidarlos, a menudo les golpean. Amnistía Internacional ha podido documentar muchos casos, pero pocas veces se ha conseguido la aplicación de consecuencias serias para los policías implicados.

La autoridad administrativa mexicana para asuntos migratorios, el Instituto Nacional de Migración, abreviado La Migra, es el responsable de detectar las personas que están en México de manera ilegal y de devolverlas al país de origen. Los límites de lo que permite la ley se incumplen a menudo. Solo los llamados «Grupos Beta» se encargan de los emigrantes en misión humanitaria. Actualmente tienen 144 efectivos en todo México, es como una gota de agua en el mar.

Los asilos y albergues para emigrantes gestionados por instituciones religiosas son los únicos que les ofrecen protección, les dan comida y un lugar donde dormir, allí se pueden duchar y lavar la ropa, tomarse un respiro y distraerse un poco, al menos durante tres días y tres noches, luego deben irse.

El párroco Flor María Rigoni, el ángel protector de los emigrantes, responsable del albergue de los misioneros del orden de Scalabrini en Tapachula.

Esta forma de emigrar no solo se encuentra en México, sino en todas partes. Millones de personas huyen de la pobreza, la violencia, la guerra o la persecución e intentan llegar a países con mejores condiciones de vida. Casi la mitad son niños y jóvenes. Para la mayor parte de emigrantes de África y Asia,

Europa es la meta de sus sueños y por eso en el Mediterráneo, sobre todo en las costas de España, de Italia y de Grecia, se reproducen escenas tan dramáticas como las que se han descrito en esta novela.

Pero en ningún lugar la situación es tan extrema como en América Central, donde pobreza y riqueza van estrechamente ligadas. Los pequeños países centroamericanos pertenecen a los más pobres del mundo, los Estados Unidos, a los más ricos. En medio está México, el típico país emergente, donde el problema aparece en toda su crueldad. Justamente aquí, a lo largo de la vía del tren, se pueden observar las repercusiones de la migración mundial en muchos destinos individuales.

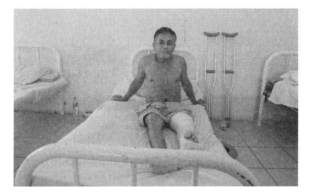

Cuando los sueños se han marchitado: emigrante herido por un tren en el albergue Jesús el Buen Pastor de Tapachula.

En cierta medida, los Estados Unidos también son responsables del flujo migratorio, porque en décadas anteriores siempre apoyaron a los regímenes dictatoriales centroamericanos beneficiándose por ello. De esta manera, han impedido reformas políticas en esos países, perpetuando así la injusticia social. La pobreza resultante es la que empuja a tantas personas hacia el norte.

Si realmente se quiere afrontar este problema, la solución no puede consistir en cerrar fronteras y perseguir a los emigrantes como si fueran criminales. A largo plazo es más útil fortalecer la economía de los países centroamericanos y luchar contra la pobreza. Derogando, por ejemplo, las restricciones comerciales que pesan sobre los productos de estos países y contribuir en mejorar las condiciones de vida con ayudas al desarrollo, sobre todo a la formación. Si todo el dinero que hoy en día se invierte en frenar la inmigración se hubiera invertido en estos objetivos, ya se habría conseguido bastante.

Felipe, Catarina, José y León no saben mucho de estas relaciones y tampoco tienen tiempo para pensar sobre ellas. Solo intentan mejorar su situación. Qué significa para ellos, me lo explicaron en infinidad de historias. Aquel día en Arriaga, después de una larga espera, finalmente salió un tren, tarde, entrada ya la noche. Los cuatro abandonaron su escondrijo, se despidieron con un grito y subieron al tren. Unos vagones atrás también se subieron los «ladrones», de quienes Felipe me había advertido.

Jamás he vuelto a ver a ninguno de los cuatro. Seguramente nunca sabré qué fue de ellos, pero sus historias y las de otros emigrantes que conocí perdurarán: muchas se encuentran, de una manera o de otra, en este libro.

Dirk REINHARDT

Train Kids
se terminó de imprimir
el 20 de septiembre de 2016
en los talleres de Arts Gràfiques Bobala, S. L.